LA LOUVE DE FRANCE

Un intervalle de six années (1318-1324) sépare *La Loi des Mâles* de *La Louve de France*, six années pendant lesquelles la France, quoique sagement gouvernée, a connu diverses calamités : croisades des pastoureaux, révolte des lépreux, troubles et massacres. Un autre malheur lui advient avec la disparition prématurée de Philippe V le Long, décédé, comme son frère Louis X Hutin, sans descendance mâle. Le troisième fils du Roi de fer, le faible Charles IV le Bel, succède à Philippe V. Pendant son règne, la France sera dirigée par les deux chefs de la haute noblesse, Charles de Valois et Robert d'Artois. La relance de l'Histoire va venir d'Angleterre.

Une évasion de la tour de Londres; l'apparition du canon en Occident, dans la guerre de Guyenne; la cour des papes en Avignon; la croix de sang des amours de chevalerie; la chevauchée cruelle conduite par une reine française d'Angleterre pour chasser du trône son époux; une déchéance et un avènement prononcés par le Parlement anglais; un atroce assassinat perpétré sur un souverain : tels sont les principaux éléments qui forment l'armature de ce 5e volume des *Rois Maudits* où se trouvent également relatés l'enlèvement du petit Jean Ier, fils posthume et présumé mort de Louis Hutin, et le trépas de Charles de Valois, prince dont devait descendre la seconde dynastie capétienne.

La « Louve de France », c'est le tragique surnom que les chroniqueurs donnèrent à la reine Isabelle, fille de Philippe le Bel, qui semblait avoir transporté outre-Manche la malédiction des templiers; et c'est le titre que l'auteur a choisi pour désigner ce roman des deux royaumes.

ŒUVRES DE MAURICE DRUON

MAURICE DRUON

de l'Académie française

LES ROIS MAUDITS

V

La Louve de France

ROMAN HISTORIQUE

Nouvelle Édition

LE LIVRE DE POCHE

« *Louve de France, dont les crocs acharnés*
Déchirent les entrailles de ton époux mutilé... »

Thomas Gray.

Je tiens a renouveler ma vive reconnaissance a mes collaborateurs Pierre de Lacretelle, Georges Kessel, Madeleine Marignac, pour l'assistance précieuse qu'ils m'ont donnée dans la composition de cet ouvrage. Je veux également exprimer ma gratitude envers le Brigadier Général L. F. E. Wieler, c. b., c. b. e., Major et Gouverneur résident de la Tour de Londres, qui a guidé mon étude de ce monument, ainsi qu'envers Mr. J. A. F. Thomson, du Balliol College a Oxford, qui a bien voulu contrôler les chapitres relatifs a l'histoire d'Angleterre ; et, comme toujours, remercier les services de la Bibliothèque Nationale et des Archives Nationales pour l'aide indispensable apportée a nos recherches.

M. D.

SOMMAIRE

Troisième Partie
LE ROI VOLÉ

Quatrième Partie
LA CHEVAUCHÉE CRUELLE

PROLOGUE

... ET *les châtiments annoncés, les malédictions lancées du haut de son bûcher par le grand maître des Templiers, avaient continué de rouler sur la France. Le destin abattait les rois comme des pièces d'échecs.*

Après Philippe le Bel foudroyé, après son fils aîné, Louis X, au bout de dix-huit mois assassiné, le second fils, Philippe V, paraissait promis à un long gouvernement. Or, à peine cinq années écoulées, Philippe V mourait à son tour avant d'avoir atteint trente ans.

Arrêtons-nous un instant sur ce règne qui ne se présente comme un répit de la fatalité qu'en regard des drames et des écroulements qui allaient lui faire suite. Règne pâle, semble-t-il à celui qui feuillette l'Histoire d'un geste distrait, sans doute parce qu'il ne retire pas de la page sa main teinte de sang. Et pourtant... Voyons de quoi sont faits les jours d'un grand roi quand le sort lui est contraire.

Car Philippe V le Long pouvait compter au

nombre des grands rois. Par la force et par la ruse, par la justice et par le crime, il avait, jeune homme encore, saisi la couronne mise aux enchères des ambitions. Un conclave emprisonné, un palais royal enlevé d'assaut, une loi successorale inventée, une révolte provinciale brisée par une campagne de dix jours, un grand seigneur jeté en cachot, un enfant royal tué au berceau — du moins à ce que chacun croyait — avaient marqué les rapides étapes de sa course au trône.

Le matin de janvier 1317 où, toutes cloches sonnant dans le ciel, il était sorti de la cathédrale de Reims, le deuxième fils du Roi de fer possédait d'évidentes raisons de se penser triomphant, et libre de reprendre la grande politique qu'il avait admirée chez son père. Sa turbulente famille s'était, par obligation, inclinée ; les barons, matés, se résignaient à son pouvoir ; le Parlement subissait son ascendant et la bourgeoisie l'acclamait, tout à l'enthousiasme d'avoir retrouvé un prince fort. Son épouse était lavée des souillures de la tour de Nesle ; sa descendance semblait assurée par le fils qui venait de lui naître ; le sacre enfin l'avait revêtu d'une intangible majesté. Rien ne manquait à Philippe V pour jouir du relatif bonheur des rois, et pas même la sagesse de vouloir la paix et d'en connaître le prix.

Trois semaines plus tard, son fils mourait. C'était son seul enfant mâle, et la reine Jeanne, désormais frappée de stérilité, ne lui en donnerait plus d'autres.

Au début de l'été, une famine ravageait le pays, jonchant les villes de cadavres.

Puis, bientôt, un vent de démence souffla sur toute la France.

Quel élan aveugle et vaguement mystique, quels rêves élémentaires de sainteté et d'aventure, quel excès de misère, quelle fureur d'anéantissement poussèrent soudain garçons et filles des campagnes, gardiens de moutons, de bœufs et de porcs, petits artisans, petites fileuses, presque tous entre quinze et vingt ans, à quitter brusquement leurs familles, leurs villages, pour se former en bandes errantes, pieds nus, sans argent ni vivres ? Une incertaine idée de croisade servait de prétexte à cet exode.

La folie, en vérité, avait pris naissance dans les débris du Temple. Nombreux étaient les anciens Templiers que les prisons, les procès, les tortures, les reniements arrachés sous le fer rouge et le spectacle de leurs frères livrés aux flammes avaient rendus à demi fous. Le désir de vengeance, la nostalgie de leur puissance perdue et la possession de quelques recettes de magie apprises de l'Orient en avaient fait des fanatiques, d'autant plus redoutables qu'ils se cachaient sous l'humble robe du clerc ou le sarrau du tâcheron. Reformés en société clandestine, ils obéissaient aux ordres, mystérieusement transmis, du grand-maître secret qui avait remplacé le grand-maître brûlé.

Ce furent ces hommes-là qui, un hiver, se muèrent soudainement en prêcheurs de villages et, pareils au joueur de flûte des légendes du Rhin, entraînèrent sur leurs pas la jeunesse de France. Vers la Terre sainte, disaient-ils. Mais leur volonté véritable était la perte du royaume et la ruine de la papauté.

Et le pape et le roi demeuraient également impuissants devant ces hordes d'illuminés qui parcouraient les routes, devant ces fleuves humains qui grossissaient à chaque carrefour, comme si la terre de Flandre, de Normandie, de Bretagne, de Poitou avait été ensorcelée.

Dix mille, vingt mille, cent mille... les « pastoureaux » marchaient vers de mystérieux rendez-vous. Prêtres interdits, moines apostats, brigands, voleurs, mendiants et putains se joignaient à leurs troupes. Une croix était portée en tête de ces cortèges où filles et garçons s'abandonnaient à la pire licence, aux pires débordements. Cent mille marcheurs en guenilles qui entrent dans une ville pour y demander l'aumône ont vite fait de la mettre au pillage. Et le crime, qui n'est d'abord que l'accessoire du vol, devient bientôt la satisfaction d'un vice.

Les pastoureaux ravagèrent la France pendant toute une année avec une certaine méthode dans leur désordre, n'épargnant ni les églises ni les monastères. Paris affolé vit cette armée de pillards envahir ses rues, et le roi Philippe V, d'une fenêtre de son palais, leur adresser des paroles d'apaisement. Ils exigeaient du roi qu'il se mît à leur tête. Ils prirent d'assaut le Châtelet, assommèrent le prévôt, pillèrent l'abbaye de Saint-Germain-des-Prés. Puis un nouvel ordre, aussi mystérieux que celui qui les avait assemblés, les lança sur les chemins du sud. Les Parisiens tremblaient encore que les pastoureaux déjà inondaient Orléans. La Terre sainte était loin ; ce furent Bourges, Limoges, Saintes, le Périgord et le Bordelais, la Gascogne et l'Agenais qui eurent à subir leur fureur.

Le pape Jean XXII, inquiet de voir le flot
se rapprocher d'Avignon, menaça d'excommunication ces faux croisés. Ils avaient besoin de
victimes ; ils trouvèrent les Juifs. Les populations
urbaines, dès lors, applaudissant aux massacres,
fraternisèrent avec les pastoureaux. Ghettos de
Lectoure, d'Auvillar, de Castelsarrasin, d'Albi,
d'Auch, de Toulouse ; ici cent quinze cadavres,
ailleurs cent cinquante-deux... Pas une cité du
Languedoc qui n'ait eu droit à sa boucherie
expiatoire. Les Juifs de Verdun-sur-Garonne se
servirent de leurs propres enfants comme projectiles, puis s'entr'égorgèrent pour ne pas tomber
aux mains des fous.

Alors le pape à ses évêques, le roi à ses sénéchaux donnèrent ordre de protéger les Juifs dont
les commerces leur étaient nécessaires. Le comte
de Foix, se portant au secours du sénéchal de Car-
cassonne, dut livrer vraiment une bataille rangée
où les pastoureaux, repoussés dans les marécages
d'Aigues-Mortes, moururent par milliers, assom-
més, percés, enlisés, noyés. La terre de France bu-
vait son propre sang, engloutissait sa propre jeunesse. Clergé et officiers royaux s'unirent afin
de pourchasser les rescapés. On leur ferma les
portes des villes, on leur refusa vivres et logement ;
on les traqua dans les passes des Cévennes ;
on pendit tous ceux qu'on captura, par grappes
de vingt, de trente, aux branches des arbres.
Des bandes errèrent encore pendant près de deux
ans, et il alla s'en perdre jusqu'en Italie.

La France, le corps de la France était malade.
A peine apaisée la fièvre des pastoureaux, apparut
celle des lépreux.

Étaient-ils tous responsables, ces malheureux

aux chairs rongées, aux faces de morts, aux mains transformées en moignons, ces parias enfermés dans leurs ladreries, villages d'infection et de pestilence où ils procréaient entre eux et dont ils ne pouvaient sortir que cliquette en main, étaient-ils responsables absolument de la pollution des eaux ? Car l'été de 1321, les sources, les ruisseaux, les puits et les fontaines furent, en de nombreux points, empoisonnés. Et le peuple de France, cette année-là, haleta, assoiffé, devant ses généreuses rivières, ou ne s'y abreuva plus qu'avec effroi, attendant l'agonie pour chaque gorgée. Le Temple avait-il mis la main aux poisons étranges — faits de sang humain, d'urine, d'herbes magiques, de têtes de couleuvres, de pattes de crapauds écrasées, d'hosties transpercées et de poils de ribaudes — qu'on assura avoir été répandus dans les eaux ? Avait-il poussé à la révolte le peuple maudit, lui inspirant, comme certains lépreux l'avouèrent sous la torture, la volonté que tous les chrétiens périssent ou devinssent lépreux eux-mêmes ?

L'affaire commença dans le Poitou, où le roi Philippe V séjournait. Elle gagna vite le pays tout entier. Le peuple des villes et des campagnes se rua sur les léproseries pour y exterminer ces malades devenus soudain ennemis publics. N'étaient épargnées que les femmes enceintes, mais seulement jusqu'au sevrage de leur nourrisson. Après quoi on les livrait aux flammes. Les juges royaux couvraient de leurs sentences ces hécatombes, et la noblesse y prêtait ses hommes d'armes. Puis l'on se retourna une fois de plus contre les Juifs, accusés d'être complices d'une immense et imprécise conjuration inspirée, assurait-on, par les rois maures de Grenade et de Tunis.

On eût dit que la France, dans de gigantesques sacrifices humains, cherchait à apaiser ses angoisses, ses terreurs.

Le vent d'Aquitaine était imprégné de l'atroce odeur des bûchers. A Chinon, tous les Juifs du bailliage furent jetés dans une grande fosse de feu ; à Paris, ils furent brûlés sur cette île qui portait tristement leur nom, en face du château royal, et où Jacques de Molay avait prononcé sa fatale prophétie.

Et le roi mourut. Il mourut de la fièvre et du déchirant mal d'entrailles qu'il avait contracté en Poitou, dans sa terre d'apanage ; il mourut d'avoir bu l'eau de son royaume.

Il mit cinq mois à s'éteindre dans les pires souffrances, consumé, squelettique.

Chaque matin, il commandait d'ouvrir les portes de sa chambre, en l'abbaye de Longchamp où il s'était fait transporter, laissant venir tous les passants jusqu'à son lit pour pouvoir leur dire : « Voyez ici le roi de France, votre souverain seigneur, le plus pauvre homme de tout son royaume, car il n'est nul d'entre vous avec qui je ne voudrais échanger mon sort. Mes enfants, mirez-vous à votre prince temporel, et ayez tous le cœur à Dieu en voyant comme il se plaît à jouer avec ses créatures du monde. »

Il alla rejoindre les os de ses ancêtres, à Saint-Denis, le lendemain de l'Epiphanie de 1322, sans que personne, hormis sa femme, le pleurât.

Et pourtant, il avait été un roi fort sage, soucieux du bien public. Il avait déclaré inaliénable toute partie du domaine royal ; il avait unifié les monnaies, les poids et les mesures, réorganisé la justice pour qu'elle fût rendue avec plus *d'équité, interdit le cumul des fonctions publiques, défendu aux prélats de siéger au Parlement, doté les finances d'une administration particulière. On lui devait encore d'avoir développé l'affranchissement des serfs. Il souhaitait que le servage disparût totalement de ses Etats ; il voulait régner sur un peuple d'hommes jouissant de « la liberté véritable », tels que la nature les avait faits.*

Il avait évité les tentations de la guerre, supprimé de nombreuses garnisons intérieures pour renforcer celles des frontières, et préféré toujours les négociations aux stupides équipées. Sans doute était-il trop tôt pour que le peuple admît que la justice et la paix coûtassent de lourds sacrifices d'argent. « Où sont allés, demandait-on, les revenus, les dîmes, et les annates, et les subventions des Lombards et des Juifs, puisqu'on a moins distribué d'aumônes, qu'on n'a pas tenu chevauchées, ni construit d'édifices ? Où donc tout cela a-t-il fondu ? »

Les grands barons, provisoirement soumis, et qui parfois, devant les remous des campagnes, s'étaient par peur serrés autour du souverain, avaient attendu patiemment leur heure de revanche et contemplé d'un regard apaisé l'agonie de ce jeune roi qu'ils n'avaient pas aimé.

Philippe V le Long, homme seul, en avance sur son temps, était passé dans l'incompréhension générale.

Il ne laissait que des filles ; « la loi des mâles » qu'il avait promulguée pour son propre usage les excluait du trône. La couronne était échue à son frère cadet, Charles de La Marche, aussi médiocre d'intelligence que beau de visage. Le puissant comte de Valois, le comte Robert d'Artois,

tout le cousinage capétien et la réaction baronniale se voyaient à nouveau triomphants. Enfin,
l'on pouvait reparler de croisade, se mêler aux
intrigues de l'Empire, trafiquer des cours de la
monnaie et assister, en se moquant, aux difficultés du royaume d'Angleterre.

Là-bas un roi léger, décevant, incapable, soumis à la passion amoureuse qu'il porte à son
favori, se bat contre ses barons, contre ses évêques, et lui aussi trempe la terre de son royaume
du sang de ses sujets.

Là-bas une princesse de France vit en femme
humiliée, en reine bafouée, tremble pour sa vie,
conspire pour sa sauvegarde, et rêve de vengeance.

Il semble qu'Isabelle, fille du Roi de fer et
sœur de Charles IV de France, ait transporté au-
delà de la Manche la malédiction des Templiers...

PREMIÈRE PARTIE

DE LA TAMISE
A LA GARONNE

I

ON NE S'ÉVADE PAS DE LA TOUR
DE LONDRES... »

UN énorme corbeau, noir, luisant, monstrueux, presque aussi gros qu'une oie, sautillait devant le soupirail. Parfois il s'arrêtait, l'aile basse, la paupière faussement close sur son petit œil rond, comme s'il allait dormir. Puis soudain, détendant le bec, il cherchait à frapper les yeux d'homme qui brillaient derrière les barreaux du soupirail. Ces yeux gris, couleur de silex, semblaient attirer l'oiseau. Mais le prisonnier était vif et avait déjà reculé le visage. Alors le corbeau reprenait sa promenade, par sauts pesants et courts.

L'homme, à présent, sortait la main hors du soupirail, une belle main grande et longue, nerveuse, l'avançait insensiblement, la laissait inerte, pareille à une branche sur la poussière du sol, attendant l'instant de saisir le corbeau par le cou.

L'oiseau, lui aussi, était rapide, en dépit de sa taille ; il s'écartait d'un bond, lançant un croassement enroué.

« Prends garde, Edouard, prends garde, dit l'homme derrière la grille du soupirail. Un jour, je finirai bien par t'étrangler. »

Car le prisonnier avait donné à ce corbeau sournois le nom de son ennemi, le roi d'Angleterre.

Il y avait dix-huit mois que le jeu durait, dix-huit mois que le corbeau visait les prunelles du détenu, dix-huit mois que le détenu avait envie d'étouffer l'oiseau noir, dix-huit mois que Roger Mortimer, huitième baron de Wigmore, grand seigneur des Marches galloises et ex-lieutenant du roi en Irlande, était enfermé, en compagnie de son oncle Roger Mortimer de Chirk, ancien Grand Juge du Pays de Galles, dans un cachot de la tour de Londres. L'usage eût voulu que des prisonniers d'un tel rang, qui appartenaient à la plus ancienne noblesse du royaume, fussent pourvus d'un logement décent. Mais le roi Edouard II, lorsqu'il s'était saisi, en janvier 1322, après la bataille de Shrewsbury gagnée sur ses barons révoltés, des deux Mortimer, leur avait assigné cette geôle étroite et basse, prenant son jour à ras de sol, dans les nouveaux bâtiments qu'il venait de faire construire, à droite de la tour de la Cloche. Obligé, sous la pression de la cour, des évêques et du peuple même, de commuer en réclusion perpétuelle la peine de mort qu'il avait d'abord décrétée contre les Mortimer, le roi espérait bien que cette cellule malsaine, cette cave où les fronts touchaient le plafond, ferait, à terme, office de bourreau.

De fait, si les trente-six ans de Roger Mortimer

de Wigmore avaient pu résister à pareille prison, en revanche, dix-huit mois de brume coulant par le soupirail, ou de pluie suintant des murs, ou de touffeur épaisse stagnant au fond de ce trou durant la saison chaude, semblaient avoir eu raison du vieux Lord de Chirk. Perdant ses cheveux, perdant ses dents, les jambes enflées, les mains tordues de rhumatismes, l'aîné des Mortimer ne quittait presque plus la planche de chêne qui lui servait de lit, tandis que son neveu se tenait près du soupirail, les yeux tournés vers la lumière.

C'était le deuxième été qu'ils passaient dans ce réduit. Le jour, depuis deux heures déjà, était levé sur la plus célèbre forteresse d'Angleterre, cœur du royaume et symbole de la puissance de ses princes, sur la tour Blanche, construite par Guillaume le Conquérant et appuyée aux fondations mêmes de l'ancien *castrum* romain, sur cet immense donjon carré, léger malgré ses proportions gigantesques, sur les tours d'enceinte et les murs crénelés dus à Richard Cœur de Lion, sur le Logis du Roi, sur la chapelle Saint-Pierre, sur la porte des Traîtres. La journée serait chaude, pesante même, comme la veille l'avait été ; cela se devinait au soleil qui rosissait les pierres ainsi qu'à l'odeur de vase, un peu écœurante, montant des douves et de la Tamise toute proche, dont l'eau baignait le remblai des fossés *[1].

Le corbeau Edouard avait rejoint les autres

---

* Les numéros dans le texte renvoient aux .« Notes historiques », en fin de volume, où le lecteur trouvera également le « Répertoire biographique » des personnages.

corbeaux géants sur la pelouse tristement fameuse, le Green, où l'on installait le billot les jours
d'exécutions capitales ; les oiseaux y picoraient
une herbe nourrie du sang des patriotes écossais,
des criminels d'Etat, des favoris tombés en disgrâce.

On ratissait le Green, on en balayait les chemins pavés sans que les corbeaux s'effarouchas-
sent ; car nul n'aurait osé toucher à ces animaux
qui vivaient là, objets d'une vague superstition,
depuis des temps immémoriaux.

Les soldats de la garde, sortant de leurs logis,
achevaient hâtivement de boucler leur ceintu-
ron ou leurs houseaux, coiffaient leur chapeau
de fer, et se rassemblaient pour la parade quotidienne qui, ce matin, prenait une importance particulière car on était le 1er août, jour de Saint-
Pîerre-ès-Liens — auquel la chapelle était dédiée
— et fête annuelle de la Tour.

Les verrous grincèrent à la porte basse de la
cellule. Le geôlier porte-clefs ouvrit, jeta un
regard à l'intérieur, et laissa entrer le barbier.
Celui-ci, un homme à petits yeux, à nez long, à
bouche ronde, venait une fois la semaine raser
Roger Mortimer le jeune. Pendant les mois d'hiver,
cette opération était un supplice pour le prisonnier, car le constable Stephen Seagrave, gouverneur de la Tour [2], avait déclaré :

« Si Lord Mortimer veut continuer d'être rasé,
je lui enverrai donc le barbier, mais je n'ai pas
obligation de le fournir d'eau chaude. »

Et Lord Mortimer avait tenu bon, d'abord pour
défier le constable, ensuite parce que son ennemi exécré le roi Edouard portait une jolie barbe
blonde, enfin et surtout pour lui-même, sachant

que s'il cédait sur ce point, il s'abandonnerait
progressivement à la déchéance physique. Il avait
sous les yeux l'exemple de son oncle, lequel ne
prenait plus aucun soin de sa personne. Le menton broussailleux, les mèches éparses autour du
crâne, le Lord de Chirk, après dix-huit mois de
détention, avait l'apparence d'un vieil anachorète
et se plaignait sans arrêt des multiples maux qui
l'accablaient.

« Seules les douleurs de mon pauvre corps,
disait-il, m'assurent que je suis encore vivant. »

Donc, Mortimer le jeune, semaine après semaine, avait accueilli le barbier Ogle, même lorsqu'il fallait casser la glace dans le bassin et que
le rasoir lui laissait les joues sanglantes. Il en
avait été récompensé, car il s'était aperçu, au
bout de quelques mois, que cet Ogle pouvait lui
servir de liaison avec l'extérieur. L'homme avait
une âme étrange ; il était avide, et capable aussi
de dévouement ; il souffrait d'une situation subalterne qu'il jugeait inférieure à son mérite ;
l'intrigue lui offrait l'occasion d'une revanche
secrète et d'acquérir, en partageant les secrets
de grands personnages, de l'importance à ses propres yeux. Le baron de Wigmore était certainement l'homme le plus noble, à la fois de naissance
et de nature, qu'il eût jamais approché. Et puis, un
prisonnier qui s'obstine, même par temps de gel, à
se faire raser, cela force l'admiration !

Grâce au barbier, Mortimer avait donc établi
un lien, ténu mais régulier, avec ses partisans,
et particulièrement avec Adam Orleton, l'évêque
de Hereford ; par le barbier encore, il avait su
que le lieutenant de la Tour, Gérard de Alspaye,
pouvait être gagné à sa cause ; par le barbier tou-

jours, il avait mis sur pied la lente machination
d'une évasion. L'évêque assurait qu'il serait délivré à l'été. Et l'été était là...

A travers le judas ménagé dans la porte, le geôlier, de temps à autre, lançait un regard, sans
suspicion particulière, par simple habitude pro-
fessionnelle.

Le prisonnier, une écuelle de bois sous le menton — retrouverait-il jamais le bassin de fin
argent martelé dont il se servait naguère ? —
écoutait les propos de convenance que lui adressait le barbier à voix très haute, pour donner le
change. Le soleil, l'été, la chaleur... Il faisait toujours beau temps, c'était chose remarquable, le
jour de la Saint-Pierre...

Se penchant davantage sur son rasoir, Ogle
souffla :

« *Be ready tonight, my Lord* *. »

Mortimer n'eut pas un tressaillement. Ses yeux
couleur de silex, sous les sourcils bien fournis,
se tournèrent seulement vers les petits yeux noirs
du barbier. Celui-ci confirma d'un mouvement
de paupières.

« Alspaye ?... murmura Mortimer.

— *He'll go with us* *, répondit le barbier en
passant de l'autre côté du visage.

— *The Bishop ?*... demanda encore le prisonnier.

— *He'll be waiting for you outside, after dark* »,

---

* Soyez prêt pour ce soir, Monseigneur.
* Il partira avec nous.
  L'évêque ?
  Il vous attendra à l'extérieur, à la nuit tombée.

dit le barbier qui aussitôt se remit à parler bien fort du soleil, de la parade qui s'apprêtait, des jeux qui se dérouleraient l'après-midi...

Sa barbe faite, Mortimer se rinça le visage et s'essuya d'une toile sans même en sentir le contact.

Et lorsque le barbier Ogle fut parti en compagnie du porte-clefs, le prisonnier s'étreignit la poitrine, à deux mains, et avala une grande gorgée d'air. Il se retenait de crier : « Soyez prêt pour ce soir. » Ces mots lui bruissaient dans la tête. Se pouvait-il que ce fût pour ce soir, enfin ?

Il s'approcha du bat-flanc où somnolait son compagnon de geôle.

« Mon oncle, dit-il, ce sera pour ce soir. »

Le vieux Lord de Chirk se tourna en gémissant, éleva vers son neveu ses prunelles décolorées qui brillaient d'une lueur glauque dans l'ombre de la cellule, et répondit avec lassitude :

« On ne s'évade pas de la tour de Londres, mon garçon. Personne... Ni ce soir, ni jamais. »

Mortimer le jeune eut un mouvement d'irritation. Pourquoi cette obstination négative, ce refus du risque de la part d'un homme qui, au pire, avait si peu de vie à perdre ? Il s'interdit de répondre pour ne pas s'emporter. Bien qu'ils parlassent français entre eux, comme toute la cour et la noblesse, alors que les serviteurs, les soldats et le commun peuple parlaient anglais, ils craignaient toujours d'être entendus.

Mortimer revint au soupirail et regarda, de bas en haut, la parade, avec le sentiment exaltant d'y assister peut-être pour la dernière fois.

Au niveau de ses yeux passaient et repassaient les houseaux de la troupe ; de gros souliers de

cuir frappaient les pavés. Et le Lord de Wigmore
ne pouvait s'empêcher d'admirer les évolutions
précises des archers, ces remarquables archers
anglais, les meilleurs d'Europe, qui tiraient jusqu'à douze flèches à la minute.

Au milieu du Green, Alspaye, le lieutenant,
raide comme un pieu, criait les ordres à pleine
voix et présentait la garde au constable. On comprenait mal que ce grand jeune homme, blond et
rose, si attentif à son service, si visiblement animé du désir de bien faire, eût accepté de trahir.
Il fallait qu'il y eût été poussé par d'autres motifs
que le seul appât de l'argent. Gérard de Alspaye,
lieutenant de la tour de Londres, souhaitait, comme beaucoup d'officiers, de shérifs, d'évêques et
de seigneurs, voir l'Angleterre débarrassée des
mauvais ministres qui entouraient le roi ; sa jeunesse rêvait de jouer un rôle héroïque ; de plus
il haïssait et méprisait son chef, le constable Seagrave.

Ce dernier, un borgne à joues flasques, buveur
et nonchalant, ne devait sa haute charge qu'à la
protection, précisément, des mauvais ministres.
Pratiquant ouvertement les mœurs dont le roi
Edouard faisait étalage devant la cour, le constable se servait volontiers de sa garnison comme
d'un harem. Et ses goûts le portaient par préfé-
rence vers les grands jeunes hommes blonds ;
aussi l'existence du lieutenant Alspaye, fort dévot
et éloigné du vice, était devenue un enfer. Ayant
naguère repoussé les tendres assauts du constable, Alspaye en subissait maintenant les conti-
nuelles persécutions. Il n'était de tracasseries, de
vexations, que Seagrave ne lui infligeât. Le borgne
avait les loisirs de la cruauté. Dans l'instant

même, passant l'inspection des hommes, il accablait son second de moqueries grossières pour des vétilles, pour un défaut d'alignement, pour une tache de rouille sur le fer d'un couteau, pour une minuscule déchirure dans le cuir d'un sac à flèches. Son œil unique ne cherchait que le défaut.

Bien que ce fût fête, jour où de coutume les punitions étaient levées, le constable ordonna que trois soldats fussent fouettés sur-le-champ, à cause du mauvais état de leur équipement. Un sergent alla querir les verges. Les hommes punis durent baisser leurs chausses devant tous leurs camarades alignés. Le constable parut fort s'amuser du spectacle.

« Si la garde n'est pas mieux tenue, la prochaine fois, Alspaye, ce sera vous », dit-il.

Puis toute la garnison, à l'exception des sentinelles, se rendit à la chapelle pour entendre messe et chanter cantiques.

Les voix rudes et fausses parvenaient jusqu'au prisonnier, aux aguets derrière son soupirail. « Soyez prêt pour ce soir, my Lord... » L'ancien délégué du roi en Irlande ne cessait de penser que le soir, peut-être, il serait libre. Une journée entière à attendre, à espérer, à craindre aussi. Craindre que Ogle ne commît une sottise dans l'exécution du plan préparé, craindre que Alspaye, à la dernière minute, ne soit ressaisi par le sens du devoir... une journée à prévoir tous les obstacles fortuits, tous les éléments de hasard qui peuvent faire manquer une évasion.

« Il vaut mieux n'y pas songer, se dit-il, et croire que tout ira bien. Les choses surviennent toujours différemment de ce qu'on a pu imagi-

ner. » Mais sa pensée revenait aux mêmes soucis.
« Il y aura les veilleurs sur les chemins de
ronde... »

Il fit un brusque saut en arrière. Le corbeau
avait avancé en tapinois, le long du mur, et il
s'en était peu fallu, cette fois, qu'il n'atteignît
l'œil du prisonnier.

« Ah ! Edouard, Edouard, c'en est trop à présent, dit Mortimer entre les dents. L'un de nous
deux, aujourd'hui, doit l'emporter. »

La garnison venait de sortir de la chapelle et
d'entrer au réfectoire, pour les ripailles traditionnelles.

Le geôlier reparut sur le seuil de la cellule,
suivi d'un gardien chargé du repas des prisonniers. Le brouet de fèves, par exception, était
engraissé d'un peu de viande de mouton.

« Forcez-vous à vous mettre debout, mon oncle,
dit Mortimer.

— Et l'on nous prive même de la messe, comme des excommuniés ! » dit le vieux Lord sans
bouger de son bat-flanc.

Le porte-clefs s'était retiré. Les prisonniers
seraient sans autre visite jusqu'au soir.

« Ainsi, mon oncle, vous êtes vraiment résolu
à ne point m'accompagner ? demanda Mortimer.

— T'accompagner où, mon garçon ? répondit
le Lord de Chirk. On ne s'évade pas de la Tour,
je te le répète. Nul n'y est jamais parvenu. On ne
se rebelle pas non plus contre son roi. Edouard
n'est pas le meilleur souverain que l'Angleterre
ait eu, certes non, et ses deux Despensers méri-
teraient bien d'être à notre place. Mais on ne
choisit pas son roi, on le sert. Jamais je n'aurais
dû vous écouter, Thomas de Lancastre et toi.

quand vous avez pris les armes. Car Thomas a été décapité, et voilà où nous sommes... »

C'était l'heure où, après quelques bouchées avalées, il consentait à parler, d'une voix monotone et lasse, pour ressasser, d'ailleurs, les mêmes propos que son neveu entendait depuis dix-huit mois.

Il ne restait plus rien, à soixante-sept ans, chez Mortimer l'ancien, du bel homme ni du grand seigneur qu'il avait été, fameux pour de fabuleux tournois donnés au château de Kenilworth, et dont trois générations parlaient encore. Son neveu s'efforçait, en vain, de ranimer quelques braises au cœur de ce vieil homme épuisé.

« D'abord, mes jambes ne me soutiendraient pas, ajouta-t-il.

— Que ne les essayez-vous un peu ! Quittez donc votre lit. Et puis, je vous porterai, je vous l'ai dit.

— C'est cela ! Tu vas me porter par-dessus les murs, et puis dans l'eau où je ne sais pas nager. Tu vas me porter la tête sur le billot, voilà, et la tienne avec. Dieu est peut-être en train de travailler à notre délivrance, et toi tu vas tout ruiner par cette folie où tu t'entêtes. C'est toujours ainsi ; la révolte est dans le sang des Mortimer. Rappelle-toi le premier Roger de notre lignée, le fils de l'évêque et de la fille du roi Herfast. Il avait battu l'armée du roi de France sous les murs de son château de Mortemer-en-Bray [3]. Et pourtant il offensa si fort le Conquérant, son cousin, que ses terres et ses biens lui furent ôtés... »

Roger Mortimer de Wigmore, assis sur l'escabelle, croisa les bras, ferma les yeux, et se renversa un peu pour appuyer les épaules au mur. Il lui

fallait subir la quotidienne invocation des ancêtres, écouter Roger Mortimer de Chirk conter
pour la centième fois comment Ralph le Barbu,
fils du premier Roger, avait débarqué en Angleterre aux côtés du duc Guillaume, et comment il
avait reçu Wigmore en fief, et pourquoi, depuis,
les Mortimer étaient puissants sur quatre comtés.

Du réfectoire s'échappaient les chansons à boire
que braillaient les soldats en fin de repas.

« De grâce, mon oncle, s'écria Mortimer le jeune, abandonnez un moment nos aïeux. Je n'ai pas
si grand-hâte que vous de les retrouver. Oui, je
sais que nous descendons d'un roi. Mais le sang
des rois est petit sang dans une prison. Est-ce le
glaive d'Herfast de Danemark qui va nous délivrer ? Où sont nos terres, et nous sert-on nos
revenus dans ce cachot ? Et quand vous m'aurez
redit encore les noms de nos aïeules : Hadewige,
Mélisinde, Mathilde la Mesquine, Walcheline de
Ferrers, Gladousa de Braose, sont-ce là les seules
femmes dont je pourrai rêver jusqu'à mon dernier souffle ? »

Mortimer de Chirk demeura un moment interdit, contemplant distraitement sa main gonflée,
aux ongles démesurément longs et ébréchés. Puis
il dit :

« Chacun occupe sa prison comme il peut, les
vieux avec le passé perdu, les jeunes avec les len-
demains qu'ils ne verront pas. Toi, tu te contes
que toute l'Angleterre t'aime et travaille pour toi,
que l'évêque Orleton est ton ami fidèle, que la
reine elle-même œuvre à ton salut, et que tu vas
tout à l'heure partir pour la France, pour l'Aquitaine, pour la Provence, que sais-je ! Et que tout
le long de ton chemin, les cloches vont sonner la

bienvenue. Et ce soir, tu verras, personne ne viendra. »

Il se passa les doigts sur les paupières, d'un geste las, puis se tourna vers le mur.

Mortimer le jeune revint au soupirail, glissa une main entre les barreaux et la posa, comme morte, sur la poussière.

« L'oncle, maintenant, va somnoler jusqu'au soir, pensait-il. Et puis il se décidera à la dernière minute. De ce fait, ce ne sera point aisé avec lui ; et ne va-t-il pas tout faire échouer ?... Ah ! voilà Edouard. »

L'oiseau s'était arrêté à peu de distance de la main inerte, et essuyait son gros bec noir contre sa patte.

« Si je l'étrangle, mon évasion réussira. Si je le manque, je ne m'échapperai pas. »

Ce n'était plus un jeu, mais un pari avec le destin. Pour occuper son attente, tromper son anxiété, le prisonnier avait besoin de se fabriquer des présages, et il guettait, d'un œil de chasseur, l'énorme corbeau. Mais celui-ci, comme s'il avait discerné la menace, s'écarta.

Les soldats sortaient du réfectoire, le visage tout illuminé. Ils se répartirent en petits groupes à travers la cour, pour les jeux, les courses et luttes qui étaient tradition de fête. Pendant deux heures, le torse nu, ils suèrent sous le soleil, rivalisant de force pour se plaquer au sol, ou d'adresse pour lancer des masses contre un piquet de bois.

On entendait le constable crier :

« Le prix du roi ! Qui le gagnera ? Un shilling [4] ! »

Puis, quand le jour commença de baisser, les

hommes allèrent se laver aux citernes et, plus bruyants que le matin, commentant leurs exploits ou leurs défaites, ils regagnèrent le réfectoire pour manger et boire encore. Qui n'était pas ivre le soir de la Saint-Pierre-ès-Liens méritait le mépris de ses compagnons ! Le prisonnier les entendait se ruer au vin. L'ombre descendait sur la cour, l'ombre bleue des soirs d'été, et l'odeur de vase, venant des douves et du fleuve, se faisait plus pénétrante.

Soudain un croassement furieux, rauque, prolongé, un de ces cris d'animaux qui donnent un malaise aux hommes, déchira l'air devant le soupirail.

« Qu'est-ce là ? demanda le vieux Lord de Chirk dans le fond de la cellule.

— Je l'ai manqué, dit son neveu. Je lui ai saisi l'aile au lieu du col. »

Il conservait aux doigts quelques plumes noires qu'il contemplait tristement dans l'incertaine lumière du crépuscule. Le corbeau avait disparu et, cette fois, ne reviendrait plus.

« C'est sottise d'enfant que d'y attacher importance, se disait Mortimer le jeune. Allons, l'heure approche. ». Mais il était obsédé d'un mauvais pressentiment.

Il en fut distrait par l'étrange silence qui depuis quelques instants venait de s'établir dans la Tour. Aucun bruit ne s'élevait plus du réfectoire ; les voix des buveurs s'étaient éteintes ; le choc des plats et des pichets avait cessé. On n'entendait rien qu'un aboiement quelque part dans les jardins, et le cri lointain d'un marinier sur la Tamise... Le complot d'Alspaye avait-il été éventé, et ce silence de la forteresse était-il dû à la stupeur qui suit la découverte des grandes trahisons ?

Le front collé aux grilles du soupirail, le prisonnier, retenant son souffle, épiait l'ombre et les moindres sons. Un archer traversa la cour en titubant, alla vomir contre un mur, puis s'affala sur le sol et ne bougea plus. Mortimer distinguait sa forme immobile dans l'herbe. Déjà les premières étoiles apparaissaient au ciel. La nuit serait claire.

Deux soldats encore sortirent du réfectoire en se tenant le ventre, et vinrent s'écrouler au pied d'un arbre. Ce n'était pas une ivresse coutumière que celle-ci, qui assommait les hommes comme d'un coup de bâton.

Mortimer de Wigmore chercha ses bottes à tâtons, dans un coin du cachot, et les enfila ; elles glissaient facilement, car ses jambes avaient maigri.

« Que fais-tu, Roger ? demanda Mortimer de Chirk.

— Je me prépare, mon oncle ; le moment approche. Notre ami Alspaye paraît avoir bien fait les choses ; on dirait tout juste que la Tour est morte.

— Il est vrai qu'on ne nous a point porté notre second repas », remarqua le vieux Lord avec un accent d'inquiétude.

Roger Mortimer remettait sa chemise dans ses braies, bouclait sa ceinture autour de sa cotte de guerre. Ses vêtements étaient usés, fripés, car on refusait depuis dix-huit mois de lui en fournir d'autres, et il vivait dans son habillement de bataille, tel qu'on l'avait dégagé de son armure faussée, la lèvre inférieure blessée par le choc de la mentonnière.

« Si tu réussis, je vais rester seul, et toutes les vengeances retomberont sur moi », dit encore le Lord de Chirk.

Il y avait une grande part d'égoïsme dans la vaine obstination du vieil homme à détourner son neveu de s'évader.

« Entendez donc, mon oncle, voici qu'on vient. Cette fois, levez-vous. »

Des pas résonnaient sur les dalles de pierre, approchaient de la porte. Une voix appela :

« My Lord !

— Est-ce toi, Alspaye ?

— Oui, my Lord, mais je n'ai pas la clef. Votre geôlier, dans son ivresse, a égaré le trousseau ; et maintenant, en l'état où il est, on ne peut rien en tirer. J'ai cherché partout. »

Du bat-flanc où reposait le Lord de Chirk partit un petit ricanement.

Mortimer le jeune eut un juron de dépit. Alspaye mentait-il, ayant pris peur à la dernière minute ? Mais dans ce cas, pourquoi était-il venu ? Ou bien était-ce le hasard absurde, ce hasard que le prisonnier avait tenté d'imaginer toute la journée, et qui se présentait sous cette forme ?

« Tout est prêt, my Lord, je vous assure, continuait Alspaye. La poudre de l'évêque, qu'on a mêlée au vin, a fait merveille. Ils étaient déjà bien soûls et ne se sont aperçus de rien. A présent, ils sont tous engourdis, comme morts. Les cordes sont préparées, la barque vous attend. Mais je n'ai pas la clef.

— De combien de temps pouvons-nous profiter ?

— Les sentinelles ne devraient point s'inquiéter

avant une grande demi-heure. Elles ont festoyé, elles aussi, avant leur garde.

— Qui t'accompagne ?

— Ogle.

— Envoie-le prendre une masse, un coin, un levier, et faites sauter la pierre.

— Je vais avec lui, et m'en retourne aussitôt. »

Les deux hommes s'éloignèrent. Roger Mortimer mesurait le temps aux battements de son cœur. Pour une clef égarée !... Et il suffisait maintenant qu'une sentinelle, sous un prétexte quelconque, abandonnât sa veille pour que tout échouât... Le vieux Lord lui-même se taisait et l'on entendait sa respiration oppressée dans le fond du cachot.

Bientôt un rai de lumière filtra sous la porte. Alspaye revenait, avec le barbier qui portait chandelle et outils. Ils s'attaquèrent à la pierre du mur dans laquelle le pêne enfonçait de deux pouces. Ils s'efforçaient d'assourdir leurs coups ; mais même ainsi, ils avaient l'impression que l'écho s'en devait répercuter dans toute la Tour. Des éclats de pierre tombaient sur le sol. Enfin, le bloc s'écroula et la porte s'ouvrit.

« Faites vite, my Lord », dit Alspaye.

Sa face rose, éclairée par la chandelle, était couverte de sueur, et ses mains tremblaient.

Roger Mortimer de Wigmore s'approcha de son oncle, se pencha vers lui.

« Non, va seul, mon garçon, dit Mortimer de Chirk ; il faut que tu t'échappes. Que Dieu te protège. Et ne m'en veuille pas d'être vieux. »

Il attira son neveu par la manche, lui traça du pouce un signe de croix au front.

« Venge-nous, Roger », murmura-t-il encore.

Et Roger Mortimer de Wigmore, se courbant, sortit de la cellule.

« Par où passerons-nous ? demanda-t-il.

— Par les cuisines », répondit Alspaye.

Le lieutenant, le barbier et le prisonnier gravirent quelques marches, suivirent un corridor, franchirent plusieurs pièces obscures.

« Tu es armé, Alspaye ? chuchota soudain Mortimer.

— J'ai ma miséricorde.

— Il y a un homme, là ! »

Une forme se tenait contre le mur, que Mortimer avait devinée le premier. Le barbier cacha sous sa paume la faible flamme de la chandelle ; le lieutenant dégagea sa dague ; ils avancèrent plus lentement.

L'homme, dans l'ombre, ne bougeait pas. Les épaules et les bras collés à la muraille, les jambes écartées, il paraissait avoir peine à se soutenir.

« C'est Seagrave », dit le lieutenant.

Le constable borgne, comprenant qu'on l'avait drogué en même temps que ses hommes, était parvenu à marcher jusque-là et luttait contre une invincible torpeur. Il voyait son prisonnier s'évader ; il voyait son lieutenant qui l'avait trahi ; mais sa bouche ne formait aucun son, ses membres lui refusaient tout mouvement, et dans son œil unique, sous une paupière qui s'appesantissait, on pouvait lire l'angoisse de la mort. Le lieutenant lui lança le poing en plein visage ; la tête du constable cogna contre la pierre, et son corps s'affaissa.

Les trois hommes passèrent devant la porte du grand réfectoire où les torches fumaient ; toute

la garnison s'y trouvait, endormie. Affalés sur les
tables, écroulés sur les bancs, étendus à même le
sol, les archers ronflaient, gueules ouvertes, dans
des postures grotesques, comme si un magicien
les eût plongés dans un sommeil de cent ans.
Même spectacle aux cuisines, éclairées par les
braises rougeoyant sous les chaudrons, et où
stagnait une épaisse odeur de graillon. Les vivan-
diers avaient tâté, eux aussi, du vin d'Aquitaine
dans lequel le barbier Ogle avait versé la drogue ;
et ils gisaient, qui sous l'étal, qui près de la pane-
tière, qui parmi les brocs, la panse en l'air et les
bras écartés. Seul bougeait un chat, gorgé de viande crue, et cheminant d'une patte prudente à
travers les tables.

« Ici, my Lord », dit le lieutenant en guidant le
prisonnier vers un réduit utilisé à la fois comme
latrines et comme déversoir aux eaux grasses.

Une lucarne était ménagée dans ce réduit, seule ouverture sur ce côté des murs qui pût livrer
passage à un homme [5].

Ogle apporta une échelle de corde qu'il avait
cachée dans un coffre, et approcha une escabelle.
L'échelle fut fixée au rebord de la lucarne ; le lieutenant passa le premier, puis Roger Mortimer,
puis le barbier. Et bientôt ils furent tous les trois
accrochés à l'échelle, glissant le long de la muraille, à trente pieds au-dessus de l'eau miroitante
des douves. La lune n'était pas encore levée.

« En effet, mon oncle n'aurait jamais pu s'enfuir
de la sorte », pensa Mortimer.

Une masse noire bougea à côté de lui, avec un
froissement de plumes. C'était un gros corbeau,
niché dans une meurtrière et dérangé dans son
sommeil. Mortimer, instinctivement, étendit la

main, fouilla dans un plumage chaud, trouva le
cou de l'oiseau qui eut un long cri douloureux,
presque humain ; le fugitif serra de toutes ses
forces en tournant le poignet jusqu'à ce qu'il
sentît le craquement des os sous ses doigts.

Le corps de l'animal tomba dans l'eau avec
un bruit claquant.

« *Who goes there* * ? », cria aussitôt une sentinelle.

Et un casque se pencha hors du créneau, au
sommet de la tour de la Cloche.

Les trois fugitifs, agrippés à l'échelle de corde, se tassaient contre la muraille.

« Pourquoi ai-je fait cela ? pensait Mortimer.
Quelle sotte tentation m'a poussé ? Il y avait
assez de risques ; pourquoi en inventer ? »

Mais la sentinelle, rassurée par le silence,
reprit sa ronde, et l'on entendit son pas décroître
dans la nuit.

La descente continua. L'eau, en cette saison,
était peu profonde dans les douves. Les trois
hommes s'y laissèrent couler, disparaissant jusqu'aux épaules, et longèrent l'assise de la forteresse. S'appuyant de la main aux pierres du mur
romain, ils contournèrent la tour de la Cloche,
et puis traversèrent le fossé en amortissant le
plus possible le bruit de leurs gestes. Le talus était
vaseux et glissant. Les fugitifs s'y hissèrent sur le
ventre, s'aidant l'un l'autre, puis coururent, cour-
bés, jusqu'à la berge du fleuve. Là, une barque
attendait, cachée dans les herbes. Deux rameurs
se tenaient aux avirons ; un homme, enveloppé
dans une grande chape sombre et la tête couverte

---

* Qui va là ?

d'un chaperon à oreillettes, était assis à l'arrière ;
il émit un sifflement léger, à trois reprises. Les
fugitifs sautèrent dans la barque.

« My Lord Mortimer, dit l'homme à la chape
en tendant les mains.

— My Lord Bishop », répondit l'évadé en faisant
le même geste.

Ses doigts rencontrèrent le cabochon d'une
bague vers laquelle il pencha les lèvres.

« *Go ahead, quickly* * », commanda le prélat
aux rameurs.

Et les avirons entrèrent dans l'eau.

Adam Orleton, évêque de Hereford, nommé à
son siège par le pape, contre la volonté du roi,
et chef de l'opposition du clergé, venait
de faire évader le plus important seigneur
du royaume. C'était Orleton qui avait tout organisé, tout préparé, circonvenu Alspaye en l'assu-
rant qu'il allait gagner à la fois sa fortune et le
paradis, fourni le narcotique qui avait plongé
dans l'hébétude la tour de Londres.

« Tout s'est bien passé, Alspaye ? demanda-
t-il.

— Aussi bien que possible, my Lord, répondit
le lieutenant. Combien de temps vont-ils dormir ?

— Deux bonnes journées, sans doute... J'ai là
ce qui était promis à chacun, dit l'évêque en
découvrant une lourde bourse qu'il tenait sous sa
chape. Et pour vous aussi, my Lord, j'ai le nécessaire à votre dépense, pour quelques semaines
tout au moins. »

A ce moment on entendit une sentinelle crier :
« *Sound the alarm !* »

---

* En avant, rapidement.

Mais la barque était déjà fort engagée sur le fleuve, et tous les cris des sentinelles ne parviendraient pas à réveiller la Tour.

« Je vous dois tout, et d'abord la vie, dit Mortimer à l'évêque.

— Attendez d'être en France, répondit celui-ci, et seulement alors vous pourrez me remercier. Des chevaux nous attendent sur l'autre rive, à Bermondsey. Une nef est frétée, auprès de Douvres, prête à appareiller.

— Partez-vous avec moi ?

— Non, my Lord, je n'ai aucune raison de fuir. Dès que je vous aurai embarqué, je rentre en mon diocèse.

— Ne craignez-vous donc pas pour vous-même, après ce que vous venez de faire ?...

— Je suis homme d'Eglise, répondit l'évêque avec une pointe d'ironie. Le roi me hait, mais n'osera pas me toucher. »

Ce prélat à la voix tranquille, qui bavardait au milieu de la Tamise, aussi calme que s'il eût été dans son palais épiscopal, possédait un singulier courage, et Mortimer l'admira sincèrement.

Les rameurs étaient au centre de la barque ; Alspaye et le barbier s'étaient installés à l'avant.

« Et la reine ? demanda Mortimer. L'avez-vous approchée récemment ? La tourmente-t-on toujours autant ?

— La reine, pour le moment, est dans le Yorkshire, où le roi voyage, ce qui a d'ailleurs bien facilité notre entreprise. Votre épouse... »

L'évêque insista légèrement sur ce dernier mot.

« ... votre épouse m'en a fait tenir des nouvelles l'autre jour. »

Mortimer se sentit rougir et rendit grâces à

l'ombre qui cachait son trouble. Il s'était inquiété de la reine avant même de s'être enquis des siens et de sa propre femme. N'avait-il donc, durant ses dix-huit mois de détention, pensé qu'à la reine Isabelle ?

« La reine vous veut grand bien, reprit l'évêque. C'est elle qui a fourni de sa cassette, de la maigre cassette que nos bons amis Despensers consentent à lui laisser, ce que je vais vous remettre pour que vous puissiez vivre en France. Pour tout le reste, pour Alspaye, le barbier, les chevaux, la nef qui vous attend, mon diocèse en a fait les frais. »

Il avait posé la main sur le bras de l'évadé.

« Mais vous êtes trempé ! ajouta-t-il.

— Bah ! fit Mortimer, l'air de la liberté me séchera vite. »

Il se leva, dépouilla sa cotte et sa chemise, et se tint debout, torse nu, au milieu de la barque. Il avait un beau corps solide, aux épaules puissantes, au dos long et musclé ; la captivité l'avait amaigri, mais sans diminuer l'impression de force que donnait sa personne. La lune qui venait de surgir l'éclairait d'une lueur dorée et dessinait les reliefs de sa poitrine.

« Propice aux amoureux, funeste aux fugitifs, dit l'évêque en montrant la lune. C'était juste la bonne heure. »

Roger Mortimer, sur sa peau et dans ses cheveux mouillés, sentait glisser l'air de la nuit, chargé d'odeurs d'herbes et d'eau. La Tamise, plate et noire, fuyait le long de la barque et les avirons soulevaient des paillettes d'or. La berge opposée approchait. Le grand baron se retourna pour regarder une dernière fois la Tour, haute, immense, épaulée sur ses fortifications, ses remparts, ses remblais. « On ne s'évade pas de la Tour... » Il était le premier prisonnier, depuis des siècles, à s'en être échappé ; il mesurait l'importance de son acte, et le défi qu'il lançait à la puissance des rois.

En arrière, la ville endormie se profilait dans la nuit. Sur les deux rives, et jusqu'au pont gardé par ses hautes tours, oscillaient lentement les mâts pressés, nombreux, des navires de la Hanse de Londres, de la Hanse teutonique, de la Hanse parisienne des Marchands d'Eau, de l'Europe entière, qui apportaient les draps de Bruges, le cuivre, le goudron, la poix, les couteaux, les vins de la Saintonge et de l'Aquitaine, le poisson séché, et chargeaient pour la Flandre, pour Rouen, pour Bordeaux, pour Lisbonne, le blé, le cuir, l'étain, les fromages et surtout la laine, la meilleure qui soit au monde, des moutons anglais. On reconnaissait à leur forme et à leurs dorures les grosses galères vénitiennes.

Mais déjà, Roger Mortimer de Wigmore pensait à la France. Il irait d'abord demander asile en Artois, à son cousin Jean de Fiennes... Il étendit les bras largement, d'un geste d'homme libre.

Et l'évêque d'Orleton, qui regrettait de n'être né ni beau ni grand seigneur, contemplait avec une sorte d'envie ce corps assuré, prêt à bondir en selle, ce haut torse sculpté, ce menton fier, ces rudes cheveux bouclés, qui allaient emporter dans l'exil le destin de l'Angleterre.

II

LA REINE BLESSÉE

LE carreau de velours rouge sur lequel la reine
Isabelle posait ses pieds étroits était usé jusqu'à la trame ; les glands d'or, aux quatre coins,
étaient ternis ; les lis de France et les lions d'Angleterre, brodés sur le tissu, s'effilochaient. Mais
à quoi bon changer ce coussin, en commander un
autre, puisque le neuf, aussitôt qu'apparu, passerait sous les souliers brodés de perles de Hugh
Le Despenser, l'amant du roi ! La reine regardait
ce vieux coussin qui avait traîné sur le pavement
de tous les châteaux du royaume, une saison en
Dorset, une autre en Norfolk, l'hiver dans le Warwick, et cet été en Yorkshire, sans qu'on demeurât jamais plus de trois jours à la même place.
Le 1er août, voici moins d'une semaine, la cour
était à Cowick ; hier, on s'était arrêté à Eserick ;
aujourd'hui, on campait, plutôt qu'on ne logeait,

au prieuré de Kirkham ; après-demain, on repar-
tirait pour Lockton, pour Pickering. Les quelques
tapisseries poussiéreuses, la vaisselle bosselée,
les robes fatiguées qui constituaient l'équipement
de voyage de la reine Isabelle, seraient à nouveau tassées dans les meubles-coffres ; on démon-
terait le lit à courtines pour le remonter ailleurs, ce
lit si fatigué d'avoir été trop transporté qu'il
menaçait de s'écrouler, et où la reine faisait dormir avec elle, parfois, sa dame de parage, Lady
Jeanne Mortimer, et, parfois, son fils aîné, le
prince Edouard, par crainte, si elle restait seule,
d'être assassinée. Les Despensers n'oseraient tout
de même pas la poignarder sous les yeux du prince héritier... Et la promenade reprenait à travers
le royaume, ses campagnes vertes et ses châteaux
tristes.

Edouard II voulait se faire connaître de ses
moindres vassaux ; il imaginait leur rendre
honneur en descendant chez eux, et s'acquérir, par quelques paroles amicales, leur fidélité
contre les Ecossais ou contre le parti gallois. En
vérité, il eût gagné à moins se montrer. Un désordre veule accompagnait ses pas ; sa légèreté pour
parler des affaires du gouvernement, qu'il pensait être une attitude de détachement souverain,
heurtait fort les seigneurs, abbés et notables,
venus lui exposer les problèmes locaux ; l'intimité qu'il affichait avec son tout-puissant chambellan dont il caressait la main en plein conseil
ou pendant la messe, ses rires aigus, les libérali-
tés dont bénéficiaient soudain un petit clerc ou un
jeune palefrenier éberlué, confirmaient les récits
scandaleux qui circulaient jusqu'au fond des
provinces où les maris trompaient leurs épouses,

tout comme ailleurs, certes, mais avec des femmes ; et ce qui se chuchotait avant sa venue se
disait à voix haute après qu'il fut passé. Il suffisait que ce bel homme à barbe blonde mais à
l'âme molle apparût, couronne en tête, pour que
s'effondrât tout le prestige de la majesté royale.
Et les courtisans avides qui l'entouraient achevaient de le faire haïr.

Inutile, impuissante, la reine assistait à cette
ambulante déchéance. Des sentiments contraires
la divisaient ; d'une part sa nature vraiment royale, marquée par l'atavisme capétien, s'irritait,
s'indignait, souffrait de cette dégradation continue de l'autorité souveraine ; mais en même
temps l'épouse lésée, blessée, menacée, se réjouis-
sait secrètement à chaque nouvel ennemi que se
créait le roi. Elle ne comprenait pas qu'elle eût pu
aimer, naguère, ou se forcer à aimer, un être à
ce point méprisable, et qui la traitait de façon
si odieuse. Pourquoi l'obligeait-on de participer
à ces voyages, pourquoi la montrait-on, reine
bafouée, à tout le royaume ? Le roi et son favori
pensaient-ils duper personne, et donner à leur
liaison un aspect innocent, du fait de sa présence ? Ou bien voulaient-ils la garder sous surveillance ? Comme elle eût préféré demeurer à Londres ou à Windsor, ou même dans l'un des
châteaux dont on lui avait théoriquement fait
don, pour y attendre un retour du sort ou simplement la vieillesse ! Et comme elle regrettait
surtout que Thomas de Lancastre et Roger Mortimer de Wigmore, ces grands barons vraiment
hommes, n'aient pas, l'autre année, réussi leur
révolte...

Elle leva vers le comte de Bouville, envoyé de

la cour de France, ses admirables yeux bleus, et dit assez bas :

« Depuis un mois, vous assistez à ma vie, messire Hugues. Je ne vous demande même point d'en conter les misères à mon frère, ni à mon oncle Valois. Voici quatre rois qui se succèdent au trône de France : mon père le roi Philippe, qui me maria pour l'intérêt de la couronne...

— Que Dieu garde son âme, Madame, que Dieu la garde ! dit avec conviction, mais sans élever le ton, le gros Bouville. Il n'est homme au monde que j'aie plus aimé, ni servi avec plus de joie.

— ... puis mon frère Louis, qui resta peu de mois au trône, puis mon frère Philippe avec lequel je n'avais que petite entente mais qui ne manquait pas de sagesse... »

Le visage de Bouville se renfrogna un peu comme chaque fois qu'on parlait devant lui du roi Philippe le Long.

« ... enfin mon frère Charles qui règne présentement, poursuivit la reine. Tous ont été avertis de mon état, et ils n'ont rien pu faire, ou rien voulu faire. L'Angleterre n'intéresse les rois de France qu'autant qu'il s'agit de l'Aquitaine. Une princesse de France sur le trône anglais, parce qu'elle devient du même coup duchesse d'Aquitaine, leur est un gage de paix. Et si la Guyenne est calme, peu leur chaut que leur fille ou leur sœur, au-delà de la mer, meure de honte et de délaissement. Dites-le, ne le dites point, cela sera tout égal. Mais les jours que vous avez passés près de moi m'ont été doux, car j'ai pu parler devant un ami. Et vous avez vu combien j'en ai peu. Sans ma chère Lady Jeanne, qui met beaucoup de constance à partager mon malheur, je n'en aurais même aucun. »

Pour prononcer ces derniers mots, la reine s'était tournée vers sa dame de parage assise à côté d'elle, Jeanne Mortimer, petite-nièce du fameux sénéchal de Joinville, une grande femme de trente-sept ans, aux traits réguliers, au visage ouvert, aux mains nettes.

« Madame, répondit Lady Jeanne, vous faites plus pour soutenir mon courage que je ne fais pour accroître le vôtre. Et vous avez pris de gros risques à me conserver à vos côtés depuis que mon époux est en geôle. »

Les trois interlocuteurs continuèrent de s'entretenir à mi-voix, car le chuchotement, la conversation en aparté, étaient devenus une nécessaire habitude dans cette cour où l'on n'était jamais seul et où la reine vivait environnée de malveillances.

En ce moment présent, trois chambrières, dans un coin de la pièce, brodaient une courtepointe destinée à Lady Aliénor Le Despenser, la femme du favori, laquelle, près d'une fenêtre ouverte, jouait aux échecs avec le prince héritier. Un peu plus loin, le second fils de la reine, qui avait atteint ses sept ans depuis trois semaines, se fabriquait un arc avec une baguette de coudrier ; et les deux petites filles, Isabelle et Jeanne, cinq et deux ans, assises sur le sol, s'amusaient à manier des poupées de chiffon.

Tout en poussant les pièces sur l'échiquier d'ivoire, la Despenser ne cessait d'épier la reine et s'efforçait de surprendre ses propos. Le front lisse mais étonnamment étroit, les yeux ardents et rapprochés, la lippe ironique, cette femme, sans être vraiment disgracieuse, était marquée de la laideur qui vient d'une mauvaise âme. Descendante de la famille de Clare, elle avait suivi une assez étrange carrière, puisque, belle-sœur de l'ancien amant du roi, le chevalier de Gaveston, exécuté onze ans plus tôt, en 1312, par les barons révoltés, elle était l'épouse de l'amant actuel. Elle trouvait une délectation morbide à servir les amours masculines pour satisfaire ses appétits d'argent comme ses ambitions de puissance. En plus, elle était sotte : elle allait perdre sa partie d'échecs pour le seul plaisir de lancer, sur un ton de provocation :

« Echec à la reine... échec à la reine ! »

Le prince héritier, Edouard, enfant de onze ans au visage fin et allongé, de nature secrète plutôt que timide, et qui tenait presque toujours les yeux baissés, profitait des moindres fautes de sa partenaire et s'appliquait à vaincre.

La brise d'août envoyait par la fenêtre étroite, au cintre rond, des bouffées de poussière chaude ; mais quand le soleil, tout à l'heure, aurait disparu, une fraîcheur humide s'installerait à nouveau entre les murs épais et sombres du vieux prieuré de Kirkham.

Des bruits de voix nombreuses venaient de la grand-salle du chapitre où le roi tenait son Conseil ambulant.

« Madame, poursuivait le comte de Bouville, je vous consacrerais volontiers tous les jours qui me restent à vivre s'ils pouvaient vous être de quelque service. J'y aurais plaisir, je vous l'assure. Que me reste-t-il à faire en ce bas monde depuis que je suis veuf, sinon employer mes forces à servir les descendants du roi qui fut mon

bienfaiteur ? Et c'est près de vous, Madame, que
je me retrouve le plus auprès de lui. Vous avez toute sa force d'âme et ses manières de parler,
quand il voulait bien le faire, et toute sa beauté,
inaccessible au temps. Quand il fut frappé de
mort, à quarante-six ans, c'est à peine s'il en
paraissait plus de trente. Vous serez ainsi. Dirait-
on que vous avez eu ces quatre enfants... »

Un sourire éclaira les traits de la reine. Il lui
était bon, entourée de tant de haines, de voir un
dévouement s'offrir à elle ; il lui était doux,
humiliée comme elle l'était dans ses sentiments
de femme, d'entendre louer sa beauté, même si
le compliment venait d'un gros homme grison-
nant, aux yeux de vieux chien fidèle.

« J'ai trente et un ans déjà, dit-elle, dont quinze se sont passés de la façon que vous voyez.
Cela ne se marque peut-être pas au visage ; mais
c'est l'âme qui porte les rides... Moi aussi, Bouville, je vous garderais volontiers près de moi,
s'il était possible.

— Hélas, Madame ! Je vois ma mission finir,
et sans grand succès. Le roi Edouard me l'a déjà
fait entendre, par deux fois, en feignant de s'éton-
ner, puisqu'il avait livré le Lombard au Parlement du roi de France, que je fusse encore là. »

Car le prétexte officiel à l'ambassade de Bouville était la demande d'extradition d'un certain
Thomas Henry, membre de l'importante compagnie des Scali, de Florence. Ce banquier, ayant
affermé certaines terres de la couronne de France, en avait touché les revenus considérables
mais sans payer jamais ce qu'il devait au Trésor,
et finalement avait fui en Angleterre. L'affaire
était sérieuse, certes, mais elle aurait fort bien

pu se régler par lettre, ou par l'envoi d'un maître des requêtes, sans exiger le déplacement d'un
ancien grand chambellan qui siégeait au Conseil
étroit. En vérité, Bouville avait été chargé de
renouer une autre négociation, plus difficile.

Mgr Charles de Valois, oncle du roi de France
et de la reine Isabelle, s'était mis en tête, l'année
précédente, de marier l'une de ses dernières filles, Marie, au prince Edouard, héritier d'Angleterre. Mgr de Valois — qui donc pouvait l'ignorer
en Europe ? — était père de sept filles, dont l'établissement avait toujours été pour lui l'objet de
graves soucis. Ses sept filles lui venaient de trois
mariages différents, Mgr Charles ayant eu, au
cours de son existence agitée, l'infortune de rester deux fois veuf.

Il fallait avoir la cervelle claire pour ne point
se perdre dans la confusion de cette descendance,
et savoir, par exemple, lorsqu'on parlait de
Mme Jeanne de Valois, s'il s'agissait de la comtesse de Hainaut ou bien de la comtesse de Beaumont, c'est-à-dire de la femme, depuis cinq ans,
de Mgr Robert d'Artois. Car deux des filles, pour
tout aider, portaient le même nom. Quant à
Catherine, héritière du trône fantôme de Constantinople, et qui était du second lit, elle se trouvait
avoir épousé en la personne de Philippe de Tarente, prince d'Achaïe, un frère aîné de la première
femme de son père. Un vrai casse-tête !

A présent, c'était la première-née de son troisième mariage que Mgr Charles proposait à son
petit-neveu d'Angleterre.

Mgr de Valois, au début de l'année, avait
envoyé une mission composée du comte Henry de
Sully, de Raoul Sevain de Jouy et de Robert

Bertrand, dit « le chevalier au Vert Lion ». Ces ambassadeurs, pour acquérir les faveurs du roi Edouard II, l'avaient accompagné dans une expédition contre les Ecossais ; mais voici qu'à la bataille de Blackmore les Anglais s'étaient enfuis, laissant les ambassadeurs français tomber aux mains de l'ennemi. On avait dû négocier leur délivrance, payer leur rançon ; quand enfin, après tant de désagréables aventures, ils s'étaient trouvés relâchés, Edouard leur avait répondu, de manière dilatoire, évasive, que le mariage de son fils ne pouvait être décidé si vite, que la question était de trop grande importance pour qu'il en tranchât sans l'avis de son Parlement, que le Parlement, d'ailleurs, serait réuni en juin pour en discuter. Il voulait lier cette affaire à l'hommage qu'il devait rendre au roi de France pour le duché d'Aquitaine... Et puis le Parlement convoqué n'avait même pas été saisi de la question [6].

Aussi, Mgr de Valois, impatient, s'était-il servi de la première occasion pour dépêcher le comte de Bouville, dont le dévouement à la famille capétienne ne pouvait être mis en doute et qui, à défaut de génie, possédait une bonne expérience de cette sorte de missions. Bouville avait négocié, naguère, à Naples, et déjà sur les instructions de Valois, le second mariage de Louis X avec Clémence de Hongrie ; il avait été curateur au ventre de cette reine, après la mort du Hutin. Mais de cette période-là, il aimait peu parler. Il avait également accompli diverses démarches en Avignon, auprès du Saint-Siège ; et sa mémoire était sans défaillance pour tout ce qui touchait aux liens de familles, à l'entrelacs infiniment compliqué des alliances dans les maisons royales. Le bon Bouville se sentait fort dépité de revenir cette fois les mains vides.

« Mgr de Valois, dit-il, va se mettre en grand courroux, lui qui avait déjà demandé dispense au Saint-Père pour ce mariage...

— J'ai fait ce que j'ai pu, Bouville, dit la reine, et vous avez dû juger à cela de l'importance qu'on m'accorde... Mais j'en éprouve moins de regret que vous ; je ne souhaite guère à une autre princesse de ma famille de connaître ce que je connais ici.

— Madame, répondit Bouville en baissant davantage la voix, doutez-vous de votre fils ? Il semble avoir pris de vous plutôt que de son père, grâces au Ciel !... Je vous revois au même âge, dans le jardin du palais de la Cité, ou bien à Fontainebleau... »

Il fut interrompu. La porte s'était ouverte pour livrer passage au roi d'Angleterre. Celui-ci entra d'un grand pas pressé, la tête rejetée en arrière, et caressant sa barbe blonde d'un geste nerveux qui était chez lui signe d'irritation. Ses conseillers habituels le suivaient, c'est-à-dire les deux Le Despenser, père et fils, le chancelier Baldock, le comte d'Arundel et l'évêque d'Exeter. Les deux demi-frères du roi, les comtes de Kent et de Norfolk, jeunes hommes qui avaient du sang de France puisque leur mère était la propre sœur de Philippe le Bel, faisaient partie de cette suite, mais comme à contrecœur ; il en était de même pour Henry de Leicester, personnage court et carré, aux gros yeux clairs à fleur de visage, surnommé Tors-Col, à cause d'une difformité de la nuque et des épaules qui lui faisait tenir la tête complètement de travers et posait de difficiles problèmes aux armuriers chargés de forger ses cuirasses. On voyait encore, se pressant dans l'embrasure, quelques ecclésiastiques et dignitaires locaux.

« Savez-vous la nouvelle, Madame ? s'écria le roi Edouard, s'adressant à la reine. Elle va certes vous contenter. Votre Mortimer s'est échappé de la Tour. »

Lady Le Despenser sursauta devant l'échiquier et fit entendre une exclamation indignée comme si l'évasion du baron de Wigmore était pour elle une insulte personnelle.

La reine Isabelle n'avait pas bougé, ni d'attitude ni d'expression ; ses paupières, simplement, battirent un peu plus vite devant ses beaux yeux bleus, et sa main chercha furtivement, le long des plis de sa robe, la main de Lady Mortimer, comme pour inciter celle-ci à la force et au calme. Le gros Bouville s'était levé et se tenait en retrait, se sentant de trop dans cette affaire qui regardait uniquement la couronne anglaise.

« Ce n'est pas « mon » Mortimer, Sire, répondit la reine. Le Lord de Wigmore est votre sujet davantage, je crois, qu'il n'est le mien, et je ne suis pas comptable des actes de vos barons. Vous teniez celui-ci en geôle ; il a cherché à s'enfuir, c'est la loi commune.

— Ah ! Vous avouez bien par là que vous l'approuvez. Mais laissez donc paraître votre joie, Madame ! Du temps que ce Mortimer daignait se montrer à ma cour vous n'aviez d'yeux que pour lui, vous ne cessiez de vanter ses mérites, et toutes ses félonies à mon endroit, vous les mettiez au compte de sa noblesse d'âme.

— Mais n'est-ce pas vous-même, Sire mon époux, qui m'avez appris à l'aimer, du temps qu'il conquérait, à votre place et au péril de ses jours, le royaume d'Irlande... que vous avez, il semble, grand-peine à tenir sans lui ? Etait-ce là félonie [7] ? »

Un instant démonté par cette attaque, Edouard lança vers sa femme un regard méchant et ne sut que répondre :

« Eh bien, à présent il court, votre ami, il court, et vers votre pays sans doute ! »

Le roi, tout en parlant, marchait à travers la pièce, pour libérer une agitation inutile. Les bijoux accrochés sur ses vêtements tressautaient à chacun de ses pas. Et les assistants tournaient la tête de droite à gauche, comme à une partie de longue paume, pour suivre son déplacement. Un fort bel homme, certes, le roi Edouard, musclé, alerte, souple, et dont le corps, entretenu par les exercices et les jeux, résistait à l'empâtement de la quarantaine toute proche ; une constitution d'athlète. Mais à l'observer avec plus d'attention, on était frappé par le manque de rides au front, comme si les soucis du pouvoir n'avaient pu s'y inscrire, par les poches qui commençaient à se former sous les yeux, par le dessin effacé de la narine, par la forme allongée du menton sous la barbe légère et frisée, non pas un menton énergique, autoritaire, ni même vraiment sensuel, mais simplement trop grand, tombant trop bas. Il y avait vingt fois plus de volonté dans le petit menton de la reine que dans cette mâchoire ovoïde dont la barbe soyeuse ne parvenait pas à couvrir la faiblesse. La main était molle qui glissait sur le visage, tournoyait en l'air, sans

raison, revenait tirer sur une perle cousue aux
broderies de la cotte. La voix qui se voulait, qui se
croyait impérieuse, ne donnait d'autre impression
que de manquer de contrôle. Le dos, un dos large
pourtant, avait de déplaisantes ondulations depuis
la nuque jusqu'aux reins, comme si l'épine dor-
sale eût manqué de solidité. Edouard ne pardonnait pas à sa femme de lui avoir un jour conseillé d'éviter d'offrir le dos aux regards, s'il voulait
inspirer le respect à ses barons. Le genou était
bien net, la jambe belle ; c'était même là ce
que possédait de mieux cet homme si peu fait
pour sa charge, et sur lequel une couronne était
tombée par une vraie mégarde du sort.

« N'ai-je pas assez de tracas, n'ai-je pas assez
de tourments ? continuait-il. Les Ecossais mena-
cent sans cesse mes frontières, envahissent mon
royaume ; et quand je les affronte en bataille,
mes armées s'enfuient. Et comment pourrais-je
les vaincre lorsque mes évêques s'entendent pour
traiter avec eux, sans mon accord, lorsque j'ai
tant de traîtres parmi mes vassaux, et que mes
barons des Marches lèvent des troupes contre
moi en s'obstinant à prétendre qu'ils ne tiennent
leurs terres que de leur épée, alors que depuis
beau temps, depuis vingt-cinq années, l'oublie-
t-on, il en a été jugé et réglé autrement par le
roi Edouard mon père ! Mais on a vu à Shrewsbury, on a vu à Boroughbridge, on a vu ce qu'il en
coûtait de se rebeller contre moi, n'est-ce pas,
Leicester ? »

Henry de Leicester hocha sa grosse tête inclinée
sur l'épaule. La manière était peu courtoise de lui
rappeler la mort de son frère Thomas de Lancastre, décapité seize mois auparavant, en même

temps que vingt autres grands seigneurs étaient pendus.

« On a vu, en effet, Sire mon époux, que les seules batailles que vous pouviez gagner étaient contre vos propres barons », dit Isabelle.

A nouveau, Edouard lui jeta un regard haineux.

« Quel courage, pensait Bouville, quel courage a cette noble reine ! »

« Et il n'est point juste tout à fait, poursuivit-elle, de dire qu'ils se sont opposés à vous pour le droit de leur épée. Ne fut-ce pas plutôt pour les droits du comté de Gloucester que vous avez voulu remettre à messire Hugh ? »

Les deux Le Despenser se rapprochèrent l'un de l'autre, comme pour faire front. Lady Le Despenser la jeune se dressa devant l'échiquier ; elle était la fille du feu comte de Gloucester. Edouard II frappa du pied le dallage. La reine était trop irritante, à la fin, n'ouvrant la bouche que pour lui remontrer ses erreurs et ses fautes de gouvernement [8] !

« Je remets les grands fiefs à qui je veux, Madame, je les remets à qui m'aime et me sert, s'écria Edouard en posant la main sur l'épaule de Hugh le jeune. Sur qui d'autre pourrais-je m'appuyer ? Où sont mes alliés ? Votre frère de France, Madame, qui devrait se conduire comme le mien, puisque, après tout, c'est dans cette espérance que l'on m'a engagé à vous accueillir pour épouse, quel secours me porte-t-il ? Il me requiert de venir lui rendre l'hommage pour l'Aquitaine, voilà tout son appui. Et où m'envoie-t-il sa sommation ? En Guyenne ? Que nenni ! C'est ici, en mon royaume, qu'il me la fait délivrer, comme s'il avait mépris de toutes les coutumes féodales, ou le vouloir de

m'offenser. Ne croirait-on pas qu'il se prend aussi
pour le suzerain de l'Angleterre ? D'abord je l'ai
rendu cet hommage, je ne suis que trop allé le rendre. Une première fois à votre père, quand j'ai
manqué de rôtir dans l'incendie de Maubuisson,
et puis encore à votre frère Philippe, voici trois
ans, quand je suis allé à Amiens. A la fréquence,
Madame, où meurent les rois de votre famille, il
me faudra bientôt m'installer sur le continent ! »

Les seigneurs, évêques et notables du Yorkshire, dans le fond de la pièce, se regardaient
entre eux, nullement effrayés mais atterrés de
cette colère sans force qui s'égarait si loin de
son objet, et leur découvrait, en même temps que
les difficultés du royaume, le caractère du roi.
Etait-ce donc là le souverain qui leur demandait
subsides pour son Trésor, auquel ils devaient
obéissance en toutes choses, et d'aventurer leur
vie quand il les requérait à ses combats ? Lord
Mortimer avait eu certes quelques bonnes raisons
de se rebeller...

Les conseillers intimes eux-mêmes paraissaient
mal à l'aise, bien qu'ils connussent cette habitude
du roi, et qui se retrouvait jusque dans sa correspondance, de refaire le compte de tous les
ennuis de son règne à chaque nouveau désagré-
ment qui survenait.

Le chancelier Baldock se frottait la pomme
d'Adam, machinalement, à l'endroit où s'arrêtait
sa robe d'archidiacre. L'évêque d'Exeter, Lord
trésorier, se rongeait l'ongle du pouce, à petits
coups de dents, et observait ses voisins d'un
regard sournois. Seul Hugh Le Despenser le jeune, trop frisé, trop paré, trop parfumé pour un
homme de trente-trois ans, montrait de la satis-

faction. La main du roi posée sur son épaule prouvait à tous son importance et sa puissance.

Le nez bref, la lèvre sinueuse, abaissant et relevant le menton comme un cheval au piaffer, il approuvait chaque déclaration d'Edouard d'un petit raclement de gorge, et son visage semblait dire : « Cette fois la coupe est pleine, nous allons prendre des mesures sévères ! » Il était maigre, long de taille, assez étroit de torse, et avait une mauvaise peau, sujette aux inflammations.

« Messire de Bouville, dit soudain le roi Edouard se retournant contre l'ambassadeur, vous répondrez à Mgr de Valois que le mariage qu'il nous a proposé, et dont nous avons apprécié tout l'honneur, décidément ne se fera pas. Nous avons d'autres vues pour notre fils aîné. Ainsi en sera-t-il terminé avec une déplorable coutume qui veut que les rois d'Angleterre prennent leurs épouses en France, sans qu'il leur en vienne jamais aucun bienfait. »

Le gros Bouville pâlit sous l'affront et s'inclina. Il adressa à la reine un regard désolé, et sortit.

Première conséquence, et bien imprévue, de l'évasion de Roger Mortimer : le roi d'Angleterre rompait avec les alliances traditionnelles. Il avait voulu, par ce trait, blesser sa femme ; mais il avait blessé en même temps ses demi-frères Norfolk et Kent dont la mère était française. Les deux jeunes gens regardèrent leur cousin Tors-Col, lequel haussa un peu plus l'épaule, d'un mouvement d'indifférence résignée. Le roi venait, sans réflexion, de s'aliéner à jamais le puissant comte de Valois, dont chacun savait qu'il gouvernait la France au nom de son neveu Charles le Bel.

Le jeune prince Edouard, toujours près de la

fenêtre, immobile et silencieux, observait sa mère, jugeait son père. C'était de son mariage, après tout, qu'il s'agissait, et dans lequel il n'avait mot à dire. Mais si on lui avait demandé ses préférences entre son sang d'Angleterre et celui de France, il eût penché pour ce dernier.

Les trois plus jeunes enfants avaient cessé de jouer ; la reine fit signe aux chambrières qu'on les éloignât.

Puis, très calmement, les yeux dans ceux du roi, elle dit :

« Quand un époux hait son épouse, il est naturel qu'il la tienne pour responsable de tout. »

Edouard n'était pas homme à répondre de front.

« Toute ma garde de la Tour enivrée à mort, cria-t-il, le lieutenant envolé avec ce félon, et mon constable malade à périr de la drogue dont on l'a abreuvé ! A moins qu'il ne feigne la maladie, le traître, pour éviter le châtiment qu'il mérite ! Car c'était à lui de veiller à ce que mon prisonnier ne s'échappât ; vous entendez, Winchester ? »

Hugh Le Despenser, le père, depuis un an comte de Winchester, et qui était responsable de la nomination du constable Seagrave, se courba au passage de l'orage. Il avait l'échine étroite et maigre, avec une voussure en partie naturelle et en partie acquise dans une longue carrière de courtisan. Ses ennemis l'avaient surnommé « la belette ». La cupidité, l'envie, la lâcheté, l'égoïsme, la fourberie, et de plus toutes les délectations que peuvent procurer ces vices, semblaient s'être logés dans les rides de son visage et sous ses paupières rougies. Pourtant, il ne manquait pas de courage ; mais il ne se connaissait de sentiments humains qu'envers son fils et quelques rares amis, dont Seagrave, précisément, faisait partie.

« My Lord, prononça-t-il d'une voix calme, je suis certain que Seagrave n'est en rien coupable...

— Il est coupable de négligence et de paresse ; il est coupable de s'être laissé berner ; il est coupable de n'avoir rien deviné du complot qui se montait sous son nez ; il est coupable de malchance peut-être... Je ne pardonne pas la malchance. Bien que Seagrave soit de vos protégés, Winchester, il sera châtié ; on ne dira donc point que je ne tiens pas la balance égale, et que mes faveurs ne vont qu'à vos créatures. Seagrave remplacera le Lord de Wigmore en prison. Ses successeurs, ainsi, veilleront à faire meilleure garde. Voilà, mon fils, comment l'on gouverne ! » ajouta le roi en s'arrêtant devant l'héritier du trône.

L'enfant leva les yeux vers lui et les rabaissa aussitôt.

Hugh le jeune, qui savait assez bien faire dévier les colères du roi, renversa la tête en arrière et dit, en regardant les poutres du plafond :

« Celui qui par trop vous nargue, cher Sire, est l'autre félon, cet évêque Orleton qui a tout apprêté de sa main et paraît vous redouter si peu qu'il n'a pas même pris la peine de s'enfuir ou de se cacher. »

Edouard regarda Hugh le jeune avec reconnaissance et admiration. Comment pouvait-on ne pas être ému par la vue de ce profil, par ces belles attitudes que Hugh prenait en parlant, par cette voix haute, bien modulée, et puis cette manière, à la fois tendre et respectueuse, qu'il avait pour dire « cher Sire », à la française, comme autrefois le gentil Gaveston que les barons et les évêques avaient tué... Mais à présent Edouard était un homme mûr, averti de la méchanceté des hommes, et qui savait qu'on ne gagnait pas à composer. On ne le séparerait pas de Hugh, et tous ceux qui voudraient s'opposer seraient frappés à tour de rôle, impitoyablement...

« Je vous annonce, mes Lords, que l'évêque Orleton sera traduit devant mon Parlement pour y être jugé et condamné. »

Edouard croisa les bras et attendit l'effet de ses paroles. L'archidiacre-chancelier et l'évêque-trésorier, bien qu'ils fussent les pires ennemis d'Orleton, avaient sursauté, par solidarité de gens d'Eglise.

Henry Tors-Col, homme sage et pondéré qui, pensant au bien du royaume, ne pouvait s'empêcher de rappeler le roi à la raison, fit observer calmement qu'un évêque ne pouvait être traduit que devant une juridiction ecclésiastique constituée par ses pairs.

« Il faut un début à toutes choses, Leicester. La conspiration contre les rois n'est pas, que je sache, enseignée par les Saints Evangiles. Puisque Orleton oublie ce qu'il faut rendre à César, César s'en souviendra pour lui. Encore une des grâces que je dois à votre famille, Madame, continua le roi à l'adresse d'Isabelle, puisque c'est votre frère Philippe le Cinquième qui a fait nommer par son pape français, et contre mon vouloir, cet Adam Orleton à l'évêché de Hereford. Soit ! Il sera le premier prélat à être condamné par la justice royale, et son châtiment sera exemplaire.

— Orleton ne vous était point hostile, naguère, mon cousin, insista Tors-Col, et il n'aurait eu aucune raison de le devenir si vous ne vous étiez pas opposé, ou si l'on ne s'était opposé dans votre Conseil, à ce que le Saint-Père lui donnât la mitre. C'est un homme de grand savoir et d'âme forte. Peut-être pourriez-vous aujourd'hui, justement parce qu'il est coupable, vous le rallier plus facilement par un acte de mansuétude que par une action de justice qui va, entre tous vos embarras, attiser l'hostilité du clergé.

— Mansuétude, clémence ! Chaque fois que l'on me nargue, chaque fois que l'on me provoque, chaque fois que l'on me trahit, vous n'avez que ces mots à la bouche, Leicester ! On m'a conseillé, et j'ai eu grand tort d'écouter les avis, on m'a supplié de gracier Wigmore ! Avouez donc que si j'en avais usé avec lui comme avec votre frère, ce rebelle aujourd'hui ne serait pas en train de courir les chemins. »

Tors-Col haussa sa grosse épaule, ferma les yeux, et eut une moue lassée. Combien était irritante, chez Edouard, cette habitude qu'il croyait royale d'appeler ses parents ou ses principaux conseillers par les noms de leurs comtés, et de s'adresser à son cousin germain en lui criant « Leicester », au lieu de dire simplement « mon cousin », comme chacun dans la famille royale le faisait, comme la reine elle-même. Et ce mauvais goût de rappeler, à tout propos, la mort de Thomas de Lancastre, comme s'il en tirait gloire ! Ah ! l'étrange homme et le mauvais roi qui s'imaginait pouvoir décapiter ses proches parents sans s'attirer de ressentiment, qui croyait qu'une embrassade suffisait à effacer un deuil, qui exigeait le dévouement de ceux-là mêmes qu'il avait blessés, et voulait trouver partout fidélité alors qu'il n'était lui-même que cruelle inconséquence !

« Sans doute avez-vous raison, my Lord, dit Tors-Col, et puisque vous régnez depuis seize ans, vous devez savoir ajuster vos actes. Traduisez donc votre évêque devant le Parlement. Je n'y mettrai point d'obstacles. »

Et il ajouta entre les dents, pour n'être entendu que du jeune comte de Norfolk :

« Ma tête est de travers, certes, mais je tiens toutefois à la garder où elle se trouve. »

« Car c'est me narguer, vous en conviendrez, continuait Edouard en fouettant l'air de la main, que de s'évader en perçant les murs d'une tour que j'ai fait moi-même construire pour qu'on ne s'en échappe pas.

— Peut-être, Sire mon époux, dit la reine, vous êtes-vous plus occupé quand vous la bâtissiez de la gentillesse des maçons que de la solidité de la pierre. »

Le silence tomba d'un coup sur l'assistance. La pointe était brutale et soudaine. Chacun retenait son souffle et regardait, qui avec déférence, qui avec haine, cette femme de formes assez fragiles, droite sur son siège, seule, et qui tenait tête de telle façon. Les lèvres un peu écartées, la bouche entrouverte, elle découvrait ses dents fines, pressées les unes contre les autres, de petites dents carnassières, bien coupantes. Isabelle était visiblement satisfaite du coup qu'elle venait de porter.

Hugh le jeune était devenu écarlate ; Hugh le père feignait de n'avoir pas entendu.

Edouard allait se venger certainement ; mais de quelle manière ? La riposte tardait à venir. La reine observait les gouttelettes de sueur qui perlaient au front de son mari. Rien ne répugne davantage à une femme que la sueur d'un homme qu'elle a cessé d'aimer.

« Kent, cria le roi, je vous ai fait gardien des Cinque Ports et gouverneur de Douvres. Que gardez-vous en ce moment ? Pourquoi n'êtes-vous pas sur les côtes que vous avez à commander et sur lesquelles notre félon doit chercher à s'embarquer.

— Sire mon frère, dit le jeune comte de Kent tout éberlué, c'est vous qui m'avez donné l'ordre de vous accompagner en votre voyage...

— Eh bien, à présent, je vous en donne un autre qui est de rejoindre votre comté, d'en faire battre les bourgs et les campagnes à la recherche du fugitif, et de veiller vous-même à ce qu'on visite tous les bateaux qui seront dans les ports.

— Qu'on mette des espions à bord des bâtiments et qu'on prenne ledit Mortimer, vif ou mort, s'il venait à y monter, dit Hugh le jeune.

— C'est justement conseillé, Gloucester, approuva Edouard. Quant à vous, Stapledon... »

L'évêque d'Exeter ôta son pouce de ses dents et murmura :

« My Lord...

— Vous allez à toute hâte regagner Londres ; vous irez à la Tour sous la raison d'y vérifier le Trésor, vous prendrez la Tour sous votre commandement et surveillance jusqu'à ce qu'un nouveau constable soit nommé. Baldock établira sur l'heure, pour l'un et l'autre, les commissions qui vous feront obéir. »

Henry Tors-Col, les yeux vers la fenêtre et l'oreille contre l'épaule, semblait rêver. Il calculait... Il calculait que six jours s'étaient écoulés

depuis l'évasion de Mortimer, qu'il en faudrait
huit au moins pour que les ordres commencent
à entrer en exécution, et qu'à moins d'être un fol,
ce qui n'était naturellement pas le cas de Mortimer, celui-ci aurait à coup sûr quitté le royaume [9].
Il se félicitait aussi de s'être solidarisé avec la
plupart des évêques et des seigneurs qui, après
Boroughbridge, avaient obtenu la vie sauve pour
le baron de Wigmore. Car, à présent que celui-ci
s'était évadé, l'opposition aux Despensers allait
peut-être retrouver le chef qui lui manquait
depuis la mort de Thomas de Lancastre, un chef
de plus d'efficace, plus habile et plus fort que ne
l'avait été Thomas...

Le dos royal ondula ; Edouard pivota sur les
talons pour se replacer face à sa femme.

« Eh, si ! Madame ; je vous tiens justement pour
responsable. Et d'abord lâchez cette main que
vous ne cessez de serrer depuis que je suis entré ! Lâchez la main de Lady Jeanne ! cria Edouard en frappant le sol du pied. C'est fournir
caution à un traître que de mettre tant d'ostentation à en garder l'épouse auprès de soi. Ceux
qui ont aidé à l'évasion de Mortimer pensaient
bien qu'ils avaient l'agrément de la reine... Et
puis on ne s'évade pas sans argent ; les trahisons
se paient, les murs se percent avec de l'or. De la
reine à sa dame de parage, de la dame de parage
à l'évêque, de l'évêque au rebelle, le chemin est
facile. Il va me falloir vérifier plus étroitement
votre cassette.

— Sire mon époux, je crois que ma cassette est
assez bien contrôlée », dit Isabelle en désignant
Lady Le Despenser.

Hugh le jeune semblait s'être soudain désintéressé du débat. Enfin la colère du roi se tournait, comme à l'habitude, contre la reine, et Hugh se sentait un peu plus triomphant. Il prit un livre qui se trouvait là et que lady Mortimer lisait à la reine avant l'entrée du comte de Bouville. C'était un recueil des lais de Marie de France ; le signet de soie marquait ce passage :

> En Lorraine ni en Bourgogne,
> Ni en Anjou ni en Gascogne,
> En ce temps ne pouvait trouver
> Si bon ni si grand chevalier.
> Sous ciel n'était dame ou pucelle,
> Qui tant fut noble et tant fut belle
> Qui n'en voulut amour avoir [10]...

« La France, toujours la France... Elles ne lisent que ce qui touche à ce pays, se disait Hugh. Et quel est dans leur pensée ce chevalier dont elles rêvent ? Le Mortimer, sans doute... »

« My Lord, je ne surveille pas les aumônes », dit Aliénor Le Despenser.

Le favori releva les yeux et sourit. Il féliciterait sa femme pour ce trait.

« Je vois donc qu'il me faudra aussi renoncer aux aumônes, dit Isabelle. Il ne me restera bientôt plus rien d'une reine, pas même la charité.

— Et il faudra aussi, Madame, pour l'amour que vous me portez et que chacun voit, poursuivit Edouard, vous séparer de Lady Mortimer, car nul ne comprendrait plus dans le royaume qu'elle restât auprès de vous désormais. »

Cette fois, la reine pâlit et se tassa un peu sur son siège. Les grandes mains nettes de Lady Jeanne se mirent à trembler.

« Une épouse, Edouard, ne peut être tenue de
partager en tout les actes de son époux. J'en suis
assez bien l'exemple. Veuillez croire que Lady
Mortimer est aussi peu associée aux fautes de
son mari que je le suis moi-même à vos péchés,
s'il vous arrive d'en commettre ! »

Mais cette fois, l'attaque ne réussit pas.

« Lady Jeanne se rendra au château de Wigmore, lequel sera désormais sous la surveillance
de mon frère Kent, et ceci jusqu'à ce que j'aie
résolu ce qu'il me plaira de faire des biens d'un
traître dont je ne veux plus que le nom soit prononcé en ma présence... avant la sentence de mort.
Je pense, Lady Jeanne, que vous préférerez vous
retirer de gré plutôt que de force.

— Allons, dit Isabelle, je vois que l'on me veut
tout à fait seule.

— Que parlez-vous de solitude, Madame ! dit
Hugh le jeune de sa belle voix modulée. Ne som-
mes-nous pas tous vos amis fidèles, étant ceux du
roi ? Et Mme Aliénor, ma dévouée femme, ne
vous est-elle pas de constante compagnie ? C'est
un joli livre que vous possédez là, ajouta-t-il en
montrant le volume, et finement enluminé ; me
ferez-vous la grâce de me le prêter ?

— Mais certes, certes, la reine vous le prête !
dit le roi. N'est-ce pas, Madame, que vous nous
faites le plaisir de prêter ce livre à notre ami
Gloucester ?

— Bien volontiers, Sire mon époux, bien volontiers. Et je sais, quand il s'agit de notre ami
Le Despenser, ce que prêter veut dire. Il y a dix
ans que je lui ai prêté ainsi mes perles, et vous
voyez qu'il les porte toujours au cou. »

Elle ne désarmait pas, mais le cœur lui battait

à grands coups dans la poitrine. Elle allait être seule désormais à supporter les quotidiennes blessures. Mais si un jour elle parvenait à se venger, elle n'oublierait rien.

Hugh le jeune posa le livre sur un coffre et fit un signe d'intelligence à sa femme. Les lais de Marie de France iraient rejoindre le fermail d'or à lions de pierreries, les trois couronnes d'or, les quatre couronnes enrichies de rubis et d'émeraudes, les cent vingt cuillers d'argent, les trente grands plats, les dix hanaps d'or, la garniture de chambre en drap d'or losangé, le char pour six chevaux, le linge, les bassins d'argent, les harnais, les ornements de chapelle, toutes ces choses merveilleuses, dons de son père ou de ses proches, qui avaient formé la corbeille de noces de la reine, et qui étaient passées aux mains des amants d'Edouard, à Gaveston d'abord, au Despenser ensuite. Même le grand manteau de drap de Turquie, tout brodé, et qu'elle portait le jour de son mariage, lui avait été enlevé !

« Allons, mes Lords, dit le roi en frappant des mains, qu'on se hâte aux tâches que j'ai données et que chacun veille à son devoir. »

C'était l'expression habituelle, une formule encore qu'il croyait royale, par laquelle il marquait la fin de ses Conseils. Il sortit, et chacun à sa suite, et la pièce se dépeupla.

L'ombre commençait à descendre dans le cloître du prieuré de Kirkham et, avec l'ombre, un peu de fraîcheur entrait par les fenêtres. La reine Isabelle et Lady Mortimer n'osaient prononcer un mot, de peur de se mettre à pleurer. Seraient-elles jamais à nouveau réunies, et quel sort, à chacune, était-il promis ?

Le jeune prince Edouard, les yeux baissés, vint se placer silencieusement derrière sa mère, comme s'il voulait remplacer l'amitié qu'on arrachait à la reine.

Lady Le Despenser s'approcha pour prendre le livre qui avait plu à son mari, un beau livre, dont la reliure de velours était rehaussée de pierreries. Il y avait longtemps que l'ouvrage excitait sa convoitise. Comme elle allait s'en saisir, le jeune prince Edouard y abattit la main.

« Ah ! non, mauvaise femme, dit-il, vous n'aurez pas tout ! »

La reine écarta la main du prince, prit le livre et le tendit à son ennemie. Puis elle se retourna vers son fils avec un furtif sourire qui découvrit à nouveau ses dents de petit carnassier. Un enfant de onze ans ne pouvait être encore de grand secours ; mais, tout de même, il s'agissait du prince héritier.

III

UN NOUVEAU CLIENT
POUR MESSER TOLOMEI

Le vieux Spinello Tolomei, dans son cabinet de travail, au premier étage, écarta le bas d'une tapisserie et, poussant un petit volet de bois, démasqua une ouverture secrète qui lui permettait de surveiller ses commis dans la galerie du rez-de-chaussée. Par cet « espion » d'invention florentine, dissimulé dans les poutres, messer Tolomei pouvait voir tout ce qui se passait, et entendre tout ce qui se disait dans son établissement de banque et de négoce. Pour l'heure, il constata les signes d'une certaine confusion. Les flammes des lampes à trois becs vacillaient sur les comptoirs, et les employés s'étaient arrêtés de pousser des jetons de cuivre sur les damiers qui leur servaient à calculer. Une aune à mesurer l'étoffe tomba sur le pavement avec fracas ; les balances

oscillaient sur les tables des changeurs sans que
personne y eût touché. Les pratiques s'étaient re-
tournées vers la porte et les maîtres commis se
tenaient la main sur la poitrine, déjà ployés pour
une révérence.

Messer Tolomei sourit, devinant à tout ce trouble que le comte d'Artois venait de pénétrer chez
lui. D'ailleurs, au bout d'un instant, il vit, au travers de l'« espion », apparaître un immense chaperon à crête de velours rouge, des gants rouges,
des bottes rouges dont les éperons sonnaient, un
manteau d'écarlate qui se déployait derrière des
épaules de géant. Seul Mgr Robert d'Artois avait
cette manière fracassante d'entrer, de faire trembler le personnel dès son apparition, cette façon
de pincer au passage le sein des bourgeoises, sans
que les maris osassent même bouger, et d'ébran-
ler les murs, semblait-il, rien qu'en respirant.

De tout cela, le vieux banquier s'émouvait peu.
Il connaissait Robert d'Artois de trop longue date.
Il l'avait observé trop de fois ; et à le considérer
ainsi, d'en haut, il distinguait tout ce qu'il y avait
d'outré, de forcé, d'ostentatoire dans les gestes
de ce seigneur. Parce que la nature l'avait doté de
proportions physiques exceptionnelles, Mgr d'Artois jouait à l'ogre. En fait, c'était un rusé, un
matois. Et puis Tolomei tenait les comptes de
Robert...

Le banquier fut davantage intéressé par le personnage qui accompagnait d'Artois, un seigneur
entièrement vêtu de noir, à la démarche assurée,
mais à l'air réservé, distant, assez hautain.

Les deux visiteurs s'étaient arrêtés devant le
comptoir aux armes et aux harnais, et Mgr d'Artois promenait son énorme gant rouge parmi les

poignards, les miséricordes, les modèles de gardes d'épées, bousculait les tapis de selle, les étriers, les mors incurvés, les rênes découpées, dentelées, brodées. Le commis aurait une bonne heure de travail pour remettre en place son étalage. Robert choisit une paire d'éperons de Tolède, à longues pointes, et dont la talonnière était haute et recourbée en arrière afin de protéger le tendon d'Achille quand le pied exerçait une pression violente contre le flanc du cheval ; une invention judicieuse et sûrement bien utile en tournoi. Les branches de l'éperon étaient décorées de fleurs et de rubans, avec la devise « Vaincre » gravée en lettres rondes dans l'acier doré.

« Je vous en fais présent, mon Lord, dit le géant au seigneur en noir. Il ne vous reste qu'à choisir la dame qui vous les bouclera aux pieds. Cela ne tardera guère ; les dames de France s'enflamment vite à ce qui vient de loin... Vous pouvez vous munir ici de tout ce que vous souhaitez, continua-t-il en montrant la galerie. Mon ami Tolomei, maître usurier et renard de négoce, vous fournira tout ; quoi qu'on lui demande, je ne l'ai jamais vu pris au dépourvu. Voulez-vous faire don d'une chasuble à votre chapelain ? Il en a trente à choisir... D'une bague à votre bien-aimée ? Il a des pierres plein ses coffres... Vous plaît-il de parfumer les filles avant de les conduire au déduit ? Il vous donnera un musc qui vient directement des marchés d'Orient... Cherchez-vous une relique ? Il en tient trois armoires... Et en plus, il vend l'or pour acheter tout cela ! Il possède monnaies frappées à tous les coins d'Europe, dont vous voyez les changes, là, marqués sur ces ardoises. Il vend des chiffres, voilà surtout ce qu'il vend :

comptes de fermages, intérêts de prêts, revenus de fiefs... Derrière toutes ces petites portes, il a des commis qui additionnent, qui retiennent. Que ferions-nous sans cet homme-là qui s'enrichit de notre peu d'habileté à compter ? Montons chez lui. »

Bientôt, les marches de bois de l'escalier à vis gémirent sous le poids de Robert d'Artois. Messer Tolomei repoussa le volet de l'« espion » et laissa retomber la tapisserie.

La pièce où entrèrent les deux seigneurs était sombre, somptueusement décorée de meubles lourds, de gros objets d'argent, et tendue de tapis à images qui étouffaient les bruits ; elle sentait la chandelle, l'encens, les épices de table et les herbes de médecine. Entre les richesses qui l'emplissaient, s'étaient accumulés tous les parfums d'une vie.

Le banquier s'avança. Robert d'Artois qui ne l'avait pas vu depuis de nombreuses semaines — près de trois mois pendant lesquels il avait dû accompagner son cousin le roi de France, en Normandie d'abord à la fin d'août, puis en Anjou pendant tout l'automne — trouva le Siennois vieilli. Ses cheveux blancs étaient plus clairsemés, plus légers sur le col de sa robe ; le temps avait planté ses griffes sur son visage ; les pommettes étaient marquées comme par les pattes d'un oiseau ; les bajoues s'étaient affaissées et ballottaient sous le menton ; la poitrine était plus maigre et le ventre plus gros ; les ongles taillés ras s'ébréchaient. L'œil gauche, le fameux œil gauche de messer Tolomei, toujours aux trois quarts clos, conservait au visage une expression de vivacité et de malice ; mais l'autre œil, l'œil ouvert, avait le regard un peu distrait, absent, fatigué, d'un homme usé et moins soucieux du monde extérieur qu'attentif aux troubles, aux lassitudes qui habitent un vieux corps proche de sa fin.

« Ami Tolomei, s'écria Robert d'Artois, en ôtant ses gants qu'il jeta, flaque sanglante, sur une table, ami Tolomei, je vous conduis une nouvelle fortune. »

Le banquier désigna des sièges à ses visiteurs.

« Combien va-t-elle me coûter, Monseigneur ? répondit-il.

— Allons, allons, banquier, dit Robert d'Artois, vous ai-je jamais fait faire de mauvais placements ?

— Jamais, Monseigneur, jamais, je le reconnais. Les échéances ont parfois été un peu retardées, mais enfin, Dieu m'ayant accordé une assez longue vie, j'ai pu recueillir les fruits de la confiance dont vous m'avez honoré. Mais imaginez, Monseigneur, que je sois mort, comme tant d'autres, à cinquante ans ? Eh bien, grâce à vous, je serais mort ruiné ! »

La boutade amusa Robert dont le sourire, dans une face large, découvrit des dents courtes, solides, mais sales.

« Avez-vous jamais perdu avec moi ? répondit-il. Rappelez-vous comme je vous ai fait jouer naguère Mgr de Valois contre Enguerrand de Marigny ! Et voyez aujourd'hui où est Charles de Valois, et comment Marigny a terminé ses mauvais jours. Ce que vous m'avez avancé pour ma guerre d'Artois, vous l'ai-je pas intégralement remboursé ? Je vous sais gré, banquier, oui, je vous sais gré de m'avoir toujours soutenu, et au plus fort de mes misères ; car j'étais un moment

ligoté de dettes, continua-t-il en se tournant vers
le seigneur en noir ; je n'avais plus de terres,
sinon ce comté de Beaumont-le-Roger, mais dont
le Trésor ne me payait pas les revenus, et mon
aimable cousin Philippe le Long — que Dieu
garde son âme en quelque enfer ! — m'avait enfermé au Châtelet. Eh bien, ce banquier que vous
voyez là, mon Lord, cet usurier, ce maître coquin
parmi les plus coquins que toute la Lombardie
ait jamais produits, cet homme qui prendrait en
cage un enfant dans le sein de sa mère, ne m'a
jamais abandonné ! C'est pourquoi aussi longtemps qu'il vive, et il vivra longtemps... »

Messer Tolomei fit les cornes avec les doigts
de la main droite et toucha le bois de la table.

« Si, si, usurier de Satan, vous vivrez longtemps
encore, je vous le dis... Eh bien, c'est pourquoi
cet homme-là sera toujours mon ami, foi de Robert d'Artois. Et il a eu raison car il me voit aujourd'hui gendre de Mgr de Valois, siégeant au
Conseil du roi, et nanti, enfin, des revenus de
mon comté. Messer Tolomei, le seigneur que vous
avez devant vous est Lord Mortimer, baron de
Wigmore.

— Evadé de la tour de Londres depuis le
1ᵉʳ août, dit le banquier en inclinant le front. Grand
honneur, my Lord, grand honneur.

— Eh quoi ? s'écria d'Artois. Vous savez donc ?

— Monseigneur, dit Tolomei, le baron de Wigmore est trop haut personnage pour que nous
ne soyons pas informés. Je sais même, my Lord,
que lorsque le roi Edouard a donné l'ordre à ses
shérifs des côtes de vous rechercher et arrêter,
vous étiez déjà embarqué, hors d'atteinte de la
justice anglaise. Je sais que lorsqu'il a fait fouil-

ler toutes les partances pour l'Irlande, et saisir tous les courriers provenant de France, vos amis à Londres et dans toute l'Angleterre étaient déjà informés de votre sauve arrivée chez votre cousin, messire Jean de Fiennes, en Picardie. Je sais enfin que lorsque le roi Edouard a ordonné à messire de Fiennes de vous livrer, menaçant de lui confisquer les terres qu'il possède outre-Manche, ce seigneur, qui est grand partisan et soutien de Mgr Robert, vous a tout aussitôt dirigé vers celui-ci. Je ne peux point dire que je vous attendais, my Lord, je vous espérais ; car Mgr d'Artois m'est fidèle, comme il vous l'a dit, et ne manque jamais de penser à moi quand il a un ami en peine. »

Roger Mortimer avait écouté le banquier avec attention.

« Je vois, messer, répondit-il, que les Lombards ont de bons espions à la cour d'Angleterre.

— Pour vous servir, my Lord... Vous n'ignorez pas que le roi Edouard a une forte dette envers nos compagnies. Lorsqu'on a une créance, on la surveille. Et votre roi, depuis beau temps, a cessé d'honorer son sceau, au moins à notre égard. Il nous a fait répondre par son trésorier, Mgr l'évêque d'Exeter, que les mauvaises recettes des tailles, les lourdes charges de ses guerres et les menées de ses barons ne lui permettent pas de faire mieux. Pourtant l'impôt qu'il fait peser sur nos marchandises, rien qu'au port de Londres, lui devrait être suffisant pour s'acquitter. »

Un valet venait d'apporter l'hypocras et les dragées qu'on offrait toujours aux visiteurs d'importance. Tolomei versa dans les gobelets le vin aux aromates, ne se servant à lui-même qu'un doigt de la liqueur.

« Le Trésor de France paraît, pour l'heure, en meilleure santé que celui d'Angleterre, ajouta-t-il. Connaît-on déjà, Monseigneur Robert, quel en sera à peu près le solde pour l'année ?

— S'il ne survient pas, dans le mois à couler, quelque calamité soudaine, peste, famine, mariage ou funérailles d'un de nos royaux parents, les recettes passeront de douze mille livres les dépenses, ceci d'après les chiffres que messire Miles de Noyers, maître de la Chambre aux Comptes, a avancés ce matin au Conseil. Douze mille livres de recettes ! Ce n'est pas au temps des Philippe, le Quatrième et le Cinquième... fasse Dieu que la liste en soit close... que l'on avait si bon Trésor.

— Comment parvenez-vous, Monseigneur, à connaître un Trésor en surplus de recettes ? demanda Mortimer. Est-ce dû à l'absence de guerre ?

— L'absence de guerre, d'une part, et en même temps la guerre, la guerre que l'on prépare et que l'on ne fait pas. Ou pour dire mieux, la croisade. Je dois dire que mon cousin et beau-père Charles de Valois utilise la croisade comme nul autre ! N'allez pas croire que je le tiens pour mauvais chrétien ! Certes, il désire de grand cœur délivrer l'Arménie des Turcs, comme il désire tout également rétablir cet empire de Constantinople dont il porta naguère la couronne sans en pouvoir occuper le trône. Mais enfin, une croisade ne se monte pas en un jour ! Il faut armer des navires, faire forger des armes ; il faut surtout trouver des croisés, négocier en Espagne, négocier en Allemagne... Et le premier pas pour tout cela, c'est d'obtenir du pape une dîme sur le clergé. Mon cher beau-père a obtenu la dîme, et à présent, pour nos gênes de Trésor, c'est le pape qui paie.

— Eh là ! Monseigneur, vous m'intéressez fort, dit Tolomei. C'est que je suis le banquier du pape... pour un quart, avec les Bardi, mais enfin ce quart-là est déjà gros ! et si le pape s'appauvrissait par trop... »

D'Artois, qui prenait une bonne lampée d'hypocras, pouffa dans son gobelet d'argent et fit signe qu'il s'étranglait.

« S'appauvrir, le Très Saint-Père ? s'écria-t-il quand il eut avalé. Mais il est riche à centaines de milliers de florins. Ah ! voilà un homme qui vous en remontrerait, Spinello ; quel grand banquier il eût fait, s'il n'était entré en clergie ! Car il a trouvé le Trésor papal plus vide que ne l'était ma poche, il y a six ans...

— Je sais, je sais, murmura Tolomei.

— C'est que les curés, voyez-vous, sont les meilleurs collecteurs d'impôts que Dieu ait jamais mis sur terre, et c'est bien ce qu'a compris Mgr de Valois. Au lieu de forcer les tailles, dont les receveurs sont détestés, on fait quêter par les curés et l'on recueille la dîme. On se croisera, on se croisera... un jour ! En attendant, c'est le pape qui paie, sur la tonte des ouailles. »

Tolomei se frottait la jambe droite, doucement ; depuis quelque temps, il éprouvait une sensation de froid dans cette jambe-là, et quelques douleurs aussi en marchant.

« Vous disiez donc, Monseigneur, qu'il y a eu Conseil ce matin. Y a-t-on pris ordonnances de grand intérêt ? demanda-t-il.

— Oh ! comme de coutume. On a débattu du prix des chandelles et défendu de mêler le suif à la cire, comme aussi de brasser les vieilles confitures avec les nouvelles. Pour toutes marchandises vendues en enveloppes, le poids des sacs devra être déduit et non compté dans le prix ; ceci pour complaire au commun peuple, et lui montrer qu'on s'occupe de lui. »

Tolomei, tout en écoutant, observait ses deux visiteurs. Ils lui paraissaient l'un et l'autre très jeunes ; Robert d'Artois avait combien ? trente-cinq, trente-six ans... et l'Anglais n'en montrait guère plus. Tous les hommes au-dessous de la soixantaine lui semblaient étonnamment jeunes ! Combien de choses encore ils avaient à faire, combien d'émois à ressentir, de combats à livrer, d'espoirs à poursuivre, et combien de matins à connaître que lui ne connaîtrait pas ! Combien de fois ces deux hommes-là se réveilleraient, respireraient l'air d'un jour neuf quand lui-même serait sous terre !

Et quel genre de personnage était Lord Mortimer ? Ce visage bien taillé, aux sourcils épais, ces paupières coupées droit sur des yeux couleur de pierre, et puis le vêtement sombre, la façon de croiser les bras, l'assurance hautaine, silencieuse d'un homme qui a été au faîte de la puissance et qui tient à conserver toute sa dignité dans l'exil, ce geste même, machinal, que Mortimer avait pour passer le doigt sur la courte cicatrice blanche qui lui marquait la lèvre, tout plaisait au vieux Siennois. Et Tolomei eut envie que ce seigneur-là redevînt heureux ! Il venait à Tolomei, depuis quelque temps, le goût de penser aux autres.

« L'ordonnance sur la sortie des monnaies, demanda-t-il, doit-elle être prochainement promulguée, Monseigneur ? »

Robert d'Artois eut une hésitation à répondre.

« A moins, peut-être, que vous n'en soyez pas averti..., ajouta Tolomei.

— Mais certes, certes, j'en suis averti. Vous savez bien que rien ne se fait sans que le roi et surtout Mgr de Valois ne requièrent mon conseil. L'ordonnance sera scellée dans deux jours : nul ne pourra porter hors du royaume monnaie d'or ou d'argent frappée au coin de France. Les pèlerins seuls pourront se munir de quelques petits tournois. »

Le banquier feignit de ne pas attacher plus d'importance à cette nouvelle qu'au prix des chandelles ou aux mélanges de confitures. Mais déjà il avait pensé : « Donc les monnaies étrangères seront seules admises à sortir du royaume ; donc elles vont croître de valeur... De quelle aide, dans notre métier, nous sont les bavards, et comme les vantards nous offrent pour rien ce qu'ils pourraient nous vendre si cher ! »

« Ainsi, my Lord, reprit-il, en se tournant vers Mortimer, vous comptez donc vous établir en France ? Qu'attendez-vous de moi ? »

Ce fut Robert qui répondit :

« Ce qu'il faut à un grand seigneur pour tenir son rang. Vous avez assez l'habitude, Tolomei ! »

Le banquier agita une clochette. Au valet qui entra, il demanda son grand livre, et ajouta :

« Si messer Boccace n'est point encore parti, dis-lui qu'il veuille m'attendre. »

Le livre fut apporté, un gros recueil à couverture de cuir noir patiné et dont les feuilles de vélin tenaient assemblées par des broches mobiles. On pouvait à volonté ajouter des feuillets. Ce procédé permettait à messer Tolomei de réunir les comptes de ses gros clients, dans l'ordre des lettres de l'alphabet, au lieu d'avoir à rechercher des pièces éparpillées. Le banquier posa le recueil sur ses genoux, l'ouvrit avec quelque cérémonie.

« Vous allez vous trouver en bonne compagnie, my Lord, dit-il. Voyez : à tout seigneur tout honneur... Mon livre commence par le comte d'Artois... Vous avez beaucoup de feuillets, Monseigneur, ajouta-t-il avec un petit rire adressé à Robert. Et puis voici le comte de Bar, le comte de Boulogne, Mgr de Bourbon... Mme la reine Clémence... »

Le banquier eut un hochement de tête déférent.

« Ah ! Elle nous a causé bien du souci après la mort du roi Louis Dixième ; on eût dit que le deuil lui avait donné une fringale de dépenses. Le Très Saint-Père lui-même lui a écrit, pour l'exhorter à la modération, et elle a dû placer ses bijoux en gage, chez moi, afin d'acquitter ses dettes. A présent, elle vit en l'hôtel du Temple qui lui a été échangé contre le donjon de Vincennes ; elle touche son douaire, et paraît avoir retrouvé la paix. »

Il continuait de tourner les pages qui bruissaient sous sa main. Il avait une façon fort habile de laisser apparaître les noms, tout en cachant les chiffres avec son bras. Il n'était indiscret qu'à moitié.

« C'est moi, maintenant, qui joue le vantard, pensait-il. Mais il faut faire valoir un peu les services qu'on rend, et montrer qu'on n'est pas ébloui par un nouvel emprunteur. »

En vérité, sa vie entière se trouvait contenue dans ce livre, et toute occasion lui était bonne de le feuilleter. Chaque nom, chaque addition représentait tant de souvenirs, tant d'intrigues, et de secrets confiés, tant de prières à lui adressées et où il avait pu mesurer son pouvoir ! Chaque somme était le rappel précis d'une visite, d'une lettre, d'un marché habile, d'un mouvement de sympathie, d'une dureté pour un débiteur négligent... Il y avait près de cinquante ans que Spinello Tolomei, ayant commencé, à son arrivée de Sienne, par faire les foires de Champagne, était venu s'installer ici, rue des Lombards, pour y tenir banque [11].

Une page encore, et une autre, qui s'accrocha dans ses ongles ébréchés. Un trait noir barrait le nom.

« Tenez, voici messer Dante Alighieri, le poète... pour une petite somme, quand il se rendit à Paris visiter la reine Clémence, après le deuil de celle-ci. Il était grand ami du roi Charles de Hongrie, le père de Mme Clémence. Je me souviens de messer Dante, juste dans le fauteuil où vous êtes, my Lord. Un homme sans bonté. Il était fils de changeur ; il m'a parlé toute une heure avec grand mépris du métier de l'argent. Mais il pouvait bien être méchant et aller s'enivrer dans de mauvais lieux avec les filles ; qu'importe ! Il a fait chanter notre langue comme personne avant lui. Et de quelle façon il a dépeint les Enfers ! On frémit de penser que c'est peut-être ainsi. Savez-vous qu'à Ravenne, où messer Dante a vécu ses dernières années, les gens s'écartaient peureusement de son chemin parce qu'ils pensaient qu'il était magicien, et vraiment descendu dans les abîmes. Voilà deux ans qu'il est mort. Mais même à présent, beaucoup ne veulent pas croire à son trépas et assurent qu'il reviendra... Il n'aimait pas la banque, cela est sûr, ni non plus Mgr de Valois qui l'avait exilé de Florence. »

Tolomei, tout le temps qu'il avait parlé de Dante, avait de nouveau fait les cornes et pressé ses doigts contre le bois du fauteuil.

« Voilà, vous serez ici, my Lord, reprit-il en mettant une marque dans le gros livre. Après Mgr de Marigny ; pas le pendu, rassurez-vous, dont Mgr d'Artois parlait tout à l'heure, non ! mais son plus jeune frère, l'évêque de Beauvais... Vous avez de ce jour un compte ouvert chez moi pour sept mille livres. Vous pouvez y puiser à votre convenance, et regarder ma modeste maison comme la vôtre. Etoffes, armes, bijoux, toutes fournitures qui vous seront nécessaires, vous pourrez les trouver à mes comptoirs, et les faire porter sur ce crédit. »

Il accomplissait son métier par habitude ; il prêtait aux gens de quoi acheter ce qu'il vendait.

« Et votre procès contre votre tante, Monseigneur ? Ne comptez-vous pas le reprendre, à présent que vous êtes si puissant ? demanda-t-il à Robert d'Artois.

— Cela se fera, cela se fera, mais à son heure, répondit le géant en se levant. Rien ne presse, et je me suis aperçu que trop de hâte était mauvaise. Je laisse ma chère tante vieillir ; je la laisse s'user en petits procès contre ses vassaux, s'inventer chaque jour de nouveaux ennemis par ses

chicanes, et remettre en ordre ses châteaux que
j'ai un peu malmenés à la dernière visite que je
fis en ses terres, qui sont les miennes. Elle commence à savoir ce qu'il lui en coûte de garder
mon bien ! Elle a dû prêter à Mgr de Valois cinquante mille livres qu'elle ne reverra jamais, car
elles ont fait la dot de mon épouse, sur quoi je
vous ai payé. Vous voyez qu'elle n'est pas si nui-
sible femme qu'on dit, la bonne gueuse. Je me
garde seulement de trop la voir, car elle m'aime
tant qu'elle pourrait bien me gâter de quelque
plat sucré dont on est mort pas mal dans son
entourage... Mais j'aurai mon comté, banquier,
je l'aurai, soyez-en sûr, et ce jour-là, je vous l'ai
promis, vous serez mon trésorier ! »

Messer Tolomei, raccompagnant ses visiteurs,
descendit derrière eux l'escalier, d'une jambe prudente, et les conduisit jusqu'à la porte, sur la rue
des Lombards. Roger Mortimer lui ayant demandé
à quel intérêt l'argent lui était prêté, le banquier
écarta cette question d'un geste de la main.

« Faites-moi seulement la grâce, dit-il, quand
vous aurez affaire à ma banque, de monter me
voir. Vous aurez sûrement à m'instruire de beaucoup de choses, my Lord. »

Un sourire accompagnait ces mots, et la paupière gauche s'était un peu soulevée.

L'air froid de novembre qui venait de la rue fit
frissonner le vieil homme. Aussitôt la porte re-
fermée, Tolomei passa derrière ses comptoirs et
entra dans une petite pièce où se tenait le signor
Boccace, l'associé des Bardi.

« Ami Boccacio, lui dit-il, achète dès ce jour et
demain, toutes les monnaies d'Angleterre, de Hollande et d'Espagne, florins d'Italie, doublons,

ducats, en bref toutes monnaies de pays étrangers ; offre un denier, et même deux deniers de plus la pièce. Dans quelques jours, elles auront monté du quart. Tous les voyageurs devront s'en fournir auprès de nous, puisque l'or de France n'aura plus liberté de sortir. Je te fais ce marché de compte à demi [12]. »

Tolomei savait à peu près ce qu'on pouvait rafler d'or étranger sur la place ; y ajoutant ce qu'il avait en coffres, Tolomei avait déjà calculé que l'opération lui laisserait un bénéfice de quinze à vingt mille livres. Il venait d'en prêter sept mille ; il était sûr de gagner au moins le double et, avec ce gain, il consentirait d'autres prêts. Une routine !

Comme Boccace le félicitait de son habileté, et, tournant le compliment entre ses lèvres minces, disait que ce n'était pas en vain que les compagnies lombardes de Paris avaient choisi messer Spinello Tolomei pour leur capitaine général, celui-ci répondit :

« Oh ! après cinquante et des années de métier, je n'y ai plus de mérite ; cela vient de soi-même. Et si vraiment j'étais habile, qu'aurais-je fait ? Je t'aurais acheté tes réserves de florins et j'aurais gardé tout le profit pour moi. Mais à quoi cela me servirait-il en vérité ? Tu verras, Boccacio, tu es encore très jeune... »

L'autre avait pourtant des fils blancs aux tempes.

« ... il arrive un âge où, quand on ne travaille plus que pour soi, on a le sentiment de travailler pour rien. Mon neveu me manque. Pourtant, ses affaires maintenant sont apaisées ; je suis certain qu'il ne risque rien à revenir. Mais il refuse, ce diable de Guccio ; il s'entête, par orgueil je crois. Alors cette grande maison, le soir, quand les commis sont partis et les valets couchés, me paraît bien vide. Et voilà que certains jours je me prends à regretter Sienne.

— Ton neveu aurait bien dû, dit Boccace, faire ce que j'ai fait moi-même qui me suis trouvé dans une semblable situation avec une dame de Paris. J'ai enlevé mon fils et l'ai emmené en Italie. »

Messer Tolomei hochait la tête et pensait à la tristesse d'un foyer sans enfants. Le fils de Guccio devait atteindre ces jours-ci ses sept ans ; et jamais Tolomei ne l'avait vu. La mère s'y opposait...

Le banquier frottait sa jambe droite qu'il sentait pesante et refroidie, comme s'il y avait eu des fourmis. La mort vous tire de la sorte par les pieds, à petits coups, pendant des années... Tout à l'heure, avant de se mettre au lit, il se ferait porter un bassin d'eau chaude pour y plonger la jambe.

IV

LA FAUSSE CROISADE

Monseigneur de Mortimer, je vais avoir grande nécessité de chevaliers vaillants et preux, tels que vous l'êtes, pour entrer dans ma croisade, déclara Charles de Valois. Vous m'allez juger bien orgueilleux de dire « ma croisade » alors qu'en vérité c'est celle de Notre-Seigneur Dieu ; mais je dois bien avouer, et tout chacun me le reconnaît, que si cette grande entreprise, la plus vaste et la plus glorieuse qui puisse requérir les nations chrétiennes, vient à se faire, c'est parce que je l'aurai, de mes propres mains, montée. Ainsi, Mgr de Mortimer, je vous le propose tout droit, avec ma franche nature que vous apprendrez à connaître : voulez-vous être des miens ? »

Roger Mortimer se redressa sur son siège ; son visage se referma un peu, et ses paupières s'abaissèrent à demi sur ses yeux couleur de pierre. Etait-ce une bannière de vingt cuirasses

qu'on lui offrait de commander, comme à un
petit châtelain de province, ou à un soldat d'aventure échoué là par l'infortune du sort ? Une aumône, cette proposition !

C'était la première fois que Mortimer était reçu
par le comte de Valois, lequel, jusqu'à présent,
avait toujours été pris par ses tâches au Conseil,
retenu par les réceptions d'ambassadeurs étrangers, ou en déplacement à travers le royaume.
Mortimer voyait enfin l'homme qui gouvernait
la France et qui venait ce jour même d'introniser
un de ses protégés, Jean de Cherchemont, comme nouveau chancelier [13]. Mortimer était dans
la situation, enviable certes pour un ancien prisonnier à vie, mais pénible pour un grand seigneur, de l'exilé qui vient demander, n'a rien
à offrir et qui attend tout.

L'entrevue avait lieu à l'hôtel du roi de Sicile
que Charles de Valois avait reçu de son premier
beau-père, Charles de Naples le Boiteux, en présent de noces. Dans la grande salle réservée aux
audiences, une douzaine de personnes, écuyers,
courtisans, secrétaires, s'entretenaient à voix basse, par petits groupes, en tournant fréquemment
leurs regards vers le maître qui recevait, ainsi
qu'un vrai souverain, sur une sorte de trône sur-
monté d'un dais. Mgr de Valois était vêtu d'une
grande robe de maison, en velours bleu brodé de
V et de fleurs de lis, ouverte sur le devant, et qui
laissait voir la doublure de fourrure. Ses mains
étaient chargées de bagues ; il portait son sceau
privé, gravé dans une pierre précieuse, pendu à
la ceinture par une chaînette d'or, et il avait
pour coiffure une sorte de bonnet de velours
maintenu par un cercle d'or ciselé, une couronne

d'appartement. Il était entouré de son fils aîné,
Philippe de Valois, un gaillard à grand nez, bien
découplé, qui s'appuyait au dossier du trône, et
de Robert d'Artois, son gendre, installé sur un
tabouret, et tendant vers le foyer ses grandes bottes de cuir rouge.

« Monseigneur, dit Mortimer lentement, si l'aide d'un homme qui est le premier parmi les
barons des Marches galloises, qui a gouverné le
royaume d'Irlande et commandé en plusieurs
batailles, peut vous être de quelque service, je
vous apporterai volontiers cette aide pour la
défense de la Chrétienté, et mon sang vous est dès
à présent acquis. »

Valois comprit que le personnage était fier qui
parlait de ses fiefs des Marches comme s'il les
tenait encore. Un homme dont il faudrait ména-
ger l'honneur si l'on voulait en tirer parti.

« J'ai l'avantage, sire baron, répondit-il, de voir
se ranger sous la bannière du roi de France, c'est-
à-dire la mienne, puisqu'il est entendu dès à présent que mon neveu continuera de gouverner le
royaume pendant que je commanderai la croisade, de voir, dis-je, se ranger les premiers princes souverains d'Europe : mon parent Jean de
Luxembourg, roi de Bohême, mon beau-frère
Robert de Naples et Sicile, mon cousin Alphonse
d'Espagne, en même temps que les républi-
ques de Gênes et de Venise qui, sur la demande du Très Saint-Père, nous apporteront l'appui de leurs galères. Vous ne serez donc pas
en mauvaise compagnie, et je tiendrai à ce
que chacun respecte et honore en vous le haut
seigneur que vous êtes. La France, dont vos
ancêtres sont venus, verra à mieux reconnaître

vos mérites que ne semble le faire l'Angleterre. »

Mortimer inclina le front en silence. Cette assurance valait ce qu'elle valait ; il veillerait à ce qu'elle ne restât pas simplement de parole.

« Car voici cinquante ans et plus, reprit Mgr de Valois, qu'on ne fait rien de grand en Europe pour le service de Dieu ; depuis mon grand-père saint Louis, tout exactement, qui, s'il y gagna le Ciel, y laissa la vie. Les Infidèles, encouragés par notre absence, ont relevé la tête et se croient partout les maîtres ; ils ravagent les côtes, pillent les bateaux, entravent le commerce et, par leur seule présence, profanent les Lieux saints. Nous, qu'avons-nous fait ? Nous nous sommes, d'année en année, repliés de toutes nos possessions, de tous nos établissements ; nous avons abandonné les forteresses que nous avions construites, négligé de défendre les droits sacrés que nous nous étions acquis. Ces temps sont révolus. Au début de l'année, les députés de la Petite Arménie sont venus nous demander secours contre les Turcs. Je rends grâces à mon neveu, le roi Charles Quatrième, d'avoir compris tout l'intérêt de leur démarche et d'avoir appuyé la suite que j'y ai donnée ; au point qu'à présent il s'en arroge même l'idée première ! Mais enfin il est bon qu'il y croie. Ainsi, avant peu, et nos forces rassemblées, nous allons partir et attaquer en terres lointaines, les Barbaresques. »

Robert d'Artois, qui entendait ce discours pour la centième fois, opinait de la tête d'un air pénétré, tout en s'amusant secrètement de l'ardeur que montrait son beau-père à exposer les belles causes. Car Robert connaissait les dessous du jeu. Il savait qu'on avait effectivement projet de courir aux Turcs, mais en bousculant aussi un peu les chrétiens sur le passage ; car l'empereur Andronic Paléologue, qui régnait à Byzance, n'était pas le tenant de Mahomet, qu'on sache ? Sans doute, son Eglise n'était pas tout à fait la bonne, et l'on y faisait le signe de croix à l'envers ; mais c'était tout de même le signe de croix ! Or, Mgr de Valois poursuivait toujours l'idée de reconstituer à son profit le fameux empire de Constantinople, étendu non seulement sur les territoires byzantins, mais sur Chypre, sur Rhodes, sur l'Arménie, sur tous les anciens royaumes Courtenay et Lusignan. Et quand il arriverait làbas, le comte Charles, avec toutes ses bannières, Andronic Paléologue, à ce qu'on pouvait savoir, ne pèserait pas lourd. Mgr de Valois roulait dans sa tête des rêves de César...

A remarquer, d'ailleurs, qu'il usait assez bien d'une manœuvre qui consistait à toujours demander le plus afin d'obtenir un peu. Ainsi, il avait essayé d'échanger son commandement de la croisade et ses prétentions au trône de Constantinople contre le petit royaume d'Arles, sur le Rhône, à condition qu'on y adjoignît le Viennois. La négociation, entamée au début de l'année avec Jean de Luxembourg, avait échoué par l'opposition du duc de Savoie, et par celle surtout du roi de Naples, lequel ne tenait nullement à voir son turbulent parent se constituer un royaume indépendant au bord de ses possessions de Provence. Alors Mgr de Valois s'était remis avec plus d'entrain à la sainte expédition. Il était dit que cette couronne souveraine qui lui avait échappé en Espagne, en Allemagne, en Arles même, il lui faudrait aller la chercher à l'autre bout de la terre !

« Certes, tous les empêchements ne sont pas encore surmontés, poursuivit Mgr de Valois. Nous sommes encore en argument avec le Saint-Père sur le nombre de chevaliers et sur les soldes à leur donner. Nous voulons huit mille chevaliers et trente mille hommes à pied, et que chaque baron reçoive vingt sols le jour, chaque chevalier dix ; sept sous et six deniers pour les écuyers, deux sous aux hommes de pied. Le pape Jean veut me faire étrécir mon armée à quatre mille chevaliers et quinze mille hommes de piétaille ; il me promet toutefois douze galères armées. Il nous a autorisé la dîme, mais il rechigne aux douze cent mille livres par an, que nous lui demandons pendant cinq ans que durera la croisade, et surtout aux quatre cent mille livres nécessaires au roi de France pour les frais accessoires... »

« Dont trois cent mille déjà réservées au bon Charles de Valois lui-même, pensait Robert d'Artois. A ce prix-là, on peut bien commander une croisade ! J'aurais mauvaise grâce à chicaner, puisqu'une part doit m'en revenir [14] ! »

« Ah ! si j'eusse été à Lyon, à la place de mon défunt neveu Philippe, lors du dernier conclave, s'écria Valois, j'aurais, sans médire de notre Très Saint-Père, choisi un cardinal qui comprît plus clairement l'intérêt de la Chrétienté et qui se fît moins tirer la manche !

— Surtout depuis que nous avons pendu son neveu à Montfaucon, ce dernier mois de mai », observa Robert d'Artois.

Mortimer se tourna sur son siège et regarda Robert d'Artois, surpris, en disant :

« Un neveu du pape ? Quel neveu ?

— Comment, mon cousin, vous ne savez pas ? »

dit Robert d'Artois en profitant de l'occasion pour se lever, car il avait du mal à rester longtemps immobile ; et il alla repousser de sa botte les bûches qui brûlaient dans l'âtre.

Mortimer avait déjà cessé pour lui d'être « mon Lord » et il était devenu « mon cousin », à cause d'une lointaine parenté qu'ils s'étaient découverte par les Fiennes ; avant peu il serait « Roger », sans plus d'histoires.

« Eh non, au fait, comment l'auriez-vous su ? reprit Robert. Vous étiez en geôle par la grâce de votre ami Edouard... Il s'agit d'un baron gascon, Jourdain de l'Isle, auquel le Saint-Père avait donné une sienne nièce en mariage, et qui commit quelques minces méfaits, à savoir voleries, homicides, forcer dames, dépuceler pucelles, et un peu de bougrerie sur les jouvenceaux par surcroît. Il entretenait autour de lui voleurs, meurtriers et autres gens de mauvaise merdaille qui dépouillaient, pour son compte, clercs et laïcs. Comme le pape le protégeait, on lui fit grâce de ces peccadilles, sous la promesse qu'il s'amenderait. Le Jourdain ne sut mieux faire, pour prouver sa pénitence, que de se saisir d'un sergent royal qui venait lui délivrer une sommation, et de le faire empaler... Sur quoi ? Sur le bâton à fleur de lis que le sergent portait ! »

Robert d'Artois eut un grand rire qui trahissait son naturel penchant pour la canaille.

« On ne sait à vrai dire quel était le plus grand crime, d'avoir occis un officier du roi ou d'avoir enduit les fleurs de lis de la crotte d'un sergent. Le sire Jourdain fut pendu au gibet de Montfaucon, où vous pourrez le voir encore, si d'aventure vous passez par là. Les corbeaux lui ont laissé peu de chair. Depuis, nous sommes en fraîcheur avec Avignon. »

Et Robert se remit à rire, la gueule en l'air, les pouces dans la ceinture ; et sa joie était si sincère que Roger Mortimer lui-même se mit à rire, par contagion. Et Valois riait aussi, et son fils Philippe.

Cela les rendit plus amis de rire ensemble. Mortimer se sentit soudain admis dans le groupe Valois et se détendit un peu. Il regardait avec sympathie le visage de Mgr Charles, un visage large, haut en couleur, d'homme qui mangeait trop et que le pouvoir privait de prendre assez d'exercice. Mortimer n'avait pas revu Valois depuis de rapides rencontres, une fois en Angleterre d'abord, pour les fêtes du mariage de la reine Isabelle, et puis une seconde fois, en 1313, en accompagnant les souverains anglais à Paris, pour le premier hommage. Et tout cela qui semblait hier était déjà bien loin. Dix ans ! Mgr de Valois, un homme encore jeune à l'époque, était devenu ce personnage massif, imposant... Allons ! il ne fallait pas perdre le temps de vivre, ni négliger l'occasion de l'aventure. Cette croisade, après tout, commençait de plaire à Roger Mortimer.

« Et quand donc, Monseigneur, vos nefs lèveront-elles l'ancre ? demanda-t-il.

— Dans dix-huit mois je pense, répondit Valois. Je vais renvoyer en Avignon une troisième ambassade, pour arrêter définitivement la fourniture des subsides, les bulles d'indulgences, et l'ordre de combat.

— Et ce sera belle chevauchée, Monseigneur de Mortimer, où il faudra vaillance, et où les farauds auront à montrer autre chose que ce qu'ils font en joute », dit Philippe de Valois qui n'avait pas parlé jusque-là et dont le visage se colora un peu.

Le fils aîné de Charles de Valois imaginait déjà les voiles gonflées des galères, les débarquements sur les côtes lointaines, les bannières, les cuirasses, le choc des lourds chevaux de France chargeant les Infidèles, le Croissant piétiné sous le fer des montures, les filles mauresques capturées dans le fond des palais, les belles esclaves nues arrivant enchaînées... Et sur ces grasses gaupes, rien n'empêcherait Philippe de Valois d'assouvir ses désirs. Ses grandes narines déjà s'élargissaient. Car Jeanne la Boiteuse, son épouse, dont la jalousie éclatait en scènes furieuses dès qu'il regardait la poitrine d'une autre femme, resterait en France. Ah ! elle n'était pas de caractère aisé, la sœur de Marguerite de Bourgogne ! Or, il se peut qu'on aime sa femme et qu'en même temps une force de nature vous pousse à en désirer d'autres. Il faudrait au moins une croisade pour que le grand Philippe osât tromper la Boiteuse.

Mortimer se redressa un peu et tira sur sa cotte noire. Il voulait revenir au sujet qui lui importait, et qui n'était pas la croisade.

« Monseigneur, dit-il à Charles de Valois, vous pouvez me tenir comme marchant dans vos rangs. Mais je venais aussi quêter de vous... »

Le mot était dit. L'ancien Grand Juge d'Irlande l'avait prononcée cette parole sans laquelle aucun solliciteur ne récolte rien, sans laquelle aucun homme puissant n'accorde son appui. Quêter, demander, prier... Il n'était point besoin d'ailleurs qu'il en prononçât davantage.

« Je sais, je sais, répondit Charles de Valois ; mon gendre Robert m'a mis au fait. Vous souhai-

tez que j'intrigue pour votre cause auprès du roi
Edouard. Or donc, mon très loyal ami... »

D'un seul coup, parce qu'il avait « quêté », il
était devenu un ami.

« ... or donc, je ne le ferai pas, parce que cela
ne servirait de rien... sinon à m'attirer quelque
nouvel outrage ! Savez-vous la réponse que votre
roi Edouard m'a fait tenir par le comte de Bouville ? Oui, vous la savez, bien sûr... alors que la
dispense pour le mariage était déjà demandée au
Saint-Père ! Quelle figure me donne-t-il ? Vais-je
aller maintenant lui demander qu'il vous restitue
vos terres, vous rétablisse dans vos titres, et qu'il
chasse ses honteux Despenser ?

— Et que par là même, il rende à la reine Isabelle...

— Ma pauvre nièce ! s'écria Valois. Je sais,
loyal ami, je sais tout ! Croyez-vous que je puisse,
ou que le roi de France puisse faire changer le
roi Edouard à la fois de mœurs et de ministres ?
Vous ne devez pas ignorer, toutefois, que lorsqu'il a envoyé l'évêque de Rochester pour réclamer votre livraison nous avons refusé ; nous
avons refusé de seulement recevoir l'évêque !
Premier affront que je rends à Edouard en
échange du sien. Nous sommes liés, vous et moi,
Monseigneur de Mortimer, par les outrages qui
nous ont été infligés. Et si l'occasion nous vient, à
l'un ou à l'autre, de nous venger, je vous fais
foi, cher sire, que nous nous vengerons ensemble. »

Mortimer, sans en rien montrer, sentit le désespoir l'envahir. L'entretien dont Robert d'Artois
lui avait promis miracle... « Mon beau-père Charles peut tout ; s'il vous prend en amitié, et il ne
manquera pas de le faire, vous êtes sûr de triom-

pher... » l'entretien semblait achevé. Et qu'en résultait-il ? Du vent. La promesse d'un vague commandement dans dix-huit mois, au pays des Turcs. Roger Mortimer songeait déjà à quitter Paris, à se rendre auprès du pape ; et si de ce côté-là il n'obtenait rien, alors, il irait trouver l'empereur d'Allemagne... Ah ! elles étaient amères les déceptions de l'exil. Son oncle de Chirk les lui avait prédites...

Ce fut alors que Robert d'Artois, dans le silence gêné qui s'était fait, dit :

« Cette occasion de la vengeance dont vous parlez, Charles, pourquoi ne la ferions-nous pas naître ? »

Il était le seul, à la cour, qui appelait le comte de Valois par son prénom, n'ayant pas changé d'habitude depuis le temps où ils n'étaient que cousins ; et puis sa taille, sa force, sa truculence, lui donnaient des droits qui n'étaient qu'à lui.

« Robert a raison, dit Philippe de Valois. On pourrait, par exemple, inviter le roi Edouard à la croisade, et là... »

Un geste imprécis acheva sa pensée. Il était imaginatif, décidément, le grand Philippe ! Il voyait le passage d'un gué, ou mieux encore une rencontre en plein désert avec un parti d'Infidèles. On laissait Edouard s'engager à la charge, puis on l'abandonnait froidement aux mains des Turcs... voilà une belle vengeance !

« Jamais, s'écria Charles de Valois, jamais Edouard ne joindra ses bannières aux miennes. D'abord peut-on même parler de lui comme d'un roi chrétien ? Ce sont les Maures qui ont de pareilles mœurs ! »

En dépit de cette indignation, Mortimer fut

saisi d'inquiétude. Il savait trop ce que valent les paroles des princes, et comment les ennemis de la veille peuvent se réconcilier le lendemain, même faussement, quand ils y ont intérêt. S'il prenait envie à Mgr de Valois, pour grossir sa croisade, d'y convier Edouard, et si Edouard feignait d'accepter...

« Quand bien même le feriez-vous, Monseigneur, dit Mortimer, il y a peu de chances que le roi Edouard réponde à votre invite ; il aime les jeux du corps mais déteste les armes, et ce n'est point lui, je vous l'assure, qui m'a vaincu à Shrewsbury. Edouard prétextera, et avec juste raison, les dangers que lui font courir les Ecossais...

— Mais j'en veux bien, moi, des Ecossais, dans ma croisade ! » dit Valois.

Robert d'Artois frappa ses énormes poings l'un contre l'autre à petits coups. La croisade lui était totalement indifférente, et même, à vrai dire, il n'en avait aucune envie. D'abord il vomissait en mer. Sur terre, tout ce qu'on voulait, mais rien sur l'eau ; un nourrisson y était plus fort que lui ! Et puis il songeait avant tout à la reprise de son comté d'Artois, et une course de cinq ans au bout du monde ne ferait guère progresser ses affaires. Le trône de Constantinople n'était pas dans son héritage, et il ne lui plaisait en rien de se retrouver un jour commandant quelque île pelée dans des eaux perdues. Il n'avait pas d'intérêt non plus au commerce des épices, ni le besoin d'aller enlever des femmes aux Turcs ; Paris regorgeait de houris à cinquante sols et de bourgeoises qui coûtaient encore moins ; et Mme de Beaumont, sa compagne, fille de Mgr de Valois, ici présent, fermait les yeux sur toutes ses incartades. Donc, cette croisade, il importait surtout à Robert d'en reculer le plus possible l'échéance ; tout en feignant de l'encourager, il ne travaillait qu'à la retarder. Il avait son idée en tête et ce n'était pas pour rien qu'il avait conduit Roger Mortimer à son beau-père.

« Je me demande, Charles, dit-il, s'il serait bien sage de laisser longtemps le royaume de France dépourvu d'hommes, privé de sa noblesse et de votre commandement, à la merci du roi d'Angleterre qui montre assez qu'il ne nous veut pas de bien.

— Les châteaux seront pourvus, Robert ; et nous y laisserons des garnisons à suffisance, répondit Valois.

— Mais sans noblesse, sans la plupart des chevaliers, et sans vous, je le répète, qui êtes notre grand homme de guerre. Qui défendra le royaume en notre absence ? Le connétable, bientôt sur ses septante-cinq ans, et dont c'est miracle qu'il se soutienne encore en selle ? Notre roi Charles ? Si Edouard, comme nous le dit Lord Mortimer, se plaît peu aux batailles, notre gentil cousin s'y entend encore moins. Au reste, à quoi s'entend-il, sinon à paraître, frais et souriant, devant son peuple ? Ce serait folie d'offrir le champ aux mauvaisetés d'Edouard sans l'avoir auparavant affaibli d'une défaite.

— Alors aidons les Ecossais, proposa Philippe de Valois. Débarquons sur leurs côtes et soutenons leur lutte. Pour ma part, j'y suis prêt. »

Robert d'Artois baissa le nez pour ne point montrer ce qu'il pensait. On en verrait de belles, si Philippe prenait le commandement d'une équipée en Ecosse ! L'héritier des Valois avait fait la preuve de ses aptitudes, en Italie, où on l'avait envoyé soutenir le légat du pape contre les Visconti de Milan. Arrivé fièrement avec ses bannières, Philippe s'était si bien laissé manœuvrer et rouler en farine par Galeazzo Visconti, qu'il avait tout cédé en croyant tout gagner, et s'en était retourné sans même avoir livré la plus petite bataille.

Roger Mortimer, pour sa part, parut quelque peu blessé par la suggestion de Philippe de Valois. Car s'il était l'adversaire du roi Edouard, l'Angleterre, tout de même, était sa patrie !

« Pour l'instant, dit-il, les Ecossais se tiennent assez en paix, et semblent décidés à respecter le traité qu'ils nous ont imposé l'autre année.

— Et puis l'Ecosse, l'Ecosse..., renchérit Robert, il faut passer la mer ! Réservons donc nos nerfs pour la croisade. Mais nous avons peut-être meilleur terrain pour défier ce bougre d'Edouard. Il n'a pas rendu hommage pour l'Aquitaine. Si nous le forcions à venir défendre ses droits en France, dans son duché, et qu'à cette occasion nous allions l'écraser, d'abord nous serions tous vengés, et, par surcroît, il se tiendrait au calme pendant notre absence. »

Valois tournait ses bagues et réfléchissait. Une fois de plus Robert se révélait un conseiller avisé. L'idée était vague encore, que ce dernier venait d'émettre, mais déjà Valois en apercevait tous les développements. D'abord, l'Aquitaine ne se présentait pas à lui comme une terre inconnue ; il y avait fait campagne, sa première grande campagne, victorieuse, en 1294.

« Ce serait, à coup sûr, dit-il, un bon entraînement pour notre chevalerie qui n'a point vraiment guerroyé depuis longtemps, et un motif aussi pour éprouver cette artillerie à poudre dont les Italiens commencent à faire usage. Notre vieil ami Tolomei s'offre à nous en fournir. Certes, le roi de France peut mettre le duché d'Aquitaine sous sa main pour défaut d'hommage... »

Il resta pensif un instant.

« Mais il ne s'ensuivra pas forcément combat d'armée, conclut-il. On négociera comme de coutume ; ce deviendra affaire de parlements et d'ambassades. Et puis, en rechignant, l'hommage sera rendu. Ce n'est pas une bonne cause. »

Robert d'Artois se rassit, les coudes sur les genoux et les poings sous le menton.

« On peut découvrir, dit-il, un plus efficace prétexte que le défaut d'hommage. Ce n'est pas à vous, cousin Mortimer, que je vais apprendre toutes les difficultés, chicanes et batailles qui sont nées de l'Aquitaine, depuis que la duchesse Aliénor, ayant décoré de très fortes ramures le front de son premier époux, notre roi Louis Septième, s'en fut par son second mariage porter son corps folâtre ainsi que son duché à votre roi Henry Deuxième d'Angleterre. Ni je ne vais non plus vous enseigner le traité par lequel le roi saint Louis, qui s'était mis en tête d'ordonner toutes choses avec équité, voulut mettre un terme à cent ans de guerre [15]. Mais l'équité ne vaut rien aux règlements entre les royaumes. Le traité de 1259 n'était qu'un gros nid à embrouilles. Une chatte n'y aurait pas retrouvé ses petits. Le sénéchal de Joinville lui-même, le grand-oncle de votre épouse, cousin Mortimer, et qu'on savait si dévoué au saint roi, lui avait déconseillé de jamais le signer. Non, reconnaissons-le, tout franc.

ce traité-là était une sottise ! Depuis la mort de saint Louis, ce ne sont que disputes, discussions, traités conclus, traités reniés, hommages rendus mais avec des réserves, audiences des parlements, plaignants déboutés, plaignants condamnés, révoltes dans le terroir et nouvelles audiences de justice. Mais quand vous-même, Charles, demanda Robert se tournant vers Valois, avez été envoyé par votre frère Philippe le Bel en Aquitaine, où vous avez remis l'ordre de si belle façon, quel fut le motif donné à votre départ ?

— Une grosse émeute qu'il y eut à Bayonne, où matelots de France et d'Angleterre en vinrent aux mains, et où le sang coula.

— Eh bien ! s'écria Robert, il nous faut inventer l'occasion d'une nouvelle émeute de Bayonne. Il faut agir en quelque lieu pour que les gens des deux rois se cognent assez fort et se tuent un peu. Et le lieu pour cela, je crois bien que je le connais. »

Il pointa son énorme index vers ses interlocuteurs et enchaîna :

« Dans le traité de Paris, confirmé par la paix de l'an 1303, revu à Périgueux en l'an 1311, il a toujours été réservé le cas de certaines seigneuries qu'on appelle privilégiées et qui, bien que situées en terre d'Aquitaine, demeurent sous l'allégeance directe du roi de France. Or, ces seigneuries elles-mêmes ont, en Aquitaine, des dépendances vassales. Et jamais il ne fut tranché du cas des dépendances, pour savoir si elles relevaient directement du roi de France, ou bien du duc d'Aquitaine. Vous voyez ?

— Je vois », dit Mgr de Valois.

Son fils Philippe ne voyait pas. Il ouvrait de

grands yeux bleus, et son incompréhension était si visible que son père lui expliqua :

« Mais si, mon fils. Imagine que je t'accorde, comme si c'était fief, tout cet hôtel. Mais je m'y réserve franc usage et disposition de cette salle où nous sommes. Or, de cette salle dépend le cabinet de passage que commande cette porte. Qui de nous a juridiction sur le cabinet de passage et doit pourvoir au mobilier et au nettoyage ? Le tout, ajouta Valois en revenant à Robert, est de trouver une dépendance assez importante pour que l'action qu'on y engagera oblige Edouard à soutenir l'épreuve.

— Vous avez, répondit le géant, une dépendance bien désignée qui est la terre de Saint-Sardos, laquelle est afférente au prieuré de Sarlat, dans le diocèse de Périgueux. La situation en fut déjà débattue lorsque Philippe le Bel conclut avec le prieur de Sarlat un traité de pariage qui faisait le roi de France coseigneur de cette seigneurie. Edouard le Premier en avait appelé alors au parlement de Paris, mais rien ne fut tranché [16]. Que sur la dépendance de Saint-Sardos, le roi de France, coseigneur de Sarlat, place une garnison et entreprenne la construction d'une forteresse un peu menaçante, que va faire alors le roi d'Angleterre, duc d'Aquitaine ? Il va donner ordre à son sénéchal de s'y opposer, et d'y envoyer garnison. A la première rencontre entre deux soldats, au premier officier du roi qu'on maltraite ou seulement qu'on insulte... »

Robert ouvrit les mains, comme si la conclusion s'offrait d'elle-même. Et Mgr de Valois, dans ses velours bleus brodés d'or, se leva de son trône. Il se voyait déjà en selle, à la tête des bannières ; il repartait pour cette Guyenne où déjà, trente ans plus tôt, il avait fait triompher les armes du roi de France !

« J'admire en vérité, mon frère, s'écria Philippe de Valois, qu'un si bon chevalier comme vous l'êtes soit instruit des procédures autant qu'un clerc.

— Bah ! mon frère, je n'y ai pas grand mérite. Ce n'est pas par goût que j'ai été amené à m'enquérir de toutes les coutumes de France et arrêts de parlements ; c'est pour mon procès d'Artois. Et puisque, jusqu'à ce jour, cela ne m'a point servi, qu'au moins cela serve à mes amis ! acheva Robert d'Artois en s'inclinant devant Roger Mortimer, comme si la vaste machination projetée n'avait d'autre motif ni d'autre but que de complaire au réfugié.

— Votre venue nous est d'une grande aide, sire baron, renchérit Charles de Valois, car nos causes sont liées et nous ne manquerons pas de vous demander vos conseils, très étroitement, en toute cette entreprise... que Dieu veuille protéger ! Il se peut qu'avant longtemps nous marchions ensemble vers l'Aquitaine. »

Mortimer se sentait dérouté, dépassé. Il n'avait rien fait, rien dit, rien suggéré ; sa seule présence avait été l'occasion pour les autres de concrétiser leurs aspirations secrètes. Et maintenant on le requérait pour une guerre contre son propre pays, sans qu'aucun choix lui fût laissé.

Ainsi, et si Dieu le voulait, les Français allaient faire la guerre, en France, aux sujets français du roi d'Angleterre, avec la participation d'un grand seigneur anglais, et en usant des subsides consentis par le pape pour délivrer l'Arménie des Turcs.

V

ATTENTE

La fin de l'automne s'écoula, et tout l'hiver, et le printemps encore et le début de l'été. Lord Mortimer vit les quatre saisons passer sur Paris, la boue s'amasser dans les rues étroites, puis la neige blanchir les prés de Saint-Germain, puis les bourgeons s'ouvrir aux arbres des berges de Seine, et le soleil briller sur la tour carrée du Louvre, sur la ronde tour de Nesle, sur la flèche aiguë de la Sainte-Chapelle.

Un émigré attend. C'est son rôle, et presque, croirait-on, sa fonction. Il attend que le mauvais sort passe ; il attend que les gens, dans le pays où il a pris refuge, aient fini de régler leurs propres affaires. Passé les moments de l'arrivée, où ses revers suscitent la curiosité, où chacun veut s'emparer de lui comme d'un animal de montre, sa présence, bientôt, devient lassante. Il semble toujours porteur d'un reproche muet. Mais on ne saurait s'occuper de lui à chaque instant ; il est le demandeur, il peut bien patienter, après tout ↓

Donc, Roger Mortimer attendait, comme il avait attendu deux mois en Picardie, chez son cousin Jean de Fiennes, que la cour de France fût rentrée à Paris, comme il avait attendu que Mgr de Valois trouvât, parmi toutes ses tâches, l'heure de le recevoir... Il attendait maintenant une guerre de Guyenne qui, seule, pouvait changer son destin.

Oh ! Mgr de Valois n'avait pas lanterné à donner les ordres. Les officiers du roi de France, ainsi que Robert l'avait conseillé, avaient bien entrepris, à Saint-Sardos, sur les dépendances litigieuses de la seigneurie de Sarlat, les fondations d'une forteresse. ; mais une forteresse ne s'élève pas en un jour, ni même en trois mois, et les gens du roi d'Angleterre n'avaient pas paru, du moins au début, s'émouvoir outre mesure. Aucun incident ne s'était encore produit.

Roger Mortimer profitait de ses loisirs pour parcourir cette capitale qu'il n'avait qu'entrevue au cours d'un bref voyage, et pour découvrir le grand peuple de France qu'il connaissait bien mal. Quelle nation puissante, nombreuse, et combien différente de l'Angleterre ! On se croyait semblables, de part et d'autre de la mer, parce que dans les deux pays les noblesses étaient de même souche ; mais que de disparités, à considérer les choses de plus près ! Toute la population du royaume d'Angleterre, avec ses deux millions d'âmes, n'atteignait pas le dixième du total des sujets du roi de France. C'était à près de vingt-deux millions qu'il fallait évaluer le nombre des Français. Paris, à soi seul, comptait trois cent mille âmes quand Londres n'en avait que quarante mille [17]. Et quel grouillement dans ses rues, quelle activité de négoce et d'industrie, quelle dépense ! Il suffisait, pour s'en convaincre, de se promener sur le Pont-au-Change ou le long du quai des Orfèvres, et d'écouter bruire, dans le fond des boutiques, tous les petits marteaux à battre l'or ; de traverser, en se pinçant un peu le nez, le quartier de la Grande Boucherie, derrière le Châtelet, où travaillaient les tripiers et les écorcheurs ; de suivre la rue Saint-Denis où se tenaient les merciers ; d'aller tâter les étoffes sous les grandes halles aux Drapiers... Dans la rue des Lombards, plus silencieuse, et que maintenant Lord Mortimer connaissait bien, se traitaient les grandes affaires.

Près de trois cent cinquante corporations et maîtrises réglaient la vie de tous ces métiers ; chacune avait ses lois, ses coutumes, ses fêtes, et il n'était pratiquement pas de jour de l'année où, après messe entendue et discussion en parloir, un grand banquet n'unît maîtres et compagnons, tantôt les chapeliers, tantôt les fabricants de cierges, tantôt les tanneurs... Sur la montagne Sainte-Geneviève, tout un peuple de clercs, de docteurs en bonnets, disputaient en latin, et les échos de leurs controverses sur l'apologétique ou les principes d'Aristote allaient ensemencer d'autres débats dans la Chrétienté entière.

Les grands barons, les grands prélats, et beaucoup de rois étrangers avaient en ville une demeure où ils tenaient une sorte de cour. La noblesse hantait les rues de la Cité, la Galerie mercière du palais royal, les abords des hôtels de Valois, de Navarre, d'Artois, de Bourgogne, de Savoie. Chacun de ces hôtels était comme le siège d'une représentation permanente des grands fiefs ; les intérêts de chaque province s'y concentraient. Et la ville croissait, sans cesse, poussant ses faubourgs sur les jardins et les champs, hors des murs d'enceinte de Philippe Auguste qui commençaient à disparaître, noyés dans les constructions nouvelles.

Si l'on poussait un peu hors de Paris, on voyait que les campagnes étaient prospères. De simples porchers, des bouviers, possédaient fréquemment une vigne ou un champ en propre. Les femmes employées aux travaux de la terre, ou à d'autres métiers, ne travaillaient jamais le samedi après-midi qui pourtant leur était payé ; d'ailleurs en tous lieux, on quittait le travail le samedi au troisième coup de vêpres. Les fêtes religieuses, nombreuses, étaient chômées, tout comme les fêtes de corporations. Et pourtant, ces gens-là se plaignaient. Or, quels étaient leurs principaux sujets de doléances ? Les tailles, les impôts, assurément, comme en tous temps et en tous pays, mais le fait aussi qu'ils eussent toujours au-dessus d'eux quelqu'un dont ils dépendaient. Ils avaient le sentiment de ne jamais vraiment disposer d'eux-mêmes ni des fruits de leur effort. Il demeurait en France, malgré les ordonnances de Philippe V, insuffisamment suivies, beaucoup plus de serfs, proportionnellement, qu'en Angleterre où la plupart des paysans étaient des hommes libres, tenus d'ailleurs de s'équiper pour l'armée, et qui pouvaient faire entendre leur voix aux assemblées royales. Cela faisait mieux comprendre que le peuple d'Angleterre eût exigé des chartes de ses souverains.

En revanche, la noblesse de France n'était point divisée comme celle d'Angleterre ; il s'y trouvait bien des ennemis jurés pour questions d'intérêts particuliers, tels Robert d'Artois et sa tante Mahaut ; il s'y formait des clans, des coteries, mais toute cette noblesse reprenait cohésion lorsqu'il s'agissait de ses intérêts généraux ou de la défense du royaume. L'idée de nation y était plus précise et plus forte.

La seule vraie similitude, en ce temps-là, qui existait entre les deux pays, tenait à la personne même de leurs rois. A Londres comme à Paris, les couronnes étaient échues à des hommes faibles, ignorant ce souci véritable de la chose publique sans lequel un prince n'est prince que de nom.

Mortimer avait été présenté au roi de France et l'avait revu à plusieurs reprises ; il n'avait pu se former une bien haute opinion de cet homme de vingt-neuf ans, que ses seigneurs appelaient Charles le Bel, et son peuple Charles le Biau, mais qui, sous sa noble apparence, n'avait pas deux onces de cervelle.

« Avez-vous trouvé un logis convenable, messire de Mortimer ? Votre épouse est-elle avec vous ? Ah ! comme vous devez en être privé ! Combien d'enfants vous a-t-elle donnés ? »

C'était là à peu près toutes les paroles que le roi avait adressées à l'exilé ; et chaque fois il lui redemandait : « Votre épouse est-elle avec vous ? Combien d'enfants en avez-vous eus ? » ayant, entre deux entrevues, oublié la réponse.

Ses préoccupations semblaient être seulement
d'ordre domestique et conjugal. Son triste mariage avec Blanche de Bourgogne, et dont il gardait
blessure, avait été dissous par une annulation où
lui-même n'était pas apparu sous le meilleur jour.
On l'avait aussitôt remarié à Marie de Luxembourg, jeune sœur du roi de Bohême, avec lequel
Mgr de Valois, justement dans ce moment-là,
voulait s'entendre au sujet du royaume d'Arles.
Et voici qu'à présent Marie de Luxembourg était
enceinte, et Charles le Bel l'entourait d'attentions
un peu sottes.

L'incompétence du roi n'empêchait pas que la
France s'occupât des affaires du monde entier.
Le Conseil gouvernait au nom du roi, et Mgr de
Valois au nom du Conseil. On donnait des avis à
la papauté ; plusieurs chevaucheurs, qui touchaient huit livres et quelques deniers par voyage — un vrai patrimoine — avaient pour unique
service d'acheminer le courrier vers Avignon. Et
d'autres ainsi, vers Naples, vers l'Aragon, vers
l'Allemagne. Car on veillait beaucoup aux questions d'Allemagne, où Charles de Valois et son
compère Jean de Luxembourg s'étaient entendus
pour faire excommunier l'empereur Louis de Bavière, de telle sorte que la couronne du Saint
Empire pût être offerte... à qui donc ? mais à
Mgr de Valois lui-même qui s'entêtait en son vieux
rêve. Chaque fois que le siège du Saint Empire
se trouvait vacant, Mgr de Valois se portait candidat. De quel prestige accru bénéficierait la croisade si son chef se trouvait élu empereur !

Mais il ne fallait pas négliger pour autant de
surveiller la Flandre, cette Flandre qui causait
de permanents soucis à la couronne, selon que

les populations s'y révoltaient contre leur comte
parce que celui-ci se montrait fidèle au roi de
France ou bien que le comte lui-même se révol-
tait contre le roi pour satisfaire ses populations.
Et puis enfin, on s'occupait de l'Angleterre, et
Roger Mortimer était appelé chez Valois chaque
fois qu'une question se posait à ce sujet.

Mortimer avait loué logis, près de l'hôtel de
Robert d'Artois, dans la rue Saint-Germain-des-
Prés et devant l'hôtel de Navarre. Gérard de
Alspaye, qui le suivait depuis son évasion de la
Tour, commandait sa maison où le barbier Ogle
tenait office de valet de chambre, et qui se gros-
sissait petit à petit de réfugiés obligés à l'exil,
eux aussi, par la haine des Despenser. En particulier était arrivé John Maltravers, seigneur
anglais du parti de Mortimer, et descendant
comme lui d'un compagnon du Conquérant. Ce
Maltravers avait la face longue et sombre, les
cheveux pendants, les dents immenses ; il ressemblait à son cheval. Il n'était pas très agréable compagnon et faisait sursauter les gens par
des rires saccadés, hennissants, dont on cherchait
en vain les motifs. Mais dans l'exil, on ne choisit
pas ses amis ; l'infortune commune vous les impose. Par Maltravers, Mortimer apprit que sa femme avait été transférée au château de Skipton,
dans le comté d'York, avec pour toute suite une
dame, un écuyer, une blanchisseuse, un valet et
un page, et qu'elle recevait treize shillings et
quatre deniers par semaine pour son entretien et
celui de ses gens ; presque la prison...

Quant à la reine Isabelle, son sort devenait de
jour en jour plus pénible. Les Despenser la pil-
laient, la dépouillaient, l'humiliaient avec une

patiente perfection dans la cruauté. « Il ne me reste plus en propre que la vie, faisait-elle dire à Mortimer, et je crains fort qu'on ne s'apprête à me l'ôter. Hâtez mon frère à ma défense. »

Mais le roi de France... « Votre épouse est-elle auprès de vous ? Avez-vous des fils ?... » s'en remettait aux avis de Mgr de Valois qui, lui-même, remettait tout au résultat de ses actions d'Aquitaine. Et si d'ici là les Despenser assassinaient la reine ?

« Ils n'oseront pas », répondait Valois.

Mortimer allait glaner d'autres nouvelles chez le banquier Tolomei qui lui faisait passer son courrier outre-Manche. Les Lombards avaient un meilleur réseau de poste que la cour, et leurs voyageurs étaient plus habiles à dissimuler les messages. Ainsi la correspondance entre Mortimer et l'évêque Orleton était à peu près régulière.

L'évêque avait payé cher d'avoir monté l'évasion de Mortimer ; mais il était courageux et tenait tête au roi. Premier prélat d'Angleterre jamais traduit devant une juridiction laïque, il avait refusé de répondre à ses accusateurs, appuyé d'ailleurs par tous les archevêques du royaume qui voyaient leurs privilèges menacés. Edouard avait poursuivi le procès, fait condamner Orleton, et ordonné la confiscation de ses biens. Edouard venait également d'écrire au pape pour demander la déposition de l'évêque, comme rebelle ; il était important que Mgr de Valois agît auprès de Jean XXII pour empêcher une telle mesure dont le résultat eût été de porter la tête d'Orleton sur le billot.

Pour Henry Tors-Col, la situation était confuse. Edouard l'avait fait en mars comte de Lancastre, lui rendant les titres et les biens de son frère décapité, dont le grand château de Kenilworth. Puis, tout aussitôt, pour avoir eu connaissance d'une lettre d'encouragement et d'amitié adressée à Orleton, Edouard avait accusé Tors-Col de haute trahison.

Tolomei, à chaque visite que Mortimer lui rendait, ne manquait pas de dire à l'exilé :

« Puisque vous voyez souvent Messeigneurs de Valois et d'Artois et que vous êtes bien leur ami, rappelez-leur, je vous en prie, ces bouches à poudre qu'on a expérimentées en Italie et qui serviront beaucoup aux sièges des villes. Mon nevéu à Sienne, et les Bardi à Florence, peuvent s'occuper de les fournir ; ce sont pièces d'artillerie plus faciles à mettre en place que les grosses catapultes à balancier, et qui font plus de dégâts. Mgr de Valois devrait bien en équiper sa croisade... »

Les femmes, dans le début, s'étaient assez intéressées à Mortimer, à cet étranger au beau torse, tout vêtu de noir, austère, et qui mordillait la cicatrice blanche qu'il avait à la lèvre. Elles lui avaient fait raconter vingt fois son évasion ; tandis qu'il parlait, de belles poitrines se soulevaient sous les transparentes gorgières de lin. Sa voix, qui était grave, presque rauque, avec un accent inattendu sur certains mots, touchait les cœurs oisifs. Robert d'Artois, à bien des reprises, avait voulu pousser le baron anglais dans ces bras qui ne demandaient qu'à s'ouvrir, comme il s'était offert aussi à lui procurer quelques follieuses, par paire ou par tercet, pour le distraire de ses soucis. Mais Mortimer n'avait cédé à aucune tenta-

tion, au point qu'on se demandait d'où lui venait
cette rare vertu, et s'il ne partageait pas les
mœurs de son roi.

On ne pouvait imaginer la vérité, à savoir que
cet homme, le même qui avait parié son salut sur
la mort d'un corbeau, avait misé son retour en
fortune sur sa chasteté. Il s'était fait la promesse de ne pas toucher femme avant d'avoir
retrouvé et la terre d'Angleterre, et ses titres,
et sa puissance. Un vœu de chevalier, tel qu'auraient pu le prononcer un Lancelot, un Amadis,
un compagnon du roi Arthur. Mais Roger Mortimer devait s'avouer, après tant de mois, qu'il
avait choisi son vœu un peu légèrement, et ceci
contribuait à lui assombrir l'humeur...

Enfin de satisfaisantes nouvelles arrivèrent
d'Aquitaine. Le sénéchal du roi d'Angleterre, messire Basset, homme d'autant plus sourcilleux que
son nom prêtait à rire, commença de s'inquiéter
de la forteresse qui s'élevait à Saint-Sardos. Il y
vit une usurpation des droits de son maître, et
une insulte à sa propre personne. Ayant réuni
quelques troupes, il entra dans Saint-Sardos à
l'improviste, mit la bourgade au pillage, appréhen-
da les officiers chargés de surveiller les travaux
et les pendit aux poteaux fleurdelisés qui signa-
laient la suzeraineté du roi de France. Messire
Ralph Basset n'était point seul dans cette expédition ; plusieurs seigneurs de la région lui
avaient prêté la main.

Robert d'Artois, le jour qu'il en fut informé,
alla querir aussitôt Mortimer et l'entraîna chez
Charles de Valois. Il débordait de joie et de fierté, Mgr d'Artois ; il riait plus fort que de coutume
et donnait à ses familiers d'amicales tapes qui les

envoyaient rebondir contre les murs. Enfin l'on tenait l'occasion, née de son inventive cervelle !

L'affaire fut aussitôt évoquée au Conseil étroit ; on fit les représentations d'usage, et les coupables du sac de Saint-Sardos se virent assignés devant le parlement de Toulouse. Allaient-ils se présenter, reconnaître leurs torts, faire soumission ? On le craignait.

Par chance, l'un d'entre eux, un seul, Raymond Bernard de Montpezat, refusa de se rendre à la convocation. Il n'en fallait pas davantage. On rendit un jugement par défaut, et Jean de Roye, qui avait succédé à Pierre-Hector de Galard comme grand maître des arbalétriers, fut envoyé en Guyenne avec petite escorte afin de se saisir du sire de Montpezat, de ses biens, et de présider au démantèlement de son château. Or, ce fut le sire de Montpezat qui l'emporta. Il retint prisonnier Jean de Roye et exigea rançon pour le rendre. Le roi Edouard n'était pour rien dans cet incident mais son cas s'aggravait par la force des choses ; et Robert d'Artois exultait. Car un grand maître des arbalétriers n'est pas un homme qu'on séquestre sans qu'il s'ensuive des conséquences graves !

De nouvelles représentations furent adressées au roi d'Angleterre, directement cette fois, et assorties d'une menace de confiscation du duché. Au début d'avril, Paris vit arriver le comte de Kent, demi-frère du roi Edouard, secondé de l'archevêque de Dublin ; ils venaient proposer à Charles IV, pour régler leur différend, de renoncer tout simplement à l'hommage d'Edouard. Mortimer, qui rencontra Kent à cette occasion — leurs rapports restèrent courtois bien que leur situation fût difficile — lui démontra l'inutilité totale de cette démarche. Le jeune comte de Kent en était d'ailleurs lui-même persuadé ; il s'acquittait de sa mission sans plaisir. Il repartit en emportant le refus du roi de France, transmis de méprisante manière par Charles de Valois. La guerre inventée par Robert d'Artois semblait sur le point d'éclater.

Mais voici que dans le même temps la nouvelle reine, Marie de Luxembourg, mourut brusquement, à Issoudun, en accouchant avant terme d'un enfant qui n'était pas viable.

On ne pouvait décemment déclarer la guerre pendant le deuil, d'autant que le roi Charles était vraiment très abattu et presque incapable de tenir conseil. Le sort le poursuivait, décidément, dans son destin d'époux. Trompé d'abord, ensuite veuf... Il fallut que Valois, tout souci cessant, s'employât à découvrir une troisième épouse au roi, lequel s'inquiétait, devenait aigre, et reprochait à chacun le manque d'héritier où se trouvait le royaume.

Lord Mortimer dut donc attendre qu'on ait réglé cette affaire...

Mgr de Valois eût volontiers proposé une de ses dernières filles à marier, si les âges avaient pu s'assortir ; malheureusement, même l'aînée, celle qui avait été offerte naguère au prince héritier d'Angleterre, ne comptait pas douze ans. Et Charles le Bel n'était guère enclin à patienter.

Restait une autre cousine germaine, fille celle-là de Mgr Louis d'Evreux, défunt à présent, et nièce de Robert d'Artois. Cette Jeanne d'Evreux n'avait guère d'éclat mais était bien faite, et, surtout, elle avait l'âge requis pour être mère.

Mgr de Valois, plutôt que d'engager de longues et difficiles tractations au-delà des frontières, encouragea toute la cour à pousser Charles vers cette union. Trois mois après la mort de Marie de Luxembourg, une nouvelle dispense était demandée au pape.

Le mariage eut lieu le 5 juillet. Quatre jours plus tôt, Charles avait décidé la confiscation de l'Aquitaine et du Ponthieu pour révolte et défaut d'hommage. Le pape Jean XXII, comme il le jugeait de sa mission chaque fois qu'éclatait un conflit entre deux souverains, écrivit au roi Edouard, l'engageant à venir prêter l'hommage pour qu'un des points du litige au moins fût apaisé. Mais l'armée de France était déjà sur pied et se rassemblait à Orléans, tandis qu'une flotte s'équipait dans les ports pour attaquer les côtes anglaises.

Parallèlement, le roi d'Angleterre avait ordonné quelques levées d'hommes en Aquitaine, et messire Ralph Basset réunissait ses bannières ; le comte de Kent revenait en France, mais par l'Océan cette fois, et pour exercer dans le duché la lieutenance que lui avait commise son demi-frère.

Allait-on partir ? Non, car il fallut encore que Mgr de Valois courût à Bar-sur-Aube pour y conférer avec Léopold de Habsbourg au sujet de l'élection au Saint Empire, et conclure un traité par lequel Habsbourg s'engageait à ne point être candidat, moyennant sommes d'argent, pensions et revenus dès à présent fixés, dans le cas où Valois serait élu empereur. Roger Mortimer attendait toujours.

Enfin, le 1er août, par une chaleur écrasante où

les chevaliers cuisaient comme en marmite sous leur cuirasse, Charles de Valois, superbe, lourd, portant cimier à son casque et cotte brodée d'or par-dessus son armure, se fit élever en selle. Il avait à ses côtés son second fils, le comte d'Alençon, son neveu Philippe d'Evreux, nouveau beau-frère du roi, le connétable Gaucher de Châtillon, Lord Mortimer de Wigmore, et enfin Robert d'Artois qui, monté sur un cheval à sa taille, pouvait surveiller toute l'armée.

Mgr de Valois partant pour cette campagne, sa seconde campagne de Guyenne, qu'il avait voulue, décidée, fabriquée presque, était-il joyeux, heureux ou simplement satisfait ? Nullement. Il était d'humeur morose, parce que Charles IV avait refusé de signer sa commission de lieutenant général du roi en Aquitaine. Si quelqu'un vraiment avait droit à ce titre, n'était-ce pas Charles de Valois ? Et quel visage faisait-il, alors que le comte de Kent, ce damoiseau, ce nourrisson, avait reçu, lui, la lieutenance du roi Edouard !

Le roi Charles le Bel, qui n'était capable de décider de rien, avait ainsi de brusques et bizarres obstinations à refuser ce qu'on lui demandait de plus évidemment nécessaire. Charles de Valois pestait ferme ce jour-là et ne cachait pas à ses voisins la petite opinion dans laquelle il tenait son neveu et souverain. En vérité, ce niais couronné, cet oison, valait-il qu'on se donnât tant de peine à gouverner pour lui son royaume ?

Le vieux connétable Gaucher de Châtillon, qui commandait théoriquement l'armée, puisque Valois n'avait pas de commission officielle, plissait ses paupières de tortue sous son heaume de forme démodée. Il était un peu sourd, mais à soixante-quatorze ans, faisait encore bonne figure en selle.

Lord Mortimer avait acheté ses armes chez Tolomei. Sous la ventaille levée de son casque, on voyait briller ses yeux aux reflets durs, de la même couleur que l'acier neuf. Comme il marchait, par la faute de son roi, contre son pays, il portait une cotte d'armes de velours noir, en signe de deuil. La date de ce départ, il ne l'oublierait pas : on était le 1ᵉʳ août 1324, fête de Saint-Pierre-ès-Liens, et il y avait un an, jour pour jour, qu'il s'était évadé de la tour de Londres.

VI

LES BOUCHES A FEU

L'ALARME surprit le jeune comte Edmond de Kent allongé sur le dallage d'une chambre du château où il cherchait en vain quelque fraîcheur. Il s'était à demi dévêtu et gisait là, en chausses de toile et torse nu, bras écartés, immobile, terrassé par l'été du Bordelais. Son lévrier favori haletait à côté de lui.

Le chien fut le premier à entendre le tocsin. Il se dressa sur les pattes de devant, nez pointé, oreilles couchées et frémissantes. Le jeune comte de Kent sortit de sa somnolence, s'étira et comprit soudain que ce grand vacarme provenait de toutes les cloches de La Réole sonnées à la volée. En un instant il fut debout, saisit sa chemise de légère batiste qu'il avait jetée sur un siège, l'enfila en hâte.

Déjà des pas se pressaient vers la porte. Messire Ralph Basset, le sénéchal, entra, suivi de quelques seigneurs locaux, le sire de Bergerac, les barons de Budos et de Mauvezin, et le sire de Montpezat à propos de qui — du moins le croyait-il, et pour s'en faire gloire — cette guerre était née.

Le sénéchal Basset était vraiment très petit ; le jeune comte de Kent s'en trouvait surpris chaque fois qu'il le voyait apparaître. Avec cela rond comme une futaille, et toujours au bord d'une colère qui lui faisait enfler le cou et saillir les yeux.

Le lévrier n'aimait pas le sénéchal et grondait dès qu'il le voyait.

« Est-ce l'incendie ou bien les Français, messire sénéchal ? demanda le comte de Kent.

— Les Français, les Français, Monseigneur ! s'écria le sénéchal presque choqué de la question. Venez donc ; on les aperçoit déjà. »

Le comte de Kent se pencha vers un miroir d'étain pour remettre en ordre ses rouleaux blonds sur les oreilles, et suivit le sénéchal. En chemise blanche, ouverte sur la poitrine et qui blousait autour de la ceinture, sans éperons à ses bottes, tête nue, parmi les barons vêtus de mailles de fer, il donnait une étrange impression d'intrépidité et de grâce, de manque de sérieux aussi.

L'intense vacarme des cloches le surprit à la sortie du donjon et le grand soleil d'août l'éblouit. Le lévrier se mit à hurler.

On monta jusqu'au sommet de la Thomasse, la grosse tour ronde construite par Richard Cœur de Lion. Que n'avait-il pas bâti, cet ancêtre ? L'enceinte de la tour de Londres, Château-Gaillard en Normandie, la forteresse de La Réole...

La Garonne, large et miroitante, coulait au pied du coteau presque à pic, et son cours des-

sinait des méandres à travers la grande plaine
fertile où le regard se perdait jusqu'à la lointaine ligne bleue des monts de l'Agenois.

« Je ne distingue rien, dit le comte de Kent
qui s'attendait à voir les avant-gardes françaises
aux abords de la ville.

— Mais si, Monseigneur, lui répondit-on en
criant pour dominer le bruit du tocsin. Le long
de la rivière, en amont, vers Sainte-Bazeille ! »

En plissant les yeux et en mettant la main en
visière, le comte de Kent finit par apercevoir un
ruban scintillant qui doublait celui du fleuve. On
lui dit que c'était le reflet du soleil sur les cuirasses et les caparaçons des chevaux.

Et toujours ce fracas de cloches qui brisait
l'air ! Les sonneurs devaient avoir les bras rom-
pus. Dans les rues de la ville, autour de l'hôtel
communal surtout, la population s'agitait, four-
millante. Comme les hommes semblaient petits,
observés depuis les créneaux d'une citadelle ! Des
insectes. Sur tous les chemins qui aboutissaient
à la ville, se pressaient des paysans apeurés, qui
tirant sa vache, qui poussant ses chèvres, qui
aiguillonnant les bœufs de son attelage. On abandonnait les champs en courant ; arriveraient
bientôt les gens des bourgs environnants, leurs
hardes sur le dos ou entassées dans les chariots.
Tout le monde se logerait comme il pourrait,
dans une ville déjà surpeuplée par la troupe et
les chevaliers de Guyenne.

« Nous ne commencerons vraiment à pouvoir
compter les Français que dans deux heures, et ils
ne seront pas sous les murs avant la nuit, dit le
sénéchal.

— Ah ! c'est piètre saison pour faire la guerre,

dit avec humeur le sire de Bergerac qui avait dû s'enfuir de Sainte-Foy-la-Grande quelques jours plus tôt, devant l'avance française.

— Pourquoi donc n'est-ce pas bonne saison ? » demanda le comte de Kent en montrant le ciel pur et cette belle campagne qui s'étendait devant eux.

Il faisait un peu chaud, certes, mais cela ne valait-il pas mieux que la pluie et la boue ? S'ils avaient connu, ces gens d'Aquitaine, les guerres d'Ecosse, ils se seraient bien gardés de se plaindre.

« Parce qu'on est à un mois des vendanges, Monseigneur, dit le sire de Montpezat ; parce que les vilains vont gémir de voir fouler leurs récoltes, et nous opposer leur mauvaise volonté. Le comte de Valois connaît bien ce qu'il fait ; déjà, en 1294, il a agi de la sorte, ravageant tout pour lasser le pays plus vite. »

Le duc de Kent haussa les épaules. Le pays bordelais n'en était pas à quelques barriques près, et guerre ou pas guerre, on continuerait de boire du claret. Il circulait en haut de la Thomasse une petite brise inattendue qui pénétrait dans la chemise ouverte du jeune prince et lui glissait agréablement sur la peau. Comme le seul fait de vivre procurait parfois une sensation merveilleuse !

Accoudé aux pierres tièdes du créneau, le comte de Kent se laissait aller à rêver. Il était, à vingt-trois ans, lieutenant du roi pour tout un duché, c'est-à-dire investi de toutes les prérogatives royales et figurant, en sa personne, le roi lui-même. Il était celui qui disait : « Je veux ! » et auquel on obéissait. Il pouvait ordonner : « Pendez ! » ...Il ne songeait pas à le dire, d'ailleurs, mais il pouvait le faire. Et puis, surtout, il était loin de l'Angleterre, loin de la cour de Westminster, loin des lubies, des colères, des suspicions de son demi-frère Edouard II, loin des Despenser. Ici, il se trouvait enfin livré à lui-même, son seul maître, et maître de tout ce qui l'entourait. Une armée venait à sa rencontre qu'il allait charger et vaincre, il n'en doutait pas. Un astrologue lui avait annoncé qu'entre sa vingt-quatrième et sa vingt-sixième année il accomplirait ses plus hautes actions, qui le mettraient fort en vue... Ses songes d'enfance devenaient brusquement réels. Une grande plaine, des cuirasses, une autorité souveraine... Non, vraiment, il ne s'était, depuis sa naissance, senti plus heureux d'exister. La tête lui tournait un peu, d'une griserie qui ne lui venait de rien d'autre que de lui-même, et de cette brise qui passait contre sa poitrine, et de ce vaste horizon...

« Vos ordres, Monseigneur ? » demanda messire Basset qui commençait à s'impatienter.

Le comte de Kent se retourna et regarda le petit sénéchal avec une nuance d'étonnement hautain.

« Mes ordres ? dit-il. Mais faites sonner les busines [18], messire sénéchal, et mettez votre monde à cheval. Nous allons nous porter en avant et charger.

— Mais avec quoi, Monseigneur ?

— Mais pardieu, avec nos troupes, Basset !

— Monseigneur, nous avons ici, à toute peine, deux cents armures, et il nous en vient plus de quinze cents à l'encontre, aux chiffres que nous avons. N'est-il pas vrai, messire de Bergerac ? »

Le sire Réginald de Pons de Bergerac approuva

de la tête. Le courtaud sénéchal avait le cou plus rouge et plus gonflé que de coutume ; vraiment il était inquiet et près d'éclater devant tant d'inconsciente légèreté.

« Et des renforts, nulle nouvelle ? dit le comte de Kent.

— Eh non, Monseigneur ! Toujours rien ! Le roi votre frère, pardonnez mon propos, nous laisse par trop choir. »

Il y avait quatre semaines qu'on attendait ces fameux renforts d'Angleterre. Et le connétable de Bordeaux qui, lui, avait des troupes, en prenait prétexte pour ne pas bouger, puisqu'il avait reçu l'ordre exprès du roi Edouard de se mettre en route aussitôt que les renforts arriveraient. Le jeune comte de Kent n'était pas aussi souverain qu'il y paraissait...

Par suite de cette attente et de ce manque d'hommes — à se demander si les renforts annoncés étaient seulement embarqués ! — on avait permis à Mgr de Valois de se promener à travers le pays, d'Agen à Marmande et de Bergerac à Duras, comme dans un parc de plaisance. Et maintenant que Valois était là, à portée du regard, avec son gros ruban d'acier, on ne pouvait toujours rien faire.

« C'est aussi votre conseil, Montpezat ? demanda le comte de Kent.

— A regret, Monseigneur, oh ! bien à regret, répondit le baron de Montpezat en mordant ses noires moustaches.

— Et vous, Bergerac ? questionna encore Kent.

— J'en ai les larmes de rage », dit Pons de Bergerac avec l'accent bien chantant qu'avaient tous les seigneurs de la région.

Edmond de Kent se dispensa d'interroger les barons de Budos et de Fargues de Mauvezin ; ceux-là ne parlaient ni le français ni l'anglais, mais seulement le gascon, et Kent ne comprenait rien à leurs palabres. Leurs visages d'ailleurs fournissaient suffisante réponse.

« Alors faites fermer les portes, messire sénéchal, et installons-nous pour être assiégés. Et puis quand les renforts arriveront, ils prendront les Français à revers, et ce sera peut-être mieux ainsi », dit le comte de Kent pour se consoler.

Il gratta du bout des doigts le front de son lévrier, et puis se réaccouda aux pierres tièdes pour observer la vallée. Un vieil adage disait : « Qui tient La Réole tient la Guyenne. » On tiendrait le temps qu'il faudrait.

Une avance trop aisée est presque aussi épuisante, pour une troupe, qu'une retraite. Faute de trouver devant soi une résistance qui permît de s'arrêter, fût-ce une journée, et de reprendre haleine, l'armée de France marchait, marchait, sans relâche, depuis plus de trois semaines, depuis vingt-cinq jours exactement. Le grand ost, bannières, armures, goujats, archers, chariots, forges, cuisines, et puis les marchands et les bordeliers à la suite, s'étirait sur plus d'une lieue. Les chevaux blessaient au garrot, et il ne se passait pas de quart d'heure que l'un ne se déferrât. Beaucoup de chevaliers avaient dû renoncer à porter leurs cuirasses qui, la chaleur aidant, leur provoquaient plaies et furoncles aux jointures. La piétaille traînait ses lourds souliers cloutés.

En plus, les belles prunes noires d'Agen, qui semblaient mûres sur les arbres, avaient purgé avec violence les soldats assoiffés et chapardeurs ; on en voyait qui quittaient la colonne à tout instant pour aller baisser leurs chausses le long du chemin.

Le connétable Gaucher de Châtillon somnolait le plus qu'il pouvait, à cheval. Près de cinquante ans de métier des armes et huit guerres ou campagnes lui en avaient donné l'entraînement.

« Je vais dormir un petit », annonçait-il à ses deux écuyers.

Ceux-ci, réglant le pas de leurs montures, venaient se placer de part et d'autre du connétable, de façon à bien l'encadrer pour le cas où il aurait glissé de côté ; et le vieux chef, les reins appuyés au troussequin, ronflait dans son heaume.

Robert d'Artois suait sans maigrir et répandait à vingt pas une odeur de fauve. Il avait fait amitié avec un des Anglais qui suivaient Mortimer, ce long baron de Maltravers qui ressemblait à un cheval, et il lui avait même offert de marcher dans sa bannière parce que l'autre était fort joueur et toujours prêt, aux haltes, à manier le cornet de dés.

Charles de Valois ne décolérait pas. Entouré de son fils d'Alençon, de son neveu d'Evreux, des deux maréchaux Mathieu de Trye et Jean des Barres, et de son cousin Alphonse d'Espagne, il s'emportait contre tout, contre le climat intolérable, contre la touffeur des nuits et la fournaise des jours, contre les mouches, contre la nourriture trop grasse. Le vin qu'on lui servait n'était que piquette de manant. Pourtant on était dans un pays de crus fameux ? Où donc ces gens-là cachaient-ils leurs bonnes barriques ? Les œufs avaient mauvais goût, le lait était aigre. Mgr de Valois se réveillait parfois avec des nausées, et depuis quelques jours il éprouvait dans la poitrine une douleur sournoise qui l'inquiétait. Et puis la piétaille n'avançait pas, non plus que les grosses bouches à poudre fournies par les Italiens et dont les patins de bois semblaient coller aux chemins. Ah ! si l'on avait pu faire la guerre seulement avec la chevalerie !...

« Il semble que je sois voué au soleil, disait Valois. Ma première campagne, quand j'avais quinze ans, je l'ai faite ainsi, mon cousin Alphonse, par une chaleur brûlante, dans votre Aragon pelé, dont je fus un moment roi, contre votre grand-père. »

Il s'adressait à Alphonse d'Espagne, héritier du trône d'Aragon, lui rappelant sans ménagement les luttes qui avaient divisé leurs familles. Mais il pouvait se le permettre, car Alphonse était bien débonnaire, prêt à tout accepter pour contenter chacun, prêt à partir pour la croisade puisqu'on l'en avait prié, et à combattre les Anglais pour s'entraîner à la croisade.

« Ah ! la prise de Gérone ! continuait Valois, je m'en souviendrai toujours. Quelle bouilloire ! Le cardinal de Cholet, n'ayant pas de couronne sous la main pour mon sacre, me coiffa de son chapeau. J'étouffais sous ce grand feutre rouge. Oui, j'avais quinze ans... Mon noble père, le roi Philippe le Hardi, mourut à Perpignan des fièvres qu'il avait prises là-bas... »

Il s'était assombri en parlant de son père. Il pensait que celui-ci était mort à quarante ans. Son frère aîné, Philippe le Bel, avait trépassé à quarante-six, et son demi-frère Louis d'Evreux à quarante-trois. Lui-même en avait maintenant cinquante-quatre, depuis mars ; il avait montré qu'il était le plus robuste de la famille. Mais combien de temps encore la Providence lui accorderait-elle ?

« Et la Campanie, et la Romagne, et la Toscane, d'autres pays où il fait chaud ! poursuivit-il. Traverser toute l'Italie depuis Naples, en pleine saison de soleil, jusqu'à Sienne et Florence, pour en chasser les Gibelins comme je l'ai fait, il y a... laissez-moi compter... 1301, vingt-trois ans !... Et ici même, en Guyenne dans l'année 94, c'était aussi l'été ! Toujours l'été.

— Dites-moi, Charles, il fera pire chaleur encore à la croisade, lança ironiquement Robert d'Artois. Vous nous voyez chevauchant contre le Soudan d'Egypte ? Et là-bas, il paraît que la vigne est petite culture. On va lécher le sable.

— Oh ! la croisade, la croisade..., répondit Valois avec une grande lassitude irritée. Sait-on même si elle partira, la croisade, avec toutes les traverses qu'on me met ! Il est beau de vouer sa vie au service des royaumes et de l'Eglise, mais on finit par être las d'user toujours ses forces pour des ingrats. »

Les ingrats, c'était le pape Jean XXII qui rechignait à accorder les subsides, comme si vraiment il avait voulu décourager l'expédition ; c'était surtout le roi Charles IV qui, non seulement différait toujours d'envoyer la commission de lieutenant à Charles de Valois, au point que cela en devenait offensant, mais en plus venait de profiter de l'éloignement de ce dernier pour se porter lui-même candidat à l'Empire. Et le pape, naturellement, avait accordé soutien officiel à cette candidature. Ainsi, toute la belle machination montée par Valois avec Léopold de Habsbourg s'écroulait. On le tenait pour niais, le Sire Charles le Bel, et de fait il l'était ; mais il s'entendait assez bien aux coups fourrés... Valois avait reçu la nouvelle le jour même, vingt-cinquième d'août. Mauvaise Saint-Louis, en vérité !

Il était de si méchante humeur, et si occupé à chasser les mouches de son visage, qu'il en oubliait de regarder le paysage. Il ne vit La Réole que lorsqu'on fut devant, à quatre ou cinq portées d'arbalète.

La Réole, bâtie sur un éperon rocheux et dominée elle-même par un cercle de vertes collines, surplombait la Garonne. Découpée sur le ciel pâlissant, serrée dans ses remparts de bonne pierre ocre que dorait le soleil couchant, montrant ses clochers, les tours de son château, la haute charpente de son hôtel de ville au clocheton ajouré, et tous ses toits de tuiles rouges pressés les uns contre les autres, elle ressemblait aux miniatures qui représentaient Jérusalem dans les Livres d'heures. Une jolie ville, vraiment. En outre, sa position élevée en faisait une idéale place de guerre ; le comte de Kent n'était pas sot de l'avoir choisie pour s'y enfermer. Il ne serait pas facile d'enlever cette forteresse.

L'armée s'était arrêtée, attendant les ordres. Mais Mgr de Valois n'en donnait pas. Il boudait. Que le connétable, que les maréchaux prissent les décisions qui leur paraîtraient bonnes. Lui, n'étant pas lieutenant du roi, ne se chargeait plus d'aucune responsabilité.

« Venez, Alphonse, allons nous rafraîchir », dit-il au cousin d'Espagne.

Le connétable tournait la tête dans son heaume pour saisir ce que lui disaient ses chefs de bannières. Il envoya le comte de Boulogne en reconnaissance. Boulogne revint au bout d'une heure, ayant décrit le tour de la ville du côté des collines. Toutes les portes étaient closes, et la garnison ne donnait aucun signe de sortie. On décida donc de camper là, et les bannières s'installèrent un peu comme elles voulurent. Les vignes, qui lançaient leurs sarments entre les arbres et les hauts échalas, constituaient d'agréables abris en forme de tonnelles. L'armée était fourbue et s'endormit dans le clair crépuscule, avec l'apparition des premières étoiles.

Le jeune comte de Kent ne put résister à la tentation de l'audace. Après une insomnieuse nuit dont il avait trompé l'attente en jouant au trémerel [19] avec ses écuyers, il manda le sénéchal Basset, lui commanda de faire armer sa chevalerie et, avant l'aube, sans sonner trompe, sortit de la ville, par une poterne basse.

Les Français, ronflant dans les vignes, ne s'éveillèrent que lorsque le galop des chevaliers gascons fut sur eux. Ils dressèrent des têtes étonnées pour les rabaisser aussitôt, et voir les sabots de la charge leur passer à ras du front. Edmond de Kent et ses compagnons s'en donnaient à plaisir parmi ces groupes ensommeillés, taillant de l'épée, frappant de leurs masses d'armes, abattant les lourds fléaux plombés sur des jambes nues, des côtes que ne protégeaient ni mailles ni cuirasses. On entendait les os craquer, et un chemin de hurlements s'ouvrait dans le camp français. Les tentes de quelques grands seigneurs s'écroulaient. Mais bientôt une rude voix domina la mêlée, qui criait : « A moi, Châtillon ! » Et la bannière du connétable, de gueules à trois pals de vair au chef d'or, un dragon pour cimier, deux lions d'or pour tenir, flotta dans le soleil levant. C'était le vieux Gaucher qui, de son campement sagement établi en retrait, accourait à la res- cousse avec ses vassaux. Les appels : « Artois, en avant !... A moi, Valois ! » répondirent à droite et à gauche. A demi équipés, certains à cheval, d'autres à pied, les chevaliers se ruaient à l'adversaire.

Le camp était trop vaste, trop disséminé, et les chevaliers français trop nombreux pour que le comte de Kent pût poursuivre longtemps ses ravages. Déjà les Gascons voyaient s'amorcer de- vant eux un mouvement de tenailles. Kent n'eut que le temps de faire tourner bride et de rega- gner au galop les portes de La Réole où il s'en- gouffra ; et puis, ayant adressé compliment à chacun, et son armure délacée, il s'en alla dor- mir, l'honneur sauf.

La consternation régnait dans le camp français où l'on entendait gémir les blessés. Parmi les morts, dont le nombre s'élevait à près de soixante, se trouvaient Jean des Barres, l'un des maré- chaux, et le comte de Boulogne, commandant de l'avant-garde. On déplorait que ces deux sei- gneurs, vaillants hommes de guerre, eussent rencontré une fin aussi soudaine et absurde. As- sommés à leur réveil !

Mais la prouesse de Kent inspira le respect.

Charles de Valois lui-même, qui, la veille encore, déclarait qu'il ne ferait qu'une bouchée de ce jeune homme s'il le rencontrait en champ clos, prit un air pénétré, presque glorieux, pour dire :

« Eh ! Messeigneurs, il est mon neveu, ne l'omettez point ! »

Et oubliant du coup ses blessures d'amour-propre, ses malaises et le poids de la saison, il se mit, après que de somptueux honneurs funèbres eurent été rendus au maréchal des Barres, à préparer le siège de la ville. Il y montra autant d'activité que de compétence car, tout gros vaniteux qu'il fût, il n'en était pas moins remarquable homme de guerre.

Toutes les routes d'accès à La Réole furent coupées, la région surveillée par des postes disposés en profondeur. Des fossés, remblais, et autres ouvrages de terre furent entrepris à petite distance des murs pour y mettre les archers à l'abri. On commença de construire, aux endroits les plus propices, des plates-formes pour y installer les bouches à poudre. En même temps on élevait des échafaudages destinés aux arbalétriers. Mgr de Valois était partout sur les chantiers, inspectant, ordonnant, poussant à l'œuvre. En retrait, dans l'amphithéâtre des collines, les chevaliers avaient fait dresser leurs trefs ronds au sommet desquels flottaient les bannières. La tente de Charles de Valois, placée de façon à dominer le camp et la cité assiégée, semblait un vrai château de toile brodée.

Le 30 août, Valois reçut enfin sa commission tant attendue. Son humeur alors acheva de se transformer et il parut ne plus faire de doute pour lui que la guerre fût comme déjà gagnée.

Deux jours plus tard, Mathieu de Trye, le maréchal survivant, Pierre de Cugnières et Alphonse d'Espagne, précédés de busines sonnantes et de la bannière blanche des parlementaires, s'avancèrent jusqu'au pied des murs de La Réole pour faire sommation au comte de Kent, d'ordre du puissant et haut seigneur Charles, comte de Valois, lieutenant du roi de France en Gascogne et Aquitaine, d'avoir à se rendre et remettre en leurs mains tout le duché pour faute de foi et hommage non rendu.

A quoi le sénéchal Basset, se hissant sur la pointe des pieds pour apparaître aux créneaux, répondit, d'ordre du haut et puissant seigneur Edmond, comte de Kent, lieutenant du roi d'Angleterre en Aquitaine et Gascogne, que la sommation était irrecevable et que le comte ne quitterait la ville ni ne remettrait le duché, sauf à être délogé par la force.

La déclaration de siège ayant été faite dans les règles, chacun retourna à ses tâches.

Mgr de Valois mit à l'ouvrage les trente mineurs prêtés à lui par l'évêque de Metz. Ces mineurs devaient percer des galeries souterraines jusque sous les murs, puis y placer des barils de poudre auxquels on mettrait le feu. L'*ingeniator* Hugues, qui appartenait au duc de Lorraine, promettait miracle de cette opération. Le rempart s'ouvrirait comme une fleur au printemps.

Mais les assiégés, alertés par les coups sourds, disposèrent des récipients pleins d'eau sur les chemins de ronde. Et là où ils virent à la surface de l'eau se former des rides, ils surent que les Français, en dessous, creusaient une sape. Ils en firent autant de leur côté, travaillant la nuit, alors que les mineurs de Lorraine travaillaient de jour. Un matin, les deux galeries s'étant rejointes, il se passa sous terre, à la lueur des lumignons, une atroce boucherie dont les survivants ressortirent couverts de sueur, de poussière sombre et de sang, le regard affolé comme s'ils remontaient des enfers.

Alors, les plates-formes de tir étant prêtes, Mgr de Valois décida d'utiliser ses bouches à feu.

C'étaient de gros tuyaux de bronze épais, cerclés de fer, et reposant sur des affûts de bois sans roue. Il fallait dix chevaux pour traîner chacun de ces monstres, et vingt hommes pour les pointer, les caler, les charger. On construisait autour une sorte de caisse, faite d'épais madriers, et destinée à protéger les servants dans le cas où l'engin éclaterait.

Ces pièces venaient de Pise. Les servants italiens les appelaient *bombarda* à cause du bruit qu'elles faisaient.

Tous les grands seigneurs, tous les chefs de bannières, s'étaient réunis pour voir fonctionner les bombardes. Le connétable Gaucher haussait les épaules et déclarait, l'air bougon, qu'il ne croyait pas aux vertus destructrices de ces machines. Pourquoi toujours faire confiance à des « novelletés », alors qu'on pouvait se servir de bons mangonneaux, trébuchets et perrières qui, depuis des siècles, avaient produit leurs preuves ? Pour réduire les villes qu'il avait prises, lui, Châtillon, avait-il eu besoin des fondeurs de Lombardie ? Les guerres se gagnaient par la vaillance des âmes et la force des bras, et non point par recours à des poudres d'alchimistes qui sentaient un peu trop le soufre de Satan !

Les servants avaient allumé auprès de chaque engin un brasero où rougissait une broche de fer. Puis, ayant introduit la poudre à l'aide de grandes cuillers de fer battu, ils chargèrent chaque bombarde, d'abord d'une bourre d'étoupe, ensuite d'un gros boulet de pierre de près de cent livres, tout cela entonné par la gueule. Un peu de poudre fut déposé dans une gorge ménagée sur le dessus des culasses et qui communiquait par un mince orifice avec la charge intérieure.

Tous les assistants furent invités à se retirer de cinquante pas. Les servants des pièces se couchèrent, les mains sur les oreilles ; un seul servant resta debout auprès de chaque bombarde pour mettre le feu à la poudre à l'aide des longues broches de fer rougies au feu. Et aussitôt que cela fut fait, il se jeta au sol et s'aplatit contre la caisse de l'affût.

Des flammes rouges jaillirent et la terre trembla. Le bruit roula dans la vallée de la Garonne et s'entendit de Marmande à Langon.

L'air était devenu noir autour des pièces, dont l'arrière s'était enfoncé dans le sol meuble par l'effet du recul. Le connétable toussait, crachait et jurait. Quand la poussière fut un peu dissipée, on vit qu'un des boulets était tombé chez les Français ; une toiture, dans la ville, semblait éventrée.

« Beaucoup de fracas pour peu de dégâts, dit le connétable. Avec de vieilles balistes à poids et à frondes, tous les boulets seraient arrivés au but sans qu'on soit à s'étouffer pour autant. »

Or, à l'intérieur de La Réole, personne n'avait compris tout d'abord pourquoi, du toit de maître Delpuch, notaire, une grande cascade de tuiles était soudain tombée dans la rue. On ne comprit pas non plus d'où venait ce coup de tonnerre, parti dans un ciel sans nuages, et que les oreilles perçurent un instant après. Puis maître Delpuch surgit de chez lui, en hurlant, parce qu'un gros boulet de pierre venait de choir dans sa cuisine.

Alors, la population courut aux remparts pour constater qu'il n'y avait dans le camp français aucune de ces hautes machines qui formaient l'équipement habituel des sièges. A la deuxième salve, on fut forcé d'admettre que bruit et projectiles sortaient de ces longs tubes couchés dans la colline, et que surmontait un panache de fumée. Chacun fut saisi d'effroi, et les femmes refluèrent vers les églises pour y prier contre cette invention du démon.

Le premier coup de canon des guerres d'Occident venait d'être tiré [20].

Le 22 septembre au matin, le comte de Kent fut prié de recevoir messires Ramon de Labison, Jean de Miral, Imbert Esclau, les frères Doat et Barsan de Pins, le notaire Hélie de Malenat, tous les six jurats de La Réole, ainsi que plusieurs bourgeois qui les accompagnaient. Les jurats présentèrent au lieutenant du roi d'Angleterre de longues doléances, et sur un ton qui s'écartait de la soumission et du respect. La ville était sans vivres, sans eau et sans toits. On voyait le fond des citernes, on balayait le sol des greniers, et la population n'en pouvait plus de cette pluie de boulets, de quart d'heure en quart d'heure, depuis plus de trois semaines. L'Hôtel-Dieu regorgeait de malades et de blessés. On entassait dans les cryptes des églises les corps des gens tués dans les rues, des enfants écrasés dans leur lit. Les cloches de l'église Saint-Pierre s'étaient effondrées dans un vacarme de fin du monde, ce qui prouvait bien que Dieu ne protégeait pas la cause anglaise. En outre, il devenait urgent de vendanger, au moins dans les vignobles que les Français n'avaient pas ravagés, et l'on n'allait pas laisser pourrir sur ceps la récolte. La population, encouragée par les propriétaires et négociants, s'apprêtait à se soulever et à se battre avec les soldats du sénéchal, si de besoin, pour obtenir la reddition.

Tandis que les jurats parlaient, un boulet siffla dans l'air et l'on entendit un écroulement de charpente. Le lévrier du comte de Kent se mit à hurler. Son maître le fit taire d'un mouvement de lassitude excédée.

Depuis plusieurs jours déjà, Edmond de Kent savait qu'il aurait à se rendre. Il s'obstinait à la résistance, sans aucun motif raisonnable. Ses maigres troupes, déprimées par le siège, étaient hors d'état de soutenir un assaut. Tenter une nouvelle sortie contre un adversaire maintenant solidement retranché n'eût été qu'une folie. Et voici que les habitants de La Réole menaçaient de se révolter.

Kent se tourna vers le sénéchal Basset.

« Les renforts de Bordeaux, messire Ralph, y croyez-vous encore ? » demanda-t-il.

Le sénéchal ne croyait plus à rien. Au bout de ses forces, il n'hésitait pas à accuser le roi Edouard et ses Despenser d'avoir laissé les dé-

fenseurs de La Réole dans un abandon qui ressemblait assez à une trahison.

Les sires de Bergerac, de Budos et de Montpezat ne montraient pas de plus joyeuses mines.
Personne ne se souciait de mourir pour un roi
qui témoignait si peu de soin à ses meilleurs serviteurs. La fidélité était par trop mal payée.

« Avez-vous une bannière blanche, messire sénéchal ? dit le comte de Kent. Alors, faites-la hisser
au sommet du château. »

Quelques minutes plus tard, les bombardes se
turent, et sur le camp français tomba ce grand
silence surpris qui accueille les événements longtemps espérés. Des parlementaires sortirent de
La Réole et furent conduits à la tente du maréchal de Trye, lequel leur communiqua les condi-
tions générales de la reddition. La ville serait livrée, naturellement ; mais également le comte de
Kent devrait signer et proclamer la remise de
tout le duché entre les mains du lieutenant du
roi de France. Il n'y aurait ni pillage ni prisonniers, mais seulement des otages, et une indem-
nité de guerre à fixer. En outre, le comte de
Valois priait le comte de Kent à dîner.

Un grand festin fut apprêté dans le tref de
toile brodée des lis de France où Mgr Charles
vivait depuis près d'un mois. Le comte de Kent
arriva sous ses plus belles armes, mais pâle et
s'efforçant de contenir, sous un masque de dignité, son humiliation et son désespoir. Il était
escorté du sénéchal Basset et de plusieurs seigneurs gascons.

Les deux lieutenants royaux, le vainqueur et le
vaincu, se parlèrent avec quelque froideur, s'ap-
pelant néanmoins « Monseigneur mon neveu »,

« Monseigneur mon oncle », ainsi que gens entre qui la guerre ne rompt point les liens de famille.

A table, Mgr de Valois fit asseoir le comte de Kent en face de lui. Les chevaliers gascons commencèrent de s'empiffrer comme ils n'en avaient point eu l'occasion depuis des semaines.

On s'efforçait à la courtoisie, et de complimenter l'adversaire sur sa vaillance. Le comte de Kent fut félicité de sa sortie fougueuse qui avait coûté un maréchal aux Français. Kent répondit en marquant beaucoup de considération à son oncle pour ses dispositifs de siège et l'emploi de l'artillerie à feu.

« Entendez-vous, messire connétable, et vous tous, Messeigneurs, s'écria Valois, ce que déclare mon noble neveu... que sans nos bombardes à boulets, la ville aurait pu tenir quatre mois ? Qu'on en garde souvenir ! »

Par-dessus les plats, les coupes et les brocs, Kent et Mortimer s'observaient.

Aussitôt le banquet achevé, les principaux chefs s'enfermèrent pour la rédaction de l'acte de trêve dont les articles étaient nombreux. Kent, à vrai dire, était prêt à céder sur tout, sauf sur certaines formules qui contestaient la légitimité des pouvoirs du roi d'Angleterre, et sur l'inscription des sires Basset et Montpezat en tête de la liste des otages. Car ces derniers ayant séquestré et pendu des officiers du roi de France, leur sort n'eût été que trop certain. Or, Valois exigeait qu'on lui remît le sénéchal et le responsable de la révolte de Saint-Sardos.

Lord Mortimer participait aux négociations. Il suggéra d'avoir un entretien particulier avec le comte de Kent. Le connétable Gaucher s'y dé-

clara opposé ; on ne laissait pas discuter d'une
trêve par un transfuge du camp adverse ! Mais
Robert d'Artois et Charles de Valois faisaient
confiance à Mortimer. Les deux Anglais s'isolè-
rent donc dans un coin du tref.

« Avez-vous grande inclination, my Lord, à vous
en retourner si tôt en Angleterre ?... » demanda
Mortimer.

Kent ne répondit pas.

« Pour y affronter le roi Edouard votre frère,
dont vous connaissez assez l'injustice et qui vous
fera grief d'une défaite que les Despenser vous
ont ménagée ? Car vous avez été trahi, my Lord,
vous ne pouvez l'ignorer. Nous savions que des
renforts vous étaient promis qui ne sont jamais
partis d'Angleterre. Et l'ordre au sénéchal de
Bordeaux de n'aller point à votre aide avant l'arrivée de ces renforts, n'est-ce pas là trahison ?
Ne vous surprenez pas de me voir si bien informé ; je n'en suis redevable qu'aux banquiers
lombards... Mais vous êtes-vous demandé la cause
d'une si félonne négligence, à votre endroit ?
N'en voyez-vous pas le but ? »

Kent se taisait toujours, la tête un peu inclinée, et contemplait ses doigts.

« Vainqueur ici, vous deveniez redoutable pour
les Despenser, my Lord, reprit Mortimer, et pre-
niez trop d'importance dans le royaume. Ils ont
bien préféré vous faire subir le discrédit d'une
reddition, fût-ce au prix de l'Aquitaine dont peu
se soucient des hommes attentifs seulement à
voler, l'une après l'autre, les baronnies des Marches. Comprenez-vous qu'il m'ait fallu, voici trois
ans, me rebeller pour l'Angleterre contre son roi,
ou pour le roi contre lui-même ? Qui vous assure

qu'aussitôt rentré vous ne serez pas à votre tour accusé de forfaiture et jeté en geôle ? Vous êtes jeune encore, my Lord, et ne connaissez point ce dont ces mauvaises gens sont capables. »

Kent repoussa ses rouleaux blonds derrière son oreille, et répondit enfin :

« Je commence, my Lord, à le connaître à mes dépens.

— Vous répugnerait-il de vous offrir pour premier otage, sous la garantie, bien sûr, que vous aurez traitement de prince ? A présent que l'Aquitaine est perdue, et à jamais, je le crains, ce qu'il nous faut sauver, c'est le royaume lui-même, et c'est d'ici que nous le pouvons mieux faire. »

Le jeune homme leva vers Mortimer un regard surpris.

« Voici deux heures, dit-il, j'étais encore lieutenant du roi mon frère, et déjà vous m'invitez à entrer en révolte ?

— Sans qu'il y paraisse, my Lord, sans qu'il y paraisse !... Les grandes actions se décident en peu de temps.

— Combien m'en accordez-vous ?

— Il n'en est besoin, my Lord, puisque vous avez déjà décidé. »

Ce ne fut pas un mince succès pour Roger Mortimer lorsque le jeune comte Edmond de Kent, revenant s'asseoir à la table de la trêve, annonça qu'il s'offrait pour premier otage.

Mortimer, se penchant vers son épaule, lui dit :

« A présent, il nous faut œuvrer pour sauver votre belle-sœur et cousine, la reine. Elle mérite notre amour, et nous peut être du plus grand appui. »

DEUXIÈME PARTIE

ISABELLE AUX AMOURS

I

LA TABLE DU PAPE JEAN

L'ÉGLISE Saint-Agricol venait d'être entièrement reconstruite. La cathédrale des Doms, l'église des Frères Mineurs, celles des Frères Prêcheurs et des Augustiniens, avaient été agrandies et rénovées. Les Hospitaliers de Saint-Jean de Jérusalem s'étaient construit une magnifique commanderie. Au-delà de la place au Change s'élevait une nouvelle chapelle Saint-Antoine, et l'on creusait les fondations de la future église Saint-Didier.

Le comte de Bouville, depuis une semaine, parcourait Avignon sans la reconnaître, sans plus rien trouver des souvenirs qu'il y avait laissés. Chaque promenade, chaque trajet était cause pour lui d'une surprise et d'un émerveillement. Comment une ville, en huit ans, pouvait-elle avoir changé si totalement d'aspect ?

Car ce n'étaient pas seulement les sanctuaires qui étaient sortis de terre, ou bien avaient pris façades différentes, et montraient de toutes parts leurs flèches, leurs ogives, leurs rosaces, leurs broderies de pierre blanche que dorait un peu le soleil d'hiver et où chantait le vent du Rhône.

Partout s'élevaient hôtels princiers, habitations de prélats, édifices communaux, demeures de bourgeois enrichis, maisons de compagnies lombardes, entrepôts, magasins. Partout on entendait le bruit patient, incessant et pareil à la pluie, du marteau des tailleurs de pierre, ces millions de petits coups de métal contre la roche tendre et par lesquels s'édifient les capitales. Partout la foule nombreuse, et souvent écartée par le cortège de quelque cardinal, partout la foule active, vivace, affairée, marchait dans les gravats, la sciure, la poussière calcaire. C'est le signe des âges de richesse que d'y voir les souliers brodés de la puissance se souiller aux déchets du bâtiment.

Non, Hugues de Bouville ne reconnaissait plus rien. Le mistral lui jetait aux yeux, en même temps que la poussière des travaux, un constant éblouissement. Les négoces, qui tous s'honoraient d'être fournisseurs du Très Saint-Père ou des éminences de son sacré collège, regorgeaient des plus somptueuses marchandises de la terre, des velours les plus épais, des soieries, toiles d'or et passementeries les plus lourdes. Les bijoux sacerdotaux, croix pectorales, crosses, bagues, ciboires, ostensoirs, patènes, et puis aussi plats à manger, cuillers, gobelets, hanaps gravés d'armoiries tiarées ou cardinalices, s'entassaient sur les étagères du Siennois Tauro, du marchand Corboli et de maître Cachette, argenteurs.

Il fallait des peintres pour décorer toutes ces nefs, ces voûtes, ces cloîtres, ces salles d'audience ; les trois Pierre, Pierre du Puy, Pierre de Carmelère et Pierre Gaudrac, aidés de leurs nombreux élèves, étendaient l'or, l'azur, le carmin, et traçaient les figures du Zodiaque autour des scènes des deux Testaments. Il fallait des sculpteurs ; maître Macciolo de Spolète taillait dans le rouvre et le noyer les effigies des saints qu'il peignait ensuite ou recouvrait d'or. Et l'on saluait très bas dans les rues un homme qui n'était pas cardinal, mais que n'escortait pas moins une suite imposante d'acolytes et de serviteurs chargés de toises et de grands rouleaux de vélin ; cet homme était messire Guillaume de Coucouron, chef de tous les architectes pontificaux qui, depuis l'an 1317, rebâtissaient Avignon pour la dépense fabuleuse de cinq mille florins d'or.

Les femmes, dans cette métropole religieuse, se vêtaient plus bellement qu'en aucun lieu du monde. Les voir sortir des offices, traverser les rues, courir les boutiques, tenir cour en pleine rue, frileuses et rieuses, dans leurs manteaux fourrés, parmi des seigneurs empressés et des clercs fort délurés, était un enchantement du regard. Certaines allaient même fort aisément au bras d'un chanoine ou d'un évêque, et les deux robes avançaient, balayant la poussière blanche d'un pas bien accordé.

Le Trésor de l'Eglise faisait prospérer toutes les activités humaines. Il avait fallu construire de nouveaux établissements bordeliers et agrandir le quartier des follieuses, car tous les moines, moinillons, clercs, diacres et sous-diacres qui hantaient Avignon n'étaient pas forcément des saints. Les consuls avaient fait afficher sur panonceaux de sévères ordonnances : « *Il est fait*

*défense aux femmes publiques et maquerelles de
demeurer dans les bonnes rues, de se parer des
mêmes atours que les femmes honnêtes, de porter voile en public et de toucher de la main le
pain et les fruits dans les boutiques sous peine
d'être obligées d'acheter les marchandises qu'elles ont tâtées. Les courtisanes mariées seront ex-
pulsées de la ville et déférées aux juges si elles
viennent à y rentrer.* » Mais, en dépit des ordonnances, les courtisanes se paraient des plus beaux
tissus, achetaient les plus beaux fruits, racolaient
dans les rues nobles, et se mariaient sans peine
tant elles étaient prospères et recherchées. Elles
regardaient avec assurance les femmes dites honnêtes mais qui ne se conduisaient guère mieux, à
cette seule différence que le sort leur avait fourni
des amants de plus haut rang.

Non seulement Avignon, mais tout le pays environnant se transformait. De l'autre côté du pont
Saint-Bénézet, sur la rive de Villeneuve, le cardinal Arnaud de Via, un neveu du pape, faisait édifier une énorme collégiale ; et déjà l'on appelait
la tour de Philippe le Bel « la vieille tour » parce
qu'elle datait de trente ans. Mais sans Philippe
le Bel, qui avait naguère imposé à la papauté le
séjour d'Avignon, tout cela eût-il existé [21] ? A Bé-
darrides, à Châteauneuf, à Noves, d'autres églises,
d'autres châteaux, sortaient de terre.

Bouville en éprouvait quelque fierté personnelle. Non seulement parce qu'il avait pendant de
longues années tenu la charge de grand chambellan auprès de Philippe le Bel et qu'il se sentait
concerné par tous les actes de ce roi, mais encore parce qu'il se pensait un peu responsable
de l'actuel pontificat.

N'était-ce pas lui, Bouville, qui, voici neuf ans, après une épuisante course à la recherche des cardinaux éparpillés entre Carpentras et Orange, avait le premier proposé le cardinal Duèze pour être le candidat de la cour de France ? Les ambassadeurs se croient volontiers seuls inventeurs de leurs missions lorsqu'elles ont réussi. Et Bouville, se rendant au banquet que le pape Jean XXII offrait en son honneur, gonflait le ventre en imaginant bomber le torse, secouait ses cheveux blancs sur son col de fourrure, et parlait assez haut à ses écuyers dans les rues d'Avignon.

Une chose, en tout cas, paraissait bien acquise : le Saint-Siège ne retournerait pas en Italie. On en avait fini avec les illusions entretenues sous le pontificat précédent. Les patriciens romains pouvaient bien s'agiter contre Jean XXII et le menacer, s'il ne regagnait pas la Ville éternelle, de créer un schisme en élisant un autre pape qui occuperait vraiment le trône de saint Pierre [22]. L'ancien bourgeois de Cahors avait su répondre aux princes de Rome, en ne leur accordant que quatre chapeaux sur les seize qu'il avait imposés depuis son avènement. Tous les autres chapeaux rouges étaient allés à des Français.

« Voyez-vous, messire comte, avait dit le pape Jean à Bouville, quelques jours plus tôt, lors de la première audience, et s'exprimant par ce souffle de voix avec lequel il commandait en maître à la Chrétienté... voyez-vous, messire comte, il faut gouverner avec ses amis contre ses ennemis. Les princes qui usent leurs jours et leurs forces à se gagner leurs adversaires mécontentent leurs vrais soutiens et ne s'acquièrent que de faux amis, toujours prêts à les trahir. »

Il n'était besoin, pour se convaincre de la volonté du pape de demeurer en France, que de voir le château qu'il venait de construire sur la place de l'ancien évêché, et qui dominait la ville de ses créneaux, tours et mâchicoulis. L'intérieur était distribué entre des cloîtres spacieux, des salles de réception et des appartements splendidement décorés sous des plafonds d'azur semés d'étoiles, comme le ciel [23]. Il y avait deux huissiers de la première porte, deux huissiers de la seconde, cinq pour la troisième, et quatorze huissiers encore pour les autres portes. Le maréchal du palais commandait à quarante courriers et à soixante-trois sergents d'armes.

« Tout ceci ne représente pas un établissement provisoire », se disait Bouville en suivant le maréchal venu l'attendre en personne à la porte du palais, et qui le guidait à travers les salles.

Et pour savoir avec qui le pape Jean avait choisi de gouverner, il suffit à Bouville d'entendre nommer les dignitaires qui venaient de prendre place, dans la salle des festins tendue de tapisseries de soie, à la longue table étincelante de vaisselle d'or et d'argent.

Le cardinal-archevêque d'Avignon, Arnaud de Via, était fils d'une sœur du pape. Le cardinal-chancelier de l'Eglise romaine, c'est-à-dire le premier ministre du monde chrétien, homme assez large et solide, bien assis dans sa pourpre, était Gaucelin Duèze, fils de Pierre Duèze, le propre frère du pape que le roi Philippe V avait anobli. Neveu du pape encore, le cardinal Raymond Le Roux. Un autre neveu, Pierre de Vicy, gérait la maison pontificale, mandatait les dépenses, dirigeait les deux panetiers, les quatre sommeliers, les maîtres de l'écurie et de la maréchalerie, les six chambriers, les trente chapelains, les seize confesseurs pour les pèlerins de passage, les sonneurs de cloches, les balayeurs, les porteurs d'eau, les lavandières, les archiatres apothicaires et barbiers.

Le moindre des « neveux » ici attablés n'était certes pas le cardinal Bertrand du Pouget, légat itinérant pour l'Italie, et dont on chuchotait... mais qui donc ici ne chuchotait pas ?... qu'il était un fils naturel qu'aurait eu Jacques Duèze au temps qu'il n'avait pas encore, à quarante ans passés, quitté son Quercy natal !

Tous les parents du pape Jean, jusqu'aux cousins issus de germains, logeaient en son palais et partageaient ses repas ; deux d'entre eux habitaient même dans l'entresol secret, sous la salle à manger. Tous étaient pourvus d'emplois, celui-là parmi les cent chevaliers nobles, celui-ci comme dispensateur des aumônes, cet autre comme maître de la chambre apostolique qui administrait tous les bénéfices ecclésiastiques, annates, décimes, subsides, caricatifs, droits de dépouilles et taxes de Sacrée Pénitencerie. Plus de quatre cents personnes formaient cette cour dont la dépense annuelle dépassait quatre mille florins.

Quand, huit ans plus tôt, le conclave de Lyon avait porté au trône de saint Pierre un vieillard épuisé, diaphane, dont on attendait, dont on espérait même, qu'il rendît l'âme la semaine suivante, il ne restait rien dans le Trésor papal. En huit années, ce même petit vieillard, qui avançait ainsi qu'une plume poussée par le vent, avait si bien administré les finances de l'Eglise, si bien taxé les adultères, les sodomites, les incestueux, les voleurs, les criminels, les mauvais prêtres et les évêques coupables de violence, vendu si cher les abbayes, fait contrôler si justement les ressources et biens ecclésiastiques qu'il s'était assuré les plus gros revenus du monde et possédait les moyens de rebâtir une ville. Il pouvait largement nourrir sa famille et régner par elle. Il n'était chiche ni de dons aux pauvres ni de présents aux riches, offrant à ses visiteurs joyaux et saintes médailles d'or dont l'approvisionnait son fournisseur habituel, le Juif Boncœur.

Enfoui, plutôt qu'assis, dans un fauteuil au dossier immense, et les pieds posés sur deux épais coussins de soie d'or, le pape Jean présidait cette longue tablée qui tenait à la fois du consistoire et du dîner de famille. Bouville, placé à sa droite, le regardait avec fascination. Comme le Saint-Père avait changé, depuis son élection ! Non pas d'apparence : le temps semblait sans prise sur ce mince visage pointu, ridé, mobile, au crâne enfermé dans un bonnet bordé de fourrure, aux petits yeux de souris, sans cils ni sourcils, à la bouche d'une extrême étroitesse où la lèvre supérieure rentrait un peu sous la gencive sans dents. Jean XXII portait ses quatre-vingts ans plus facilement que bien d'autres la cinquantaine ; ses mains en donnaient la preuve, lisses, à peine parcheminées, et dont les jointures jouaient avec beaucoup de liberté. Mais c'était à l'attitude, au ton de la voix, aux propos, que l'on pouvait juger de la transformation. Cet homme qui avait dû son chapeau de cardinal à un faux en écriture royale, puis sa tiare à deux ans d'intrigues sourdes, de corruptions électorales, parachevées par un mois de simulation d'une maladie incurable, paraissait avoir reçu une nouvelle âme, par la grâce du vicariat suprême. Parvenu au sommet des ambitions humaines, délivré d'avoir à rien désirer pour lui-même, toutes ses forces, toute la redoutable mécanique cérébrale qui l'avaient conduit à ce faîte s'employaient, de manière absolument détachée, au seul bien de l'Eglise tel qu'il le concevait. Et quelle activité il y dépensait ! Parmi ceux qui l'avaient élu, croyant qu'il disparaîtrait vite et laisserait la Curie gouverner en son nom, combien se repentaient à présent ! Jean XXII leur menait la vie dure. Un grand souverain de l'Eglise en vérité.

Il s'occupait de tout, tranchait de tout. Il n'avait pas hésité à excommunier, au mois de mars précédent, l'empereur d'Allemagne Louis de Bavière, le destituant du même coup et ouvrant cette succession au Saint Empire pour laquelle le roi de France et le comte de Valois s'agitaient tant. Il intervenait dans les différends des princes chrétiens, les rappelant, comme il était dans sa mission d'universel pasteur, à leurs devoirs de paix. En ce moment, il se penchait sur le conflit d'Aquitaine, et avait déjà arrêté, dans les audiences données à Bouville, les modalités de son action.

Les souverains de France et d'Angleterre seraient priés de prolonger la trêve signée par le comte de Kent, à La Réole, et qui arrivait à expiration en ce mois de décembre. Mgr de Valois n'utiliserait pas les quatre cents hommes d'armes et les mille arbalétriers nouveaux que le roi Charles IV lui avait envoyés ces jours derniers à Bergerac. Mais le roi Edouard serait impérativement invité à rendre l'hommage au roi de France, dans les plus brefs délais. Les deux souverains devraient remettre en liberté les seigneurs gascons qu'ils détenaient respectivement, et ne leur tenir aucune rigueur pour avoir pris le parti de l'adversaire. Enfin le pape allait écrire à la reine Isabelle pour la conjurer d'employer toutes ses forces à rétablir la concorde entre son époux et son frère. Le pape Jean ne se faisait aucune illusion, pas plus que Bouville, sur l'influence dont disposait la malheureuse reine. Mais le fait que le Saint-Père s'adressât à elle ne manquerait pas de lui restituer un certain crédit et de faire hésiter ses ennemis à la maltraiter davantage. Ensuite, Jean XXII conseillerait qu'elle se rendît à Paris, toujours en mission de conciliation, afin de présider à la rédaction du traité qui ne laisserait à l'Angleterre, du duché d'Aquitaine, qu'une mince bande côtière avec Saintes, Bordeaux, Dax et Bayonne. Ainsi les désirs politiques du comte de Valois, les machinations de Robert d'Artois, les vœux secrets de Lord Mortimer allaient recevoir du Saint-Père une aide majeure.

Bouville, ayant rempli avec succès la première partie de sa mission, pouvait manger de bon appétit le civet d'anguilles, délectable, parfumé, onctueux, qui emplissait son écuelle d'argent.

« Les anguilles nous viennent de l'étang des Martigues, fit remarquer à Bouville le pape Jean. Les appréciez-vous ? »

Le gros Bouville, la bouche pleine, ne put répondre que d'un regard émerveillé.

La cuisine pontificale était somptueuse, et même les menus du vendredi y constituaient un

régal rare. Thons frais, morues de Norvège, lamproies et esturgeons, accommodés de vingt manières et nappés de vingt sauces, se suivaient en
procession sur des plats rutilants. Le vin d'Arbois coulait comme de l'or dans les timbales. Les
crus de Bourgogne, du Lot ou du Rhône, accompagnaient les fromages.

Le Saint-Père, pour sa part, se contentait de
grignoter du bout des gencives une cuillerée de
pâté de brochet et de sucer un gobelet de lait. Il
s'était mis en tête que le pape ne devait prendre
que des aliments blancs.

Bouville avait à traiter d'un deuxième problème, et non moins délicat, pour le compte de
Mgr de Valois. Un ambassadeur se doit d'aborder de biais les questions épineuses ; aussi Bouville crut parler fin en disant :

« Très Saint-Père, la cour de France a suivi
avec beaucoup d'attention le concile de Valladolid qui fut tenu, voici deux ans, par votre légat,
et où il a été ordonné que les clercs eussent à
quitter leurs concubines...

— ... sous peine s'ils ne le faisaient, enchaîna le
pape Jean de sa petite voix rapide et étouffée,
d'être privés dans les deux mois de la tierce partie des fruits de leurs bénéfices, et deux mois
après d'un autre tiers, et encore après deux
mois d'être privés de tout. En vérité, messire
comte, l'homme est pécheur même s'il est prêtre, et nous savons bien que nous n'arriverons
pas à supprimer tout péché. Mais au moins, pour
ceux qui s'y entêteront, cela emplira nos coffres
qui servent à faire le bien. Et beaucoup aussi
éviteront de rendre publics leurs scandales.

— Et ainsi les évêques cesseront, comme ils

ont trop coutume de le faire, d'assister en personne au baptême et au mariage de leurs enfants illégitimes. »

Ayant dit cela, Bouville brusquement rougit. Etait-ce bien habile de parler d'enfants illégitimes justement devant le cardinal du Pouget ? Un faux pas. Mais personne ne semblait y avoir pris garde. Bouville se hâta donc de poursuivre :

« Mais d'où vient, Très Saint-Père, qu'une punition plus forte ait été décrétée contre les prêtres dont les concubines ne sont pas chrétiennes ?

— La raison en est bien simple, messire comte, répondit le pape Jean. Le décret vise justement l'Espagne qui compte quantité de Maures... où nos clercs recrutent bien facilement des compagnes que rien ne gêne à forniquer avec la tonsure. »

Il se tourna légèrement dans son grand siège, et un très bref sourire passa sur ses lèvres étroites. Il avait vu la direction où l'ambassadeur du roi de France cherchait à tirer l'entretien. Et maintenant il attendait, à la fois défiant et amusé, que messire de Bouville eût avalé une gorgée, afin de se donner courage, et affecté un air faussement aisé pour dire :

« Il est certain, Très Saint-Père, que ce concile a pris de sages édits qui nous serviront grandement lors de la croisade. Car nous aurons maints clercs et aumôniers pour accompagner nos armées, et qui s'avanceront en pays maure ; il serait mauvais qu'ils donnassent l'exemple de la méconduite. »

Après quoi Bouville respira mieux, le mot de croisade était dit.

Le pape Jean plissa les paupières, joignit les doigts.

« Il serait mauvais également, répondit-il posément, que la même licence se mît à proliférer dans les nations chrétiennes pendant que leurs armées auraient affaire outre-mer. Car on a toujours constaté, messire comte, que lorsque les armées de guerre sont loin à se battre, et qu'on a puisé dans les peuples les combattants les plus vaillants, il fleurit toutes sortes de vices dans ces royaumes comme si, la force s'éloignant, le respect qu'on doit aux lois de Dieu partait du même coup. Les guerres offrent de grandes occasions de péché... Mgr de Valois est-il toujours aussi ferme sur cette croisade dont il veut honorer notre pontificat ?

— Eh bien ! Très Saint-Père, les députés de la Petite Arménie...

— Je sais, je sais, dit le pape Jean en écartant et rapprochant ses maigres doigts. C'est moi-même qui ai envoyé ces députés à Mgr de Valois.

— Il nous parvient de toutes parts que les Maures, sur les rivages...

— Je sais. Les rapports me parviennent en même temps qu'à Mgr de Valois. »

Les conversations particulières s'étaient arrêtées le long de la grande table. L'évêque Pierre de Mortemart qui accompagnait Bouville dans sa mission, et dont on disait qu'il serait bientôt promu cardinal, prêtait l'oreille, et tous les neveux et cousins, prélats ou dignitaires, en faisaient autant. Les cuillères glissaient sur le fond des assiettes comme sur du velours. Le souffle singulièrement assuré, mais sans timbre, qui sortait de la bouche du Saint-Père, était difficile à saisir, et il fallait une grande habitude pour le capter d'un peu loin.

« Mgr de Valois, que j'aime d'un amour très paternel, nous a fait consentir la dîme ; mais jusqu'à présent cette dîme ne lui a servi qu'à confisquer l'Aquitaine et à soutenir sa candidature au Saint-Empire. Ce sont entreprises très nobles, mais qui ne s'appellent point croisades. Je ne suis nullement certain, l'an prochain, de consentir à nouveau cette dîme et moins encore, messire comte, de consentir aux subsides supplémentaires que l'on me demande pour l'expédition. »

Bouville reçut durement le coup. Si c'était là tout ce qu'il devait rapporter à Paris, Charles de Valois entrerait dans une belle fureur.

« Très Saint-Père, répondit-il en s'efforçant à la froideur, il avait semblé au comte de Valois comme au roi Charles que vous étiez sensible à l'honneur que la Chrétienté pourrait retirer...

— L'honneur de la Chrétienté, mon cher fils, est de vivre en paix, coupa le pape en frappant légèrement sur la main de Bouville.

— Est-ce attenter à la paix chrétienne que de vouloir ramener les Infidèles à la vraie foi et d'aller combattre chez eux l'hérésie ?

— L'hérésie ! L'hérésie ! répondit le pape Jean dans un chuchotement. Occupons-nous donc d'abord d'arracher celle qui fleurit dans nos nations et ne nous soucions point tant d'aller presser les abcès sur le visage du voisin quand la lèpre ronge le nôtre ! L'hérésie est mon souci, et je m'entends assez bien je crois à la poursuivre. Mes tribunaux fonctionnent, et j'ai besoin de l'aide de tous mes clercs, comme de celle de tous les princes chrétiens, pour la traquer. Si la chevalerie d'Europe prend le chemin de l'Orient, le diable aura champ libre en France, en Espagne et en Italie ! Depuis combien de temps Cathares, Albigeois, et Spirituels se tiennent-ils en paix ? Pourquoi ai-je fragmenté le gros diocèse de Toulouse, qui était leur repaire, et créé seize nouveaux évêchés dans la Langue d'oc ? Et vos pastoureaux dont les bandes ont déferlé jusqu'à nos remparts voici bien peu d'années, n'étaient-ils pas conduits par l'hérésie ? Ce n'est pas sur le temps d'une seule génération que l'on extirpe un tel mal. Il faut attendre les fils des petits-fils pour en avoir fini. »

Tous les prélats présents pouvaient témoigner de la rigueur avec laquelle Jean XXII poursuivait l'hérésie. Si l'on avait consigne de se montrer coulant, moyennant finances, contre les petits péchés de la nature humaine, les bûchers en revanche flambaient haut contre les erreurs de l'esprit. On répétait volontiers le mot de Bernard Délicieux, moine franciscain qui avait entrepris de lutter contre l'inquisition dominicaine, et poussé l'audace jusqu'à prêcher en Avignon. « Saint Pierre et saint Paul, disait-il, ne pourraient eux-mêmes se défendre d'hérésie, s'ils revenaient en ce monde et étaient poursuivis par les Accusateurs. » Délicieux avait été condamné à la réclusion perpétuelle.

Mais, en même temps, le Saint-Père donnait diffusion à certaines idées étranges, issues de sa vivace intelligence, et qui, émises du haut de la chaire pontificale, n'étaient pas sans provoquer de grands remous parmi les docteurs des facultés de théologie. Ainsi s'était-il prononcé contre l'Immaculée Conception de la Vierge Marie qui ne constituait pas un dogme, certes, mais dont le principe était généralement admis. Il admettait tout au plus que le Seigneur eût purifié la Vierge avant sa naissance, mais à un moment, déclarait-il, difficile à préciser. Jean XXII, d'autre part, ne croyait pas à la Vision béatifique, en tout cas jusqu'au Jugement dernier, déniant par là qu'il y eût encore aucune âme en Paradis et, partant, en Enfer.

Pour beaucoup de théologiens, de telles propositions fleuraient un peu le soufre. Aussi, à cette table même, se trouvait assis un grand cistercien nommé Jacques Fournier, ancien abbé de Fontfroide qu'on appelait « le cardinal blanc » et qui employait toutes les ressources de sa science apologétique à soutenir et justifier les thèses hardies du Saint-Père [24].

Celui-ci poursuivait :

« Veuillez donc, messire comte, ne point trop vous mettre en tracas pour l'hérésie des Maures. Faisons garder nos côtes contre leurs navires, mais laissons-les au jugement du Seigneur toutpuissant dont ils sont, après tout, les créatures, et qui avait bien sans doute quelque intention sur eux. Qui de nous peut affirmer ce qu'il advient des âmes qui n'ont pas encore été touchées par la grâce de la révélation ?

— Elles vont en enfer, je pense, dit naïvement Bouville.

— L'enfer, l'enfer ! souffla le frêle pape en haussant les épaules. Ne parlez donc point de ce que vous ignorez. Et ne me contez point non plus... nous sommes trop vieux amis, messire de Bouville... que c'est pour faire le salut des Infidèles que Mgr de Valois demande à mon Trésor douze cent mille livres de subsides. D'ailleurs, le

comte de Valois, je le sais, n'a plus aussi grand
désir de sa croisade.

— A vrai dire, Très Saint-Père, dit Bouville en
hésitant un peu... sans être informé comme vous
l'êtes, il me paraît toutefois... »

« Oh ! le mauvais ambassadeur ! pensa le pape
Jean. Si j'étais à sa place, mais je me ferais croire
à moi-même que Valois a déjà réuni ses bannières,
et je ne me tiendrais point quitte à moins de trois
cent mille livres. »

Il laissa Bouville suffisamment s'empêtrer.

« Vous direz à Mgr de Valois, déclara-t-il enfin,
que nous renonçons à la croisade ; et comme je
sais Monseigneur un fils très respectueux des
décisions de la Sainte Eglise, je suis sûr qu'il
s'inclinera. »

Bouville se sentait fort malheureux. Certes,
tout le monde était prêt à abandonner le projet
de la croisade mais pas comme cela, en deux
phrases, et sans contrepartie.

« Je ne doute pas, Très Saint-Père, répondit
Bouville, que Mgr de Valois ne vous obéisse ;
mais il a déjà engagé, outre l'autorité de sa
personne, de grandes dépenses.

— Combien faut-il à Mgr de Valois pour ne
pas trop souffrir d'avoir engagé son autorité
personnelle ?

— Très Saint-Père, je ne sais, dit Bouville
rougissant, Mgr de Valois ne m'a pas chargé de
répondre à telle question.

— Mais si, mais si ! Je le connais assez pour
savoir qu'il l'avait prévue. Combien ?

— Il a déjà beaucoup avancé aux chevaliers
de ses propres fiefs afin d'équiper leurs bannières...

— Combien ?

— Il s'est préoccupé de cette nouvelle artillerie à poudre...

— Combien, Bouville ?

— Il a passé grosses commandes d'armes de toutes sortes...

— Je ne suis pas homme de guerre, et ne vous demande point le compte des arbalètes. Je vous demande seulement de me dire la somme par laquelle Mgr de Valois se tiendrait pour dédommagé. »

Il souriait de mettre son interlocuteur au gril. Et Bouville lui-même ne put s'empêcher de sourire à voir toutes ses grosses ruses percées comme une écumoire. Allons, il lui fallait le prononcer ce chiffre ! Il prit une voix aussi chuchotante que celle du pape pour murmurer :

« Cent mille livres... »

Jean XXII hocha la tête et dit :

« C'est l'exigence habituelle du comte Charles. Il me paraît même que les Florentins, naguère, pour se libérer de l'aide qu'il leur avait portée, ont dû lui donner davantage. Aux Siennois, il en a coûté un peu moins pour qu'il consente à quitter leur ville. Le roi d'Anjou, en une autre occasion, a dû se saigner d'une somme identique pour le remercier d'un secours qu'il ne lui avait pas demandé ! C'est un moyen de finances comme un autre... Votre Valois, savez-vous, Bouville, est un bien gros larron ! Allons, rapportez-lui la bonne nouvelle... Nous lui donnerons ses cent mille livres, et notre bénédiction apostolique ! »

Il était assez satisfait, en somme, de s'en tirer à ce prix. Et Bouville, pour sa part, se sentait bien aise ; sa mission se trouvait accomplie.

Discuter avec le souverain pontife comme avec quelque négociant lombard lui eût été vraiment pénible ! Mais le Saint-Père avait de ces mouvements qui n'étaient peut-être pas exactement de la générosité, mais une simple estimation du prix dont il devait payer son pouvoir.

« Vous souvenez-vous, messire comte, continuait le pape, du temps où vous m'apportiez, ici même, cinq mille livres de la part du comte de Valois pour assurer l'élection d'un cardinal français ? En vérité, ce fut de l'argent placé à bon intérêt ! »

Bouville s'attendrissait toujours sur ses souvenirs. Il revoyait cette prairie brumeuse dans la campagne, au nord d'Avignon, ce pré du Pontet, et le curieux entretien qu'ils avaient eu, tous deux assis sur une murette.

« Oui je me rappelle, Très Saint-Père, dit-il. Savez-vous que lorsque je vous vis approcher, ne vous ayant jamais rencontré, je crus qu'on m'avait trompé, que vous n'étiez pas cardinal, mais un tout jeune clerc qu'un prélat avait déguisé pour l'envoyer à sa place ? »

Le compliment fit sourire le pape Jean. Lui aussi se rappelait.

« Et ce jeune Siennois, Guccio Baglioni, qui travaillait dans la banque et vous accompagnait alors, qu'est-il devenu ? demanda-t-il Vous me l'avez ensuite envoyé à Lyon, où il me fut fort utile, pendant le conclave muré. J'en avais fait mon damoiseau. J'imaginais le voir reparaître. Il est bien le seul qui m'ait rendu un service autrefois et qui ne soit pas venu quêter une grâce ou une charge !

— Je ne sais, Très Saint-Père, je ne sais. Il est

reparti pour son Italie natale. Moi non plus je n'en ai plus jamais reçu nouvelles. »

Mais Bouville s'était troublé pour répondre, et ce trouble n'avait pas échappé au pape.

« Il avait eu, si je me souviens bien, une mauvaise affaire de mariage, ou de faux mariage, avec une fille de noblesse qu'il avait rendue mère. Les frères le poursuivaient. N'est-ce pas cela ? »

Ah ! certes, le Saint-Père disposait d'une terrible mémoire !

« Je suis surpris vraiment, insistait-il, que ce Baglioni, protégé par vous, protégé par moi, et exerçant le métier d'argent, n'en ait pas profité pour faire sa fortune. Cet enfant qu'il devait avoir, est-il né ? A-t-il vécu ?

— Oui, oui, il est né, dit hâtivement Bouville. Il vit quelque part en campagne, auprès de sa mère. »

Il montrait de plus en plus de gêne.

« On m'a dit, qui donc m'a dit ?... poursuivit le pape, que cette même demoiselle, ou dame, avait été nourrice du petit roi posthume qui vint à Madame Clémence de Hongrie pendant la régence du comte de Poitiers. Est-ce bien cela ?

— Oui, oui, Très Saint-Père, je crois que c'est elle. »

Un frémissement passa dans les mille rides qui grillageaient le visage du pape.

« Comment, vous croyez bien? N'étiez-vous pas curateur au ventre de Madame Clémence ? Et au plus près d'elle quand le malheur de perdre son fils lui survint ? Vous deviez bien savoir qui était la nourrice ? »

Bouville se sentit devenir pourpre. Il aurait dû

se méfier quand le Saint-Père avait prononcé le
nom de Guccio Baglioni, et se dire qu'une intention se cachait derrière ce souvenir. Le détour
était un peu plus habile que les siens propres,
lorsqu'il passait par le concile de Valladolid pour
en arriver aux finances du comte de Valois.
D'abord, le Saint-Père devait sûrement avoir des
nouvelles de Guccio, puisque ses banquiers, les
Bardi, travaillaient avec les Tolomei de Sienne.

Les petits yeux gris du pape ne quittaient pas
les yeux de Bouville, et les questions conti-
nuaient :

« Madame Mahaut d'Artois a eu un gros procès où vous avez dû témoigner ? Qu'y a-t-il eu de
vrai, cher sire comte, dans cette affaire ?

— Oh! Très Saint-Père, rien que ce que la justice a éclairé. Des malveillances, des propos rapportés dont Madame Mahaut a voulu se laver. »

Le repas touchait à sa fin et les écuyers, passant les aiguières et les bassins, versaient l'eau
sur les doigts des convives. Deux chevaliers nobles s'approchaient pour tirer en arrière le siège
du Saint-Père.

« Sire comte, dit celui-ci, j'ai été bien heureux
de vous revoir. Je ne sais, vu mon grand âge, si
cette joie me sera accordée une autre fois... »

Bouville, qui s'était levé, respira mieux. L'instant des adieux semblait arriver, qui allait mettre
un terme à cet interrogatoire.

« ...Aussi, avant votre départ, reprit le pape, je
veux vous faire la plus grande grâce que je
puisse accorder à un chrétien. Je vais vous entendre moi-même en confession. Accompagnez-
moi dans ma chambre. »

II

LA PÉNITENCE EST POUR LE SAINT-PÈRE

« Péchés de chair ? Certainement, puisque vous êtes homme... Péchés de gourmandises ? Il suffit de vous voir ; vous êtes gras... Péchés d'orgueil ? Vous êtes grand seigneur... Mais votre état même vous oblige à l'assiduité dans vos dévotions ; donc tous ces péchés qui sont le fonds commun de l'humaine nature, vous vous en accusez et en êtes absous aussi souvent que vous vous approchez de la sainte table. »

Etrange confession où le premier vicaire de l'Eglise romaine prononçait tout ensemble les questions et les réponses. Sa voix feutrée était parfois couverte par des cris d'oiseaux, car le pape avait dans sa chambre un perroquet enchaîné et, voletant sous une grande cage, des perruches, des serins et de ces petits oiseaux des îles, rouges, qu'on appelle cardinaux.

Le sol de la pièce, dallé de carreaux peints,

disparaissait en partie sous des tapis d'Espagne.
Les murs et les sièges étaient tendus de vert et
les courtines du lit, les rideaux des fenêtres également faits de lin vert. Sur cette couleur de
forêt, les oiseaux vivants mettaient des taches
colorées, comme des fleurs [25]. Un angle formait
salle de bain, avec une baignoire de marbre. Dans
la garde-robe, attenante à la chambre, manteaux
blancs, camails grenats et ornements sacerdotaux emplissaient de vastes penderies.

Le gros Bouville, en entrant, avait eu un mouvement pour s'agenouiller ; mais le Saint-Père,
très simplement, l'avait fait asseoir auprès de lui
dans un des fauteuils verts. On ne pouvait, en
vérité, traiter un pénitent avec plus d'égards.
L'ancien chambellan de Philippe le Bel en était
tout abasourdi, et rassuré à la fois, car il avait
appréhendé vraiment d'avoir à confesser, lui
grand dignitaire, et au souverain pontife, toutes
les poussières d'une vie, toutes les petites sco-
ries, les mauvais désirs, les vilaines actions, toute la lie qui tombe au fond de l'âme avec les
jours et les ans. Or, ces péchés-là, le Saint-Père
semblait les tenir pour broutilles ou, tout au
moins, pour être du ressort de plus humbles
prêtres. Mais Bouville n'avait pas remarqué, en
sortant de table, le regard échangé entre les cardinaux Gaucelin Duèze, du Pouget, et le « cardinal blanc ». Ceux-là connaissaient bien cette ruse
habituelle du pape Jean : la confession post-
prandiale, dont il se servait pour s'entretenir
vraiment seul à seul avec un interlocuteur
important, et qui lui permettait d'être éclairé
sur bien des secrets d'Etat. Qui pouvait résister
à cette offre abrupte, aussi flatteuse que terri-

fiante ? Tout s'unissait pour amollir les consciences, à la fois la surprise, la crainte religieuse
et une digestion commençante.

« L'essentiel, pour un homme, reprit le pape,
est d'avoir bien rempli l'état particulier où Dieu
l'a placé en ce monde, et c'est en ce domaine que
les fautes lui sont comptées le plus sévèrement.
Vous avez été, mon fils, chambellan d'un roi et
chargé, sous trois autres, des plus hautes missions. Avez-vous toujours été bien exact en
l'accomplissement de ces devoirs ?

— Je pense, mon père, Très Saint-Père, veux-je
dire, m'être acquitté de mes tâches avec zèle,
avoir été, autant que je l'ai pu, loyal serviteur de
mes suzerains. »

Il s'interrompit brusquement, se rendant
compte qu'il n'était pas là pour prononcer son
propre éloge. Il se reprit, et changeant de ton :
« Je dois m'accuser d'avoir échoué en certaines missions que j'aurais pu mener à bien... Voilà,
Très Saint-Père : je n'ai pas eu toujours l'esprit
assez délié et me suis parfois aperçu trop tard
d'erreurs que j'avais commises.

— Ce n'est pas un péché que d'avoir quelque
retard dans la cervelle ; cela nous peut venir à
tous et c'est justement le contraire de l'esprit de
malice. Mais avez-vous commis en vos missions,
ou à la suite d'elles, des fautes graves telles que
faux témoignage... homicide... »

Bouville secoua la tête, de droite à gauche, d'un
mouvement de dénégation.

Mais les petits yeux gris, sans cils ni sourcils,
tout brillants et lumineux dans le visage ridé,
restaient fixement attachés sur lui.

« Etes-vous bien certain ? Voici l'occasion, mon

cher fils, de parfaitement vous purifier l'âme !
Faux témoignage, jamais ? » demanda le pape.

Bouville à nouveau se sentit mal à l'aise. Que
signifiait cette insistance ? Le perroquet eut un
cri rauque, sur son perchoir, et Bouville sursauta.

« Une chose, à vrai dire, Très Saint-Père, m'a-
lourdit l'âme, mais je ne sais si c'est vraiment
un péché, ni quel nom de péché lui donner. Je
n'ai pas commis l'homicide moi-même, je vous
en assure, mais une fois je n'ai pas su l'empêcher. Et ensuite, j'ai dû porter faux témoignage ;
mais je ne pouvais agir autrement.

— Contez-moi donc cela, messire comte », dit
le pape.

Ce fut son tour de se reprendre :

« Confessez-moi ce secret qui tant vous pèse,
mon cher fils !

— Certes, il me pèse, dit Bouville, et plus
encore depuis la mort de ma bonne épouse Marguerite, avec qui je le partageais. Et souvent je
me répète que si je viens à mourir sans en avoir
fait personne dépositaire... »

Des larmes brusquement lui étaient venues.

« Comment n'ai-je pas songé plus tôt, Très
Saint-Père, à vous le confier ?... Je vous le disais :
j'ai la cervelle souvent lente... Ce fut après la
mort du roi Louis Dixième, l'aîné fils de mon
maître Philippe le Bel... »

Bouville regarda le pape et se sentit comme
déjà soulagé. Enfin il allait pouvoir se décharger l'âme de ce fardeau qu'il portait depuis huit années. Le pire moment de sa vie, à coup sûr, et dont
le remords le poignait sans trêve. Que n'était-il
pas venu plus tôt avouer tout cela au pape !

A présent Bouville parlait aisément. Il racontait comment, ayant été nommé curateur au ventre de la reine Clémence, après le trépas de Louis Hutin, il avait, lui Bouville, craint que la comtesse Mahaut d'Artois ne fît une criminelle entreprise et contre la reine et contre l'enfant qu'elle portait alors. En ce temps-là, Mgr Philippe de Poitiers, frère du roi décédé, réclamait la régence contre le comte de Valois et contre le duc de Bourgogne...

A ce souvenir, Jean XXII leva un instant les yeux vers les poutres peintes du plafond, et une expression songeuse passa sur son étroit visage. Il revit le matin de 1316, où lui-même, à Lyon, était venu annoncer à Philippe de Poitiers la mort de son frère Louis X, ayant appris la nouvelle justement de ce petit Lombard Baglioni...

Donc Bouville craignait un crime de la part de la comtesse d'Artois, un nouveau crime car on disait beaucoup qu'elle était l'auteur du trépas de Louis Hutin, par enherbement. Elle avait les meilleures raisons de le haïr, car il venait de lui confisquer son comté. Mais elle avait toutes bonnes raisons aussi, Louis disparu, de souhaiter que le comte de Poitiers, son gendre, accédât au trône. Le seul obstacle à cela était l'enfant que portait la reine, qui naquit et qui fut un mâle.

« Infortunée reine Clémence... », dit le pape.

Mahaut d'Artois, choisie comme marraine, devait à ce titre amener le nouveau petit roi aux barons, lors de la cérémonie de présentation. Bouville était sûr, et Mme de Bouville autant que lui, qui si la terrible Mahaut voulait perpétrer un forfait, elle n'hésiterait pas à le faire pendant la présentation, seule occasion pour elle de tenir l'enfant. Bouville et sa femme avaient donc décidé de cacher l'enfant royal pendant ces heures-là, et de remettre à sa place dans les bras de Mahaut le fils d'une nourrice qui n'avait que quelques jours de plus. Sous les langes d'apparat, personne ne pourrait s'apercevoir de la substitution, puisque nul n'avait encore vu l'enfant de la reine Clémence et pas même celle-ci atteinte de grande fièvre et presque mourante.

« Et puis en effet, Très Saint-Père, dit Bouville, l'enfant que j'avais remis à la comtesse Mahaut et qui se portait à merveille l'heure d'avant, mourut en quelques instants devant tous les barons. C'est cette petite créature innocente que j'ai livrée au trépas. Et le crime s'accomplit si vite, et j'étais si troublé, que je n'ai pas songé à crier aussitôt : « Cet enfant n'est pas le roi ! » Et après, ce fut trop tard. Comment expliquer... »

Le pape, un peu penché en avant et les mains jointes sur sa robe, ne perdait pas un mot du récit.

« Alors l'autre enfant, le petit roi, qu'est-il devenu, Bouville ? Qu'en avez-vous fait ?

— Il existe, Très Saint-Père, il vit. Nous l'avons, ma défunte femme et moi, confié à la nourrice. Oh ! avec bien de la peine. Car la malheureuse nous haïssait, vous le pensez bien, et gémissait de douleur. A force de supplications, de menaces aussi, nous lui avons fait jurer sur les Evangiles de garder le petit roi comme s'il était son enfant, et de ne jamais rien révéler à qui que ce fût, même en confession.

— Oh, oh..., murmura le Saint-Père.

— Si bien que le petit roi Jean, le vrai roi de France en somme, est élevé présentement dans

un manoir d'Ile-de-France, sans qu'il sache qui il
est, sans que personne le sache, à part cette
femme qu'on croit sa mère... et moi-même.

— Et cette femme ?...

— ... est Marie de Cressay, l'épouse du jeune
Lombard Guccio Baglioni. »

Tout s'éclairait maintenant pour le pape.

« Et Baglioni, lui, ignore tout ?

— Tout, j'en suis assuré, Très Saint-Père. Car
la dame de Cressay, pour garder son serment, a
refusé de le revoir, ainsi que nous le lui avions
ordonné. Le garçon est reparti tout aussitôt pour
l'Italie. Il pense que son fils est vivant. Il s'en
inquiète parfois dans ses lettres à son oncle, le
banquier Tolomei...

— Mais pourquoi, Bouville, pourquoi, puisque
vous aviez la preuve du crime, et combien facile
à administrer, n'avez-vous pas dénoncé la comtesse Mahaut ?... Quand je songe, ajouta le pape
Jean, que dans le même temps elle m'envoyait
son chancelier afin que je soutienne sa cause
contre son neveu Robert... »

Le pape pensait soudain que Robert d'Artois,
ce géant tapageur, ce semeur de brouilles, cet
assassin sans doute, lui aussi — car il semblait
bien qu'il eût trempé dans le meurtre de Marguerite de Bourgogne, à Château-Gaillard — ce
terrible baron, valait peut-être mieux, à tout prendre, que sa cruelle tante, et qu'en luttant contre
elle il n'avait probablement pas tous les torts
de son côté. Un monde de grands loups que
celui des cours souveraines ! Et dans chaque
royaume, il en allait de même. Etait-ce pour gouverner, apaiser, conduire ce troupeau de fauves
que Dieu lui avait inspiré, à lui chétif petit bour-

geois de Cahors, l'ambition d'une tiare dont il était à présent coiffé et qui, par moments, lui pesait un peu ?...

« Je me suis tu, Très Saint-Père, reprit Bouville, par le conseil surtout de ma défunte épouse. Comme j'avais manqué le bon instant de confondre la meurtrière, mon épouse m'a représenté avec justesse que si nous révélions la vérité, Mahaut s'acharnerait sur le petit roi, et sur nous-mêmes. Il fallait lui laisser croire que son crime avait réussi. Ce fut donc l'enfant de la nourrice qu'on inhuma à Saint-Denis parmi les rois. »

Le pape réfléchissait.

« Ainsi, dans le procès fait à Madame Mahaut, l'année suivante, les accusations étaient fondées ? dit-il.

— Certes, certes, elles l'étaient ! Mgr Robert avait pu mettre la main sur une empoisonneuse, une nécromancienne, nommée Isabelle de Fériennes, qui avait livré à une damoiselle de parage de la comtesse Mahaut le poison dont celle-ci tua d'abord le roi Louis, puis l'enfant présenté aux barons. Cette Isabelle de Fériennes, ainsi que son fils Jean, furent conduits à Paris pour y faire leurs aveux. Vous pensez comme cela servait bien Mgr Robert ! Leur déposition fut recueillie, et il apparut clairement qu'ils étaient les fournisseurs de la comtesse, car ils lui avaient déjà auparavant procuré le philtre par lequel elle se vantait d'avoir réconcilié sa fille Jeanne avec son gendre le comte de Poitiers...

— Magie, sorcellerie ! Vous pouviez bien faire griller la comtesse, chuchota le pape.

— Plus à ce moment, Très Saint-Père, plus à ce moment. Car le comte de Poitiers était devenu roi et protégeait beaucoup Madame Mahaut, si fort même que je suis assuré dans le fond de mon âme qu'il avait partie liée avec elle, au moins dans le second crime. »

Le petit visage du pape se fripa davantage sous le bonnet fourré. Jean XXII aimait bien le roi Philippe V auquel il devait sa tiare, et avec lequel il s'était toujours parfaitement accordé pour toutes les questions de gouvernement. Les dernières paroles de Bouville le peinaient.

« Sur l'un et sur l'autre, le châtiment de Dieu s'est appesanti, reprit Bouville, puisqu'ils ont chacun perdu dans l'année leur unique héritier mâle. La comtesse a vu mourir son seul fils qui avait dix-sept ans. Et le jeune roi Philippe a été privé du sien, qui lui était né depuis seulement quelques mois ; et il n'en eut plus jamais d'autre... Mais pour l'accusation élevée contre elle, la comtesse sut se défendre. Elle invoqua l'irrégularité de la procédure engagée devant le Parlement, l'indignité de ses accusateurs, elle représenta que son rang de pair de France ne la rendait justiciable que de la Chambre des Barons. Toutefois, afin, disait-elle, de faire triompher son innocence, elle supplia son gendre... ce fut une belle scène de fausseté publique !... de poursuivre l'enquête et de lui donner moyen de confondre ses ennemis. La nécromancienne de Fériennes et son fils furent entendus à nouveau, mais après avoir subi la question. Leur état n'était pas beau, et le sang leur collait sur tout le corps. Ils se rétractèrent complètement, déclarèrent mensonges leurs aveux premiers et prétendirent qu'ils y avaient été conduits par caresses, prières, promesses et aussi violences de personnes dont, selon l'acte des greffiers, il convenait de taire le nom pour le moment. Puis le roi Philippe le Long tint lui-même lit de justice et fit comparaître tous ses proches et parents, et tous les familiers de feu son frère, le comte de Valois, le comte d'Evreux, Mgr de Bourbon, Mgr Gaucher le connétable, messire de Beaumont, le maître de l'hôtel, et la reine Clémence, elle-même, leur demandant, sous la foi du serment, s'ils savaient ou croyaient que le roi Louis et son fils Jean fussent morts autrement que de mort naturelle. Comme aucune preuve ne pouvait être produite, comme la séance avait lieu devant tous, et que la comtesse Mahaut se tenait assise à côté du roi, chacun déclara, bien que pour beaucoup ce fût à contre-conviction, que ces trépas étaient dus à l'œuvre de nature.

— Mais vous-même, vous avez eu à comparaître ? »

Le gros Bouville baissa le front.

« J'ai porté faux témoignage, Très Saint-Père, dit-il. Mais que pouvais-je quand toute la cour, les pairs, les oncles du roi, les plus proches serviteurs, la reine veuve elle-même, certifiaient sous serment l'innocence de Madame Mahaut ? C'est moi qu'on eût alors accusé de mensonge et de fable ; et l'on m'eût envoyé me balancer à Montfaucon. »

Il semblait si malheureux, si abattu, si triste, que l'on imaginait soudain, sur son gros visage charnu, les traits du petit garçon qu'il avait été un demi-siècle plus tôt. Le pape eut un mouvement de pitié.

« Apaisez-vous, Bouville, dit-il en se penchant et en lui mettant la main sur l'épaule. Et ne vous

reprochez pas d'avoir mal agi. Dieu vous avait
posé un problème un peu lourd pour vous. Votre
secret, je le prends à mon compte. L'avenir dira
si vous avez bien fait ! Vous avez voulu sauver
une vie qui vous avait été confiée par le devoir
de votre état, et vous l'avez sauvée. Combien en
auriez-vous exposé d'autres, si vous aviez parlé !

— Ah ! Très Saint-Père, oui, je suis apaisé !
dit l'ancien chambellan. Mais le petit roi caché,
que va-t-il devenir ? Que faut-il en faire ?

— Attendez sans rien changer. J'y penserai et
vous le ferai savoir. Allez en paix, Bouville...
Quant à Mgr de Valois, cent mille livres sont à
lui mais pas un florin de plus. Qu'il me laisse en
repos avec sa croisade, et qu'il s'accorde avec
l'Angleterre. »

Bouville mit genou en terre, porta la main du
Saint-Père à ses lèvres, avec effusion, se releva
et gagna la porte à reculons puisque l'audience
semblait terminée.

Le pape le rappela du geste.

« Mon fils, et votre absolution ? Vous ne la voulez donc point ? »

Un moment plus tard le pape Jean, demeuré
seul, parcourait à petits pas glissants son cabinet
de travail. Le vent du Rhône passait sous les
portes et gémissait à travers le beau palais neuf.
Les perruches pépiaient dans leur cage. Les tisons
du brasero s'assombrissaient.

Jean XXII réfléchissait au difficile problème, à
la fois de conscience et d'Etat, qui se posait à
lui. L'héritier véritable de la couronne de France
était un enfant ignoré, caché dans une cour de
ferme. Deux personnes seulement au monde, ou
plutôt trois personnes à présent, le savaient. La

peur retenait les deux premières de parler. Que convenait-il de faire, quel parti prendre, quand deux rois déjà, depuis la naissance de cet enfant, s'étaient succédé au trône, deux rois dûment sacrés, oints du saint chrême ? Révéler l'affaire et jeter la France dans le plus terrible désordre dynastique ? De la semence de guerre, encore !

Un autre sentiment également incitait le pape à garder le silence, et ce sentiment concernait la mémoire du roi Philippe le Long. Oui, Jean XXII l'avait bien aimé, ce jeune homme, et l'avait aidé de toutes les façons possibles. C'était même le seul souverain qu'il eût jamais admiré et auquel il gardât reconnaissance. Ternir son souvenir revenait pour Jean XXII à se ternir lui-même ; car, sans Philippe le Long, fût-il jamais devenu pape ? Et voilà que Philippe se révélait avoir été un criminel, le complice d'une criminelle tout au moins... Mais était-ce au pape Jean, était-ce à Jacques Duèze, de jeter la première pierre, lui qui devait à de si grosses fourberies et sa pourpre et sa tiare ? Et s'il lui avait été absolument nécessaire, pour assurer son élection, de laisser commettre un meurtre...

« Seigneur, Seigneur, merci de m'avoir épargné pareille tentation... Mais était-ce bien moi qui devais être chargé du soin de vos créatures ?... Et si la nourrice parle un jour, qu'arrivera-t-il ? Peut-on se fier à langue de femme ? Il serait bon, Seigneur, que vous m'éclairiez quelquefois ! J'ai absous Bouville, mais la pénitence est pour moi. »

Il s'était agenouillé sur le coussin vert de son prie-Dieu ; il demeura là, longtemps, ses mains maigres enserrant son petit front ridé.

III

LE CHEMIN DE PARIS

Qu'il sonnait clair, sous le fer des chevaux, le sol des routes françaises ! Quelle musique heureuse produisait le crissement du gravier ! Et l'air qu'on respirait, l'air léger du matin traversé de soleil, quel merveilleux parfum, quelle merveilleuse saveur il possédait ! Les bourgeons commençaient à s'ouvrir, et de petites feuilles vertes, tendres et plissées, venaient chercher pour une caresse le front des voyageurs jusqu'au milieu du chemin. L'herbe des talus et des prés d'Ile-de-France était moins riche, moins fournie, sans doute, que l'herbe d'Angleterre ; mais pour la reine Isabelle, c'était l'herbe de la liberté, enfin, et de l'espérance.

La crinière de la jument blanche ondulait au rythme de la marche. Une litière, portée par deux mules, suivait à quelques toises. La reine trop

heureuse, trop impatiente pour rester enfermée
dans cette balancelle, avait préféré monter sa haquenée ; pour un peu, elle eût galopé dans les
herbages !

Boulogne, où elle s'était mariée quinze ans auparavant, Montreuil, Abbeville, Beauvais, avaient
été les haltes de son voyage. Elle venait de passer
la nuit précédente à Maubuisson, près de Pon-
toise, dans le manoir royal où, pour la dernière
fois, elle avait vu son père Philippe le Bel. Sa
route était comme un pèlerinage à travers son
propre passé. Il lui semblait remonter les étapes
de sa vie pour revenir au départ. Mais quinze années malheureuses se pouvaient-elles abolir ?

« Votre frère Charles l'aurait sans doute reprise, disait Robert d'Artois qui cheminait à côté
d'elle, et il nous l'aurait imposée pour reine, tant
il continuait de la regretter et tant il montrait
peu de décision au choix d'une nouvelle épouse. »

De qui parlait Robert ? Ah oui ! de Blanche de
Bourgogne. Il en parlait à cause de Maubuisson
où, tout à l'heure, une cavalcade composée
d'Henri de Sully, de Jean de Roye, du comte de
Kent, de Lord Mortimer, de Robert d'Artois lui-
même et de toute une troupe de seigneurs, était
venue accueillir la voyageuse. Isabelle avait
éprouvé un grand plaisir à se sentir de nouveau
traitée en reine.

« Je crois que Charles, vraiment, prenait quelque plaisir secret à se caresser les cornes qu'elle
lui avait plantées, continuait Robert. Par
malheur, par bonheur plutôt, la douce Blanche,
l'année avant que Charles devînt roi, se fit en-
grosser en sa prison, par le geôlier ! »

Le géant chevauchait à gauche, du côté du soleil, et, monté sur un immense percheron pommelé, il portait de l'ombre sur la reine. Celle-ci poussait sa haquenée, s'efforçant de rester dans la lumière. Robert discourait sans trêve, tout à l'enthousiasme de la retrouvaille, et cherchant, dès ces premières lieues, à renouer les liens du cousinage et d'une ancienne amitié.

Isabelle ne l'avait pas revu depuis onze ans ; il avait peu changé. La voix était toujours la même, et toujours la même aussi cette odeur de gros mangeur de venaison que son corps dégageait dans l'animation de la marche et que la brise portait autour de lui par bouffées. Il avait la main rousse et velue jusqu'à l'ongle, le regard méchant même lorsqu'il croyait le faire aimable, la panse dilatée par-dessus sa ceinture comme s'il eût avalé une cloche. Mais l'assurance de sa parole et de ses gestes était à présent moins feinte et appartenait définitivement à sa nature ; la ride qui encadrait la bouche s'était inscrite plus profondément dans la graisse.

« Et Mahaut, ma bonne gueuse de tante, a dû se résigner à l'annulation du mariage de sa fille. Oh ! non sans se débattre et plaider devant les évêques ! Mais elle a finalement été confondue. Votre frère Charles, pour une fois, s'obstina. Parce qu'il ne pardonnait pas l'affaire du geôlier et de la grossesse. Et quand il s'obstine, ce faible homme, on ne le fait plus démordre ! Au procès d'annulation, on n'a pas posé moins de trente et une questions aux témoins. On a exhumé de la poussière la dispense accordée par Clément V et qui permettait à Charles d'épouser une de ses parentes, mais sans que le nom en soit spécifié. Or, qui, dans nos familles, se marie autrement

qu'avec une cousine ou une nièce ? Alors,
Mgr Jean de Marigny, bien habilement, souleva
l'empêchement de la parenté spirituelle. Mahaut
était la marraine de Charles. Elle assurait que
non, bien sûr, et qu'elle n'avait été au baptême
que comme assistante et commère [26]. Alors tout
le monde a comparu, barons, chambriers, valets,
clercs, chantres, bourgeois de Creil où le baptême
avait eu lieu, et tous ont répondu qu'elle avait
bien tenu l'enfant pour le tendre ensuite à Charles de Valois, et qu'on ne pouvait s'y tromper vu
qu'elle était la plus haute femme qui se trouvait
en la chapelle et dépassait tout un chacun du
chef. Voyez la belle menteuse ! »

Isabelle s'obligeait à écouter, mais en vérité
elle n'était attentive qu'à elle-même et à un
contact insolite qui tout à l'heure l'avait émue.
Combien cela paraît surprenant aux doigts, soudain, des cheveux d'homme !

La reine leva les yeux vers Roger Mortimer qui
était venu se placer à sa droite, d'un mouvement
à la fois autoritaire et naturel comme s'il avait
été son protecteur et son gardien. Elle regardait
les boucles drues qui sortaient de son chaperon
noir. On n'imaginait pas que ces cheveux-là fussent si soyeux au toucher !

Cela s'était fait par hasard dans le premier moment de la rencontre. Isabelle avait été surprise
de voir apparaître Mortimer auprès du comte de
Kent. Ainsi donc, en France, le rebelle, l'évadé, le
proscrit Mortimer, marchait côte à côte avec le
frère du roi d'Angleterre, et semblait presque
avoir le pas sur lui.

Et Mortimer, sautant à terre, s'était élancé vers
la reine pour baiser le bas de sa robe ; mais la

haquenée ayant bougé, les lèvres de Roger
s'étaient posées sur le genou d'Isabelle. Elle-
même avait machinalement appuyé la main sur
la tête découverte de cet ami retrouvé. Et maintenant qu'on chevauchait, sur la route striée
d'ombre par les branches, le contact soyeux des
cheveux se prolongeait, comme encore percepti-
ble et enfermé sous le velours du gant.

« Mais le plus sérieux motif à la nullité du lien,
outre que les contractants n'avaient pas l'âge
canon pour copuler, fut fondé sur ceci que votre
frère Charles, quand on le maria, manquait de
discernement pour se chercher femme et de volonté pour exprimer son choix, vu qu'il était incapable, simple et imbécile, et que, partant, le
contrat n'avait point de valeur. *Inhabilis, simplex
et imbecillus !*... Et chacun, depuis votre oncle
Valois jusqu'à la dernière chambrière, s'est accordé à prononcer sous serment qu'il était bien
tout cela, à meilleure preuve que feu la reine sa
mère elle-même le trouvait si bête qu'elle l'avait
surnommé l'oison ! Pardonnez, ma cousine, de
vous parler ainsi de votre frère, mais enfin, c'est
là le roi que nous avons. Gentil compagnon au
demeurant, et de beau visage, mais de peu d'allant. Vous comprendrez qu'il faille gouverner à
sa place. N'attendez pas d'aide de lui. »

Ainsi, à la gauche d'Isabelle roulait la voix inta-
rissable de Robert d'Artois et flottait son parfum de fauve. A droite, la reine sentait le regard
de Roger Mortimer posé sur elle avec une insistance troublante. Elle levait par instants les yeux
vers ces prunelles couleur de silex, vers ce visage
bien taillé où un sillon profond partageait le
menton. Elle était surprise de ne pas se rap-

peler la cicatrice blanche qui ourlait la lèvre in-férieure.

« Etes-vous toujours aussi chaste, ma belle cousine ? » demanda brusquement Robert d'Artois.

La reine Isabelle rougit et leva furtivement les yeux vers Roger Mortimer comme si la question la mettait un peu en faute déjà, et de façon inex-plicable, à son égard.

« J'y ai bien été forcée, répondit-elle.

— Vous souvenez-vous, cousine, de notre en-trevue de Londres ? »

Elle rougit davantage. Que lui rappelait-il là, et qu'allait penser Mortimer ? Un moment d'aban-don lors d'un adieu... pas même un baiser, seu-lement un front qui s'appuie contre une poitrine d'homme et qui cherche un refuge... Robert y pensait-il donc encore, après onze ans ? Elle en fut flattée, mais nullement émue. Avait-il pris pour l'aveu d'un désir ce qui n'était qu'un mo-ment de désarroi ? Peut-être, en effet, ce jour-là, mais ce jour-là seulement, si elle n'avait pas été reine, s'il n'avait pas été si pressé de repartir pour dénoncer les filles de Bourgogne...

« Enfin, s'il vous vient à l'idée de changer de coutume..., insistait Robert d'un ton gaillard. J'ai toujours, en pensant à vous, comme le sentiment d'une créance non encaissée... »

Il s'arrêta net, ayant croisé le regard de Mor-timer, un regard d'homme prêt à tirer l'épée s'il en entendait davantage. La reine perçut cet af-frontement et, pour se donner contenance, ca-ressa la crinière blanche de sa jument. Cher Mor-timer ! Qu'il y avait de noblesse et de chevalerie en cet homme-là ! Et comme l'air de France était bon à respirer, et comme cette route était belle, avec ses clartés et ses ombres !

Robert d'Artois avait un demi-sourire d'ironie coincé dans la graisse de ses joues. Sa créance, selon l'expression qu'il avait employée et qu'il avait crue délicate, il n'y devait plus songer. Il était certain que Lord Mortimer aimait la reine Isabelle et qu'Isabelle aimait Mortimer.

« Eh bien ! pensa-t-il, elle va s'amuser, la bonne cousine, avec ce templier. »

IV

LE ROI CHARLES

Il avait fallu près d'un quart d'heure pour traverser la ville depuis les portes jusqu'au palais de la Cité. Les larmes vinrent aux yeux de la reine Isabelle lorsqu'elle mit pied à terre dans la cour de cette demeure qu'elle avait vu édifier par son père, et qui déjà avait reçu la légère patine du temps.

Les portes s'ouvrirent en haut du grand escalier, et Isabelle ne put s'empêcher d'attendre le visage imposant, glacial, souverain, du roi Philippe le Bel. Que de fois avait-elle ainsi contemplé son père, au sommet des marches, s'apprêtant à descendre vers sa ville ?

Le jeune homme qui apparut en cotte courte, la jambe bien prise dans des chausses blanches, et suivi de ses chambellans, ressemblait assez par la taille et les traits au grand monarque disparu, mais aucune force, aucune majesté n'émanait de

sa personne. Il n'était qu'une pâle copie, un mou-
lage de plâtre pris sur un gisant. Et néanmoins,
parce que l'ombre du Roi de fer demeurait présente derrière ce personnage sans âme et parce
que la royauté de France s'incarnait en lui, Isabelle voulut, par trois ou quatre fois, s'agenouiller ; et chaque fois son frère la retint par la main
en disant :

« Bienvenue, ma douce sœur, bienvenue. »

L'ayant forcée à se relever, et toujours lui tenant la main, il la conduisit jusqu'au cabinet assez
vaste où il se tenait habituellement, s'informant
des détails du voyage. Avait-elle été bien reçue à
Boulogne par le capitaine de la ville ?

Il s'inquiéta de savoir si les chambellans veil-
laient au bagage et recommanda qu'on ne lais-
sât pas choir les coffres.

« Car les étoffes se froissent, expliqua-t-il, et
j'ai bien vu, dans mon dernier déplacement de
Languedoc, combien mes robes s'étaient gâtées. »

Etait-ce pour cacher une émotion, une gêne,
qu'il accordait son attention à cette sorte de soucis ?

Quand on fut assis, Charles le Bel dit :

« Alors, comment ce vous va, ma chère sœur ?

— Ce me va petitement, mon frère, répondit-
elle.

— Quel est l'objet de votre voyage ? »

Isabelle eut une expression de surprise peinée.
Son frère n'était-il donc pas au courant ? Robert d'Artois, qui avait suivi ainsi que les principaux seigneurs de l'escorte, adressa à Isabelle
un regard qui signifiait : « Que vous avais-je
dit ? »

« Mon frère, je viens pour m'accorder avec

vous sur ce traité que nos deux royaumes doivent passer s'ils veulent cesser de se nuire. »

Charles le Bel resta silencieux un instant. Il paraissait réfléchir ; en vérité, il ne pensait à rien de précis. Comme avec Mortimer, au cours des audiences qu'il lui avait accordées, comme avec chacun, il posait des questions et ne prêtait pas attention aux réponses.

« Le traité..., finit-il par dire. Oui, je suis prêt à recevoir l'hommage de votre époux Edouard. Vous en causerez avec notre oncle Charles, à qui j'ai donné mandat pour ce faire. La mer ne vous a pas incommodée ? Savez-vous que je ne suis jamais allé dessus ? Que ressent-on sur cette eau mouvante ? »

Il fallut attendre qu'il eût émis encore quelques banalités de cet ordre pour pouvoir lui présenter l'évêque de Norwich, qui devait conduire les négociations, et le Lord de Cromwell qui commandait le détachement d'accompagnement. Il salua chacun avec courtoisie, mais sans, visiblement, s'intéresser à personne.

Charles IV n'était pas beaucoup plus sot sans doute que des milliers d'hommes du même âge qui, en son royaume, hersaient les champs de travers, cassaient les navettes de leurs métiers à tisser, ou débitaient la poix et le suif en se trompant dans leurs comptes de boutique ; le malheur voulait qu'il fût roi, ayant si peu de facultés pour l'être.

« Je viens aussi, mon frère, dit Isabelle, requérir votre aide et mettre ma personne sous votre protection, car tous mes biens m'ont été ôtés, et en dernier lieu le comté de Cornouailles inscrit au traité de noces.

— Vous direz vos griefs à notre oncle Charles ; il est de bon conseil, et j'approuverai, ma sœur, tout ce qu'il décidera pour votre bien. Je vais vous mener à vos chambres. »

Charles IV laissa l'assemblée pour montrer à sa sœur les appartements où elle allait loger, une suite de cinq pièces avec un escalier indépendant. « Pour les petites entrées de votre service », crut-il bon d'expliquer.

Il lui fit remarquer également le mobilier qui était neuf, les tapis à images sur les murs. Il avait des soucis de bonne ménagère, touchait l'étoffe de la courtepointe, priait sa sœur de ne point hésiter à querir autant de braise qu'il lui en faudrait pour bassiner son lit. On ne pouvait pas être plus attentif, ni plus affable.

« Pour le logement de votre suite, messire de Mortimer s'en arrangera avec mes chambellans. Je désire que chacun soit bien traité. »

Il avait prononcé le nom de Mortimer sans intention particulière, simplement parce que, lorsqu'il s'agissait des affaires anglaises, ce nom revenait souvent devant lui. Il lui paraissait donc normal que Lord Mortimer s'occupât de la maison de la reine d'Angleterre. Il avait certainement oublié que le roi Edouard réclamait sa tête.

Il continuait de tourner à travers l'appartement, redressant le pli d'une courtine, vérifiant la fermeture des volets intérieurs. Et puis soudain s'arrêtant, les mains derrière le dos et le front un peu penché, il dit :

« Nous n'aurons guère été heureux dans nos unions, ma sœur. J'avais cru être mieux servi par Dieu en la personne de ma chère Marie de Luxembourg que je ne l'avais été avec Blanche... »

Il eut un bref regard vers Isabelle où elle lut qu'il lui gardait un ressentiment vague pour avoir fait éclater l'inconduite de sa première épouse.

« ... et puis la mort m'a emporté Marie, tout en même temps que l'héritier qu'elle me préparait. Et maintenant l'on m'a fait épouser notre cousine d'Evreux, que vous allez revoir tout à l'heure ; c'est une aimable compagne, qui m'aime bien je crois. Mais nous nous sommes unis en juillet dernier ; nous voici en mars, et elle ne donne pas signe d'être enceinte. Il faudrait que je vous entretienne de choses dont je ne puis parler qu'à une sœur... Avec ce mauvais époux qui n'aime point votre sexe, vous avez eu pourtant quatre enfants. Et moi, avec mes trois épouses... Pourtant j'accomplis, je vous assure, mes devoirs conjugaux bien fréquemment, et j'y prends plaisir. Alors, ma sœur ? Cette malédiction dont mon peuple dit qu'elle pèse sur notre race et notre maison, n'y croyez-vous pas ? »

Isabelle le contemplait avec tristesse. Il se montrait assez émouvant, tout à coup, par ces doutes qui lui assaillaient l'âme et qui devaient être son constant souci. Mais le plus humble jardinier ne se fût pas exprimé d'autre manière pour gémir sur ses infortunes, ou la stérilité de sa femme. Que désirait-il, ce pauvre roi ? Un héritier au trône ou un enfant au foyer ?

Et qu'y avait-il de royal, également, en cette Jeanne d'Evreux qui vint saluer Isabelle quelques moments plus tard ? Le visage un peu mou, l'expression docile, elle tenait avec humilité sa condition de troisième épouse, qu'on avait prise au plus proche dans la famille, parce qu'il fallait une reine à la France. Elle était triste. Sans cesse elle épiait sur le visage de son mari l'obsession qu'elle connaissait bien, et qui devait être le seul sujet de leurs entretiens nocturnes.

Le vrai roi, Isabelle le trouva en Charles de Valois. Accouru au Palais, aussitôt qu'il sut sa nièce arrivée, il la serra dans ses bras et la baisa aux joues. Isabelle reconnut aussitôt que le pouvoir était dans ces bras-là, et nulle part ailleurs.

Le souper fut bref, qui réunit autour des souverains les comtes de Valois, d'Artois et leurs épouses, le comte de Kent, l'évêque de Norwich, Lord Mortimer. Le roi Charles le Bel aimait à se coucher de bonne heure.

Tous les Anglais se réunirent ensuite dans l'appartement de la reine Isabelle pour y conférer. Lorsqu'ils se retirèrent, Mortimer se trouva le dernier sur le pas de la porte. Isabelle le retint, pour un instant dit-elle ; elle avait un message à lui délivrer.

V

LA CROIX DE SANG

Ils n'avaient pas conscience du temps écoulé. Le vin de liqueur, parfumé de romarin, de rose et de grenade, était plus qu'à demi épuisé dans la cruche de cristal ; les braises s'écroulaient dans le foyer.

Ils n'avaient pas même entendu les cris du guet qui s'élevaient, lointains, d'heure en heure dans la nuit. Ils ne pouvaient s'arrêter de parler, la reine surtout qui, pour la première fois depuis bien des années, ne craignait pas qu'un espion fût caché derrière la tapisserie pour rapporter le moindre de ses propos. Elle n'aurait pu dire s'il lui était jamais arrivé de se confier aussi librement ; elle avait perdu jusqu'à la mémoire de la liberté. Mais jamais elle ne s'était trouvée devant un homme qui l'eût écoutée avec plus d'intérêt, lui eût répondu avec plus de justesse, et dont l'attention fût chargée de plus de générosité ! Bien qu'ils eussent devant eux des jours et des jours où il leur serait loisible de s'entretenir, ils ne pouvaient se décider à interrompre leur orgie de confidences. Ils avaient tout à se dire, sur l'état des royaumes, sur le traité de paix, sur les lettres du pape, sur leurs communs ennemis, et Mortimer à raconter sa prison, son évasion, son exil, et la reine à avouer ses tourments, et les outrages subis.

Isabelle comptait demeurer en France jusqu'à ce qu'Edouard y vînt lui-même pour l'hommage ; l'évêque Orleton, avec lequel elle avait eu une entrevue secrète entre Londres et Douvres, le lui conseillait.

« Vous ne pouvez point, Madame, retourner en Angleterre avant que les Despenser aient été chassés, dit Mortimer. Vous ne le pouvez ni ne le devez.

— Leur but était clair, en ces derniers mois, à me si cruellement tourmenter. Ils attendaient que je commisse quelque folle entreprise de révolte, afin de me clore en quelque couvent ou quelque château lointain comme on a fait de votre épouse.

— Pauvre amie Jeanne, dit Mortimer. Elle a bien fort pâti pour moi. »

Et il alla mettre une bûche dans le foyer.

« Je lui dois d'avoir appris l'homme que vous étiez, reprit Isabelle. Souventes nuits, je la faisais dormir à mes côtés, tant je craignais qu'on ne m'assassinât. Et elle me parlait de vous, toujours de vous... Ainsi ai-je su les préparatifs de votre évasion, et j'ai pu y contribuer. Je vous connais mieux que vous ne pensez, Lord Mortimer. »

Il y eut un moment comme d'attente de part et d'autre, et un peu de gêne aussi. Mortimer demeurait penché vers l'âtre dont les lueurs éclairaient son menton profondément incisé, ses sourcils épais.

« Sans cette guerre d'Aquitaine, continua la reine, sans les lettres du pape, sans cette mission auprès de mon frère, je suis certaine qu'il me serait arrivé grand malheur.

— Je savais, Madame, que c'était le seul moyen. Je n'avais guère plaisir, croyez-le, à cette guerre entreprise contre le royaume. Si j'ai accepté d'en partager la conduite et d'y faire figure de traître... car se rebeller pour défendre son droit est une chose, mais passer à l'armée adverse en est une autre... »

Il avait sa campagne d'Aquitaine sur le cœur, et voulait s'en bien disculper.

« ... c'est que je savais qu'il n'était d'autre façon d'espérer vous délivrer, sinon en affaiblissant le roi Edouard. Et votre venue en France, Madame, est aussi mon idée ; j'y ai œuvré sans relâche jusqu'à ce que vous soyez là. »

La voix de Mortimer était animée d'une vibration grave. Les paupières d'Isabelle se fermèrent à demi. Sa main redressa machinalement l'une des tresses blondes qui encadraient son visage comme des anses d'amphore.

« Quelle est cette blessure à la lèvre que je ne vous connaissais pas ? demanda-t-elle.

— Un présent de votre époux, Madame, un coup de fléau qui me fut assené par les gens de son parti lorsqu'ils me renversèrent dans mon armure, à Shrewsbury, où je fus malheureux. Et malheureux, Madame, moins pour moi-même, moins de la mort risquée et de la prison endurée, que d'avoir échoué à vous porter la tête des Despenser, à l'issue d'un combat livré pour vous. »

Cela n'était pas là vérité totale ; la sauvegarde de ses domaines et de ses prérogatives avait pesé au moins aussi lourd, dans les décisions militaires du baron des Marches, que le service de la reine. Mais en ce moment, il était sincèrement persuadé d'avoir agi pour la défendre. Et Isabelle y croyait aussi ; elle avait tant souhaité pouvoir le croire ! Elle avait tant espéré que se dressât un jour un champion de sa cause ! Et voilà que ce champion était là, devant elle, avec sa grande main maigre qui avait tenu l'épée, et la marque au visage, légère mais indélébile, d'une blessure. Il semblait surgir tout droit, dans ses vêtements noirs, d'un roman de chevalerie.

« Vous rappelez-vous, ami Mortimer... vous rappelez-vous le lai du chevalier de Graëlent ? »

Il fronça ses sourcils épais. Graëlent ?... Un nom qu'il avait déjà entendu ; mais il ne se rappelait pas l'histoire.

« C'est dans un livre de Marie de France, que l'on m'a volé, comme tout le reste, reprit Isabelle. Ce Graëlent était chevalier si fort, si bellement loyal, et son renom était si grand, que la reine de ce temps s'éprit de lui sans le connaître ; et l'ayant fait mander, elle lui dit pour premières paroles, lorsqu'il apparut devant elle :
« Ami Graëlent, je n'ai jamais aimé mon époux ;
« mais je vous aime autant qu'on peut aimer et
« suis à vous. »

Elle était étonnée de sa propre audace, et que sa mémoire lui eût fourni si à propos les paroles qui traduisaient tout exactement ses sentiments.

Pendant plusieurs secondes, le son de sa voix lui parut se prolonger à ses propres oreilles. Elle attendait, anxieuse et troublée, confuse et ardente, la réponse de ce nouveau Graëlent.

« Puis-je à présent lui avouer que je l'aime ? » se demandait Roger Mortimer, comme si ce n'avait pas été la seule chose à dire. Mais il est des champs clos où les hommes les plus braves en bataille se montrent singulièrement malhabiles.

« Avez-vous jamais aimé le roi Edouard ? » répondit-il.

Et ils se sentirent l'un et l'autre également déçus. Etait-il bien nécessaire, en cet instant, de parler d'Edouard ? La reine se redressa un peu dans son siège.

« J'ai cru l'aimer, dit-elle. Je m'y suis efforcée avec des sentiments appris ; et puis j'ai vite reconnu l'homme auquel on m'avait unie ! A présent je le hais, et d'une si forte haine qu'elle ne peut s'éteindre qu'avec moi... ou avec lui. Savez-vous que pendant de longues années j'ai cru que les éloignements d'Edouard envers moi venaient d'une faute de ma nature ? Savez-vous, s'il faut tout vous avouer... d'ailleurs votre épouse le sait bien... que les dernières fois qu'il se força de fréquenter ma couche, quand fut conçue notre dernière fille, il exigea que Hugh le Jeune l'accompagnât jusqu'à mon lit ; et il se mignotait et il se caressait avec lui avant que de pouvoir accomplir acte d'époux, disant que je devais aimer Hugh comme lui-même, puisqu'ils étaient si bien unis qu'ils ne faisaient qu'un. C'est alors que j'ai menacé d'en écrire au pape... »

La fureur avait empourpré le visage de Mor-

timer. L'honneur et l'amour se trouvaient en lui
également atteints. Edouard était vraiment indi-
gne d'être roi. Quand donc pourrait-on crier à
tous ses vassaux : « Sachez enfin qui est votre
suzerain, et reprenez vos serments ! » N'était-il
pas injuste, quand le monde comptait tant de
femmes infidèles, qu'un tel homme ait épousé
une femme de si haute vertu ? N'eût-il pas mé-
rité qu'elle se fût livrée à tout venant pour le
honnir ?... Mais était-elle absolument demeurée
fidèle ? Quelque amour secret n'avait-il pas traversé une si désespérante solitude ?

« Et jamais vous ne vous êtes abandonnée à
d'autres bras ? demanda-t-il, d'une voix, déjà, de
jaloux, cette voix qui plaît tant aux femmes, au
début d'un sentiment, et leur devient si lassante
à la fin d'une liaison.

— Jamais, répondit-elle.

— Pas même à votre cousin Robert d'Artois,
qui semblait ce matin montrer bien franchement
qu'il était épris de vous ? »

Elle haussa les épaules.

« Vous connaissez mon cousin d'Artois ; tout
gibier lui est bon. Reine ou truande, pour lui
c'est tout un. Un jour lointain, à Westmoustiers,
où je lui confiai mon esseulement, il s'offrit à
m'en consoler. Voilà tout. D'ailleurs, ne l'avez-
vous pas entendu : « Etes-vous toujours aussi
« chaste, ma cousine ?... » Non, gentil Mortimer,
mon cœur est bien désolément vide... et beaucoup las de l'être.

— Ah ! que n'ai-je osé, Madame, vous dire depuis si longtemps que vous étiez l'unique dame
de mes pensées ! s'écria Mortimer.

— Est-ce vrai, doux ami ? Y a-t-il longtemps ?

— Je crois, Madame, que cela date de la première fois où je vous ai vue. Et j'en ai eu la lumière un jour, à Windsor, où les larmes vous sont venues dans les yeux pour quelque honte que le roi Edouard vous avait faite... Vous dirai-je qu'en ma prison, il ne fut de matin ni de soir où je ne pensai à vous, et que ma première demande quand j'échappai de la Tour...

— Je sais, ami Roger, je sais ; l'évêque Orleton me l'a dit. Et j'ai été joyeuse alors d'avoir donné de ma cassette pour votre liberté ; non pour l'or, qui n'était rien, mais pour le risque qui était grand. Votre évasion a fait recroître mes tourments... »

Il s'inclina très bas, s'agenouillant presque, pour marquer sa gratitude.

« Savez-vous, Madame, reprit-il d'un ton plus grave encore, que depuis que j'ai pris pied sur la terre de France, j'ai fait vœu de me vêtir de noir tant que je n'aurais point retrouvé l'Angleterre... et de ne toucher femme avant de vous avoir délivrée ? »

Il infléchissait un peu les termes de son vœu et commençait à confondre la reine et le royaume. Mais de plus en plus il s'apparentait, pour Isabelle, à Graëlent, à Perceval, à Lancelot...

« Et vous avez tenu ce vœu ? demanda-t-elle.

— En doutez-vous ? »

Elle le remercia d'un sourire, d'une buée qui monta à ses vastes yeux bleus, et d'une main tendue, d'une main fragile qui alla se loger, comme un oiseau, dans la main du grand baron. Puis leurs doigts s'ouvrirent, s'enlacèrent, se croisèrent...

« Croyez-vous que nous ayons le droit ? dit-elle après un silence. J'ai promis ma foi à un époux, si mauvais qu'il soit. Et vous, de votre part, vous avez une épouse qui est sans reproche. Nous avons contracté des liens devant Dieu. Et j'ai été si dure aux péchés des autres... »

Cherchait-elle à se défendre contre elle-même, ou voulait-elle qu'il prît le péché sur lui ?

Il était assis, il se releva.

« Ni vous ni moi, ma reine, n'avons été mariés par notre vouloir. Nous avons prononcé serment, mais pour des choix que nous n'avions pas faits. Nous avons obéi à des décisions qui étaient de nos familles, et non point à la volonté de notre cœur. Aux âmes comme les nôtres... »

Il marqua une hésitation. L'amour qui craint de se nommer pousse aux actions les plus étranges ; le désir prend les plus hauts détours pour requérir ses droits. Mortimer était debout devant Isabelle, et leurs mains restaient unies.

« Voulez-vous, ma reine, reprit-il, que nous nous affrérions ? Voulez-vous accepter d'échanger nos sangs pour qu'à jamais je sois votre soutien, et qu'à jamais vous soyez ma dame ? »

Sa voix tremblait, de cette inspiration soudaine, démesurée, qu'il avait eue ; et les épaules d'Isabelle frémirent. Car il y avait de la sorcellerie, de la passion et de la foi, et toutes choses divines et diaboliques mêlées, et chevaleresques et charnelles ensemble dans ce qu'il venait de proposer. C'était le lien de sang des frères d'armes et celui des amants légendaires, le lien des templiers, rapporté d'Orient à travers les croisades, le lien d'amour aussi qui unissait l'épouse mal mariée à l'amant de son choix, et quelquefois par-devant le mari lui-même, à condition que

l'amour restât chaste... ou qu'on crût qu'il le restait. C'était le serment des corps, plus puissant
que celui des mots et qui ne se pouvait rompre,
reprendre ni annuler. Les deux créatures humaines qui le prononçaient se faisaient plus unies
que des jumeaux ; ce que chacun possédait devenait possession de l'autre ; ils se devaient protéger en tout et ne pouvaient accepter de se sur-
vivre. « Ils doivent être affrérés... » On chuchotait
cela de certains couples, avec un petit tremble-
ment à la fois de crainte et d'envie [27].

« Je pourrai tout vous demander ? » dit Isabelle très bas.

Il répondit en abaissant les paupières.

« Je me livre à vous, dit-il. Vous pouvez tout
exiger de moi et ne me donner de vous-même
que ce qu'il vous plaira. Mon amour sera ce que
vous désirerez. Je puis m'étendre nu auprès de
vous nue, et ne point vous toucher si vous me
l'avez interdit. »

Ce n'était point là la vérité de leur désir, mais
comme un rite d'honneur qu'ils se devaient,
conforme aux traditions chevaleresques. L'amant
s'obligeait à montrer la force de son âme et la
puissance de son respect. Il s'offrait à « l'épreuve
courtoise », dont la durée était remise à la décision de l'amante ; il dépendait d'elle que le temps
en durât toujours ou qu'il fût aussitôt aboli.

« Etes-vous consentante, ma reine ? » dit-il.

A son tour, elle répondit des paupières.

« Au doigt ? au front ? au cœur ? » demanda
Mortimer.

Ils pouvaient se faire une piqûre au doigt, laisser leurs sangs s'égoutter dans un verre, les mêler et y boire à tour de rôle. Ils pouvaient s'in-

ciser le front à la racine des cheveux et, se tenant tête contre tête, échanger leurs pensées...

« Au cœur », répondit Isabelle.

C'était la réponse qu'il souhaitait.

Un coq chanta dans les alentours dont le cri
traversa la nuit silencieuse. Isabelle pensa que
le jour qui allait se lever serait le premier du
printemps.

Roger Mortimer ouvrit sa cotte, la laissa choir
au sol, arracha sa chemise. Il apparut, poitrine
nue, bombée, au regard d'Isabelle.

La reine délaça son corsage ; d'un mouvement
souple des épaules, elle dégagea des manches ses
bras fins et blancs et découvrit ses seins, marqués de leur fruit rose, et que quatre maternités
n'avaient pas blessés ; elle avait mis une fierté
décidée dans son geste, presque du défi.

Mortimer prit sa dague à sa ceinture. Isabelle
tira la longue épingle, terminée par une perle,
qui retenait ses nattes, et les anses d'amphore
tombèrent d'une chute douce. Sans quitter du
regard le regard de la reine, Mortimer, d'une
main ferme, s'entailla la peau ; le sang courut
comme un petit ruisseau rouge à travers la légère toison châtaine. Isabelle accomplit sur elle-
même un semblable geste avec l'épingle, à la
naissance du sein gauche, et le sang perla, comme
le jus d'un fruit. La crainte de la douleur, plus
que la douleur même, lui fit crisper la bouche
un instant. Puis elle franchit le pas qui la séparait de Mortimer et appuya les seins contre le
grand torse sillonné d'écarlate, se haussant sur
la pointe des pieds afin que les deux blessures
vinssent à se confondre. Chacun sentit le contact
de cette chair qu'il approchait pour la première

fois, et de ce sang tiède qui leur appartenait à tous deux.

« Ami, dit-elle, je vous livre mon cœur et prends le vôtre qui me fait vivre.

— Amie, répondit-il, je le retiens avec la promesse de le garder au lieu du mien. »

Ils ne se détachaient pas, prolongeant indéfiniment cet étrange baiser des lèvres qu'ils avaient volontairement ouvertes dans leurs poitrines. Leurs cœurs battaient du même rythme, rapide et violent, de l'un à l'autre répercuté. Trois ans de chasteté chez lui, chez elle quinze années d'attente de l'amour...

« Serre-moi fort, ami », murmura-t-elle encore.

Sa bouche s'éleva vers la blanche cicatrice qui ourlait la lèvre de Mortimer, et ses dents de petit carnassier s'entrouvrirent, pour mordre.

Le rebelle d'Angleterre, l'évadé de la tour de Londres, le grand seigneur des Marches galloises, l'ancien Grand Juge d'Irlande, Lord Mortimer de Wigmore, amant depuis deux heures de la reine Isabelle, venait de partir glorieux, comblé, et des rêves tout autour de la tête, par l'escalier privé.

La reine n'avait pas sommeil. Plus tard peut-être, la lassitude la prendrait ; pour l'instant, elle demeurait éblouie, stupéfaite, comme si une comète continuait de tournoyer en elle. Elle contemplait, avec une gratitude éperdue, le lit ravagé. Elle savourait sa surprise d'un bonheur jusque-là ignoré. Elle n'avait jamais imaginé qu'on pût avoir à s'écraser la bouche contre une épaule, pour étouffer un cri. Elle se tenait debout près de la fenêtre dont elle avait écarté les volets peints. L'aube se levait, brumeuse et féerique, sur Paris. Etait-ce vraiment la veille au soir qu'Isabelle était arrivée ? Avait-elle existé jusqu'à cette nuit ? Etait-ce bien cette même ville que son enfance avait connue ? Le monde, d'un coup naissait.

La Seine coulait, grise, aux pieds du Palais, et là-bas, sur l'autre berge, se dressait la vieille tour de Nesle. Isabelle se rappela soudain sa belle-sœur Marguerite de Bourgogne. Un grand effroi la saisit : « Qu'ai-je fait alors ? pensa-t-elle. Qu'ai-je fait ?... Si j'avais su ! »

Toutes les femmes amoureuses, de par le monde et depuis le début des âges, lui semblaient ses sœurs, des créatures élues... « J'ai eu le plaisir, qui vaut toutes les couronnes du monde, et je ne regrette rien !... » Ces paroles, ce cri que Marguerite la morte lui avait jeté, après le jugement de Maubuisson, combien de fois Isabelle se l'était répété, sans comprendre ! Et ce matin où il y avait le printemps nouveau, la force d'un homme, la joie de prendre et d'être prise, elle comprenait enfin ! « Aujourd'hui, sûrement, je ne la dénoncerais pas ! » Et de l'acte de justice royale qu'elle avait cru jadis accomplir, elle eut honte et remords, soudain, comme du seul péché qu'elle eût jamais commis.

VI

CETTE BELLE ANNÉE 1325

LE printemps de 1325, pour la reine Isabelle, fut un enchantement. Elle s'émerveillait des matins ensoleillés où scintillaient les toits de la ville ; les oiseaux par milliers bruissaient dans les jardins ; les cloches de toutes les églises, de tous les couvents, de tous les monastères, et jusqu'au gros bourdon de Notre-Dame, semblaient sonner les heures du bonheur. Les nuits embaumaient le lilas, sous un ciel étoilé.

Chaque journée apportait sa brassée de plaisirs : joutes, fêtes, tournois, parties de chasse et de campagne. Un air de prospérité circulait dans la capitale, et un grand appétit de s'amuser. On dépensait profusément pour les liesses publiques, bien que le budget du Trésor eût montré pour la dernière année une perte de treize mille six cents livres dont la cause, chacun s'accordait à le reconnaître, était dans la guerre d'Aquitaine. Mais pour se fournir de ressources on avait frappé les évêques de Rouen, Langres et Lisieux d'amendes s'élevant respectivement à douze, quinze et cinquante mille livres, pour violences exercées contre leurs chapitres ou contre les gens du roi ; la fortune de ces prélats trop autoritaires avait comblé les déficits militaires. Et puis les Lombards avaient été sommés, une fois de plus, de racheter leur droit de bourgeoisie.

Ainsi s'alimentait le luxe de la cour ; et chacun marquait de la hâte aux divertissements, y recueillant ce premier plaisir qui est de se donner en spectacle aux autres. Comme il en allait de la noblesse, il en allait de la bourgeoisie et même du petit peuple, chacun dépensant un peu au-delà de ses moyens pour n'acquérir rien d'autre que l'agrément de vivre. Il est certaines années de cette sorte, où le destin semble sourire : un repos, un répit dans la peine des temps... On vend et on achète ce qu'on nomme superflu, comme s'il était superflu de se parer, de séduire, de conquérir, de se donner des droits à l'amour, de goûter aux choses rares qui sont le fruit de l'ingéniosité humaine, de profiter de tout ce que la Providence ou la nature ont donné à l'homme pour se délecter de son exceptionnelle condition en l'univers !

Certes, l'on se plaignait, mais non vraiment d'être misérable, plutôt de ne pouvoir assouvir tous ses désirs. On se plaignait d'être moins riche que les plus riches, de n'avoir pas autant que ceux qui avaient tout. La saison était exceptionnellement clémente, le négoce miraculeusement prospère. On avait renoncé à la croisade ; on ne parlait point de lever l'ost ni de diminuer le cours de la livre à l'agnel ; on s'occupait en Conseil étroit d'empêcher le dépeuplement des rivières ; et les pêcheurs à la ligne, installés en file sur les deux berges de la Seine, se chauffaient au doux soleil de mai.

Il y avait de l'amour dans l'air, ce printemps-là. Il s'y fit plus de mariages, et de petits bâtards aussi, que depuis bien longtemps. Les filles étaient rieuses et courtisées, les garçons entreprenants et vantards. Les voyageurs n'avaient pas d'yeux assez grands pour découvrir toutes les merveilles de la ville, ni de gorges assez larges pour savourer le vin qu'on versait aux auberges, ni de nuits assez longues pour épuiser tant de plaisirs offerts.

Ah ! comme on se souviendrait de ce printemps ! Assurément, il y avait des maladies, des deuils, des mères qui portaient au cimetière leur nourrisson, des paralytiques, des maris trompés qui s'en prenaient à la légèreté des mœurs, des boutiquiers volés qui accusaient leurs commis de ne pas faire surveillance, des incendies qui laissaient des familles sans foyer, quelques crimes ; mais tout cela n'était imputable qu'au sort, non au roi ou à son Conseil.

En vérité, il fallait tenir à bienfait de vivre en 1325, d'y être jeune ou dans le temps actif de l'existence, ou simplement bien-portant. Et c'était sottise grave que de ne pas l'apprécier assez, que de ne pas remercier Dieu de ce qu'il vous donnait. Comme il aurait mieux savouré son printemps 1325, le peuple de Paris, s'il avait pu deviner la façon dont il allait vieillir ! Un vrai conte de fées auquel auraient peine à croire, quand on

le leur raconterait, les enfants conçus pendant
ces mois exquis, dans des draps parfumés de la-
vande. Treize cent vinq-cinq ! La belle époque !
et comme il faudrait peu de temps pour que cette
année-là devînt « le bon temps ».

Et la reine Isabelle ? La reine Isabelle semblait
résumer dans sa personne tous les prestiges et
toutes les joies. On se retournait à son passage,
non seulement parce qu'elle était souveraine
d'Angleterre, non seulement parce qu'elle était
la fille du grand roi dont on avait oublié à présent les édits financiers, les bûchers et les procès
terribles, pour ne plus se rappeler que les sages
ordonnances, mais aussi parce qu'elle était belle
et qu'elle semblait comblée.

Dans le peuple, on disait qu'elle eût mieux
porté la couronne que son frère Charles le Biau,
bien gentil prince mais bien falot, et l'on se demandait si c'était bonne loi qu'avait faite Philippe le Long en écartant les femmes du trône.
Les Anglais étaient bien sots qui causaient soucis
à si gentille reine !

A trente-trois ans, Isabelle promenait un éclat
avec lequel il n'était jouvencelle, si fraîche fût-
elle, qui pût rivaliser. Les beautés les plus répu-
tées parmi la jeunesse de France paraissaient se
retraire dans l'ombre quand la reine Isabelle
avançait. Et toutes les damoiselles, rêvant de lui
ressembler, prenaient modèle sur elle, copiaient
ses robes, ses gestes, ses nattes relevées, sa façon
de regarder et de sourire.

Une femme amoureuse se distingue à sa démarche et même de dos ; les épaules, les hanches,
le pas d'Isabelle exprimaient le bonheur. Elle
était presque toujours accompagnée de Lord

Mortimer, lequel, depuis l'arrivée de sa reine, avait fait soudain la conquête de la ville. Les gens qui, l'autre année, le jugeaient sombre, orgueilleux, un peu trop fier pour un exilé, qui trouvaient à sa vertu un air de reproche, ces mêmes gens, soudain, avaient découvert en Mortimer un homme de haut caractère, de grande séduction, et bien digne d'être admiré. On avait cessé d'estimer lugubre sa tenue noire seulement rehaussée de quelques agrafes d'argent ; on n'y voyait plus maintenant que l'élégante ostentation d'un homme qui porte le deuil de sa patrie perdue.

S'il n'était pas chargé d'officielles fonctions auprès de la reine, ce qui eût constitué une trop ouverte provocation envers le roi Edouard, Mortimer, en fait, dirigeait les négociations. L'évêque de Norwich subissait son ascendant ; John de Cromwell ne se privait pas de déclarer qu'on avait fait injustice au baron de Wigmore, qu'un roi se montrait peu avisé qui s'aliénait un seigneur de si grand mérite ; le comte de Kent s'était définitivement pris d'amitié pour Mortimer et ne décidait rien sans son conseil.

Il était su et admis que Lord Mortimer restait après souper chez la reine qui requérait, disait-elle, « son conseil ». Et chaque nuit, sortant de l'appartement d'Isabelle, Mortimer secouait par l'épaule Ogle, l'ancien barbier de la tour de Londres promu à la fonction de valet de chambre, qui l'attendait en somnolant sur un coffre. Ils enjambaient les serviteurs endormis sur le dallage des couloirs, et qui ne soulevaient même plus de dessus leur visage le pan de leur manteau, habitués qu'ils étaient à ces pas familiers.

Aspirant d'un poumon conquérant l'air frais de l'aube, Mortimer rentrait en son logis de Saint-Germain-des-Prés, accueilli par le blond, rose et attentif Alspaye, qu'il croyait... naïfs amants !... seul confident de sa royale liaison.

La reine, à présent la chose était sûre, ne rentrerait en Angleterre que lorsque lui-même y pourrait rentrer. Le lien entre eux juré, de jour en jour, de nuit en nuit, se faisait plus étroit, plus solide ; et la petite trace blanche sur la poitrine d'Isabelle, où il posait les lèvres, comme rituellement, avant de la quitter, demeurait la trace visible de l'échange de leurs volontés.

Une femme peut être reine, son amant est toujours son maître. Isabelle d'Angleterre, capable de faire front, seule, aux discordes conjugales, aux trahisons d'un roi, à la haine d'une cour, frémissait longuement quand Mortimer posait la main sur son épaule, sentait son cœur fondre lorsqu'il s'éloignait de sa chambre, et portait cierges aux églises pour remercier Dieu de lui avoir donné un si merveilleux péché. Mortimer absent, fût-ce pour une heure, elle l'installait en pensée devant elle, sur le plus beau siège, et lui parlait tout bas. Chaque matin, à son réveil, avant d'appeler ses femmes, elle se glissait dans le lit vers la place que son amant avait abandonnée quelques moments auparavant. Une matrone lui avait enseigné certains secrets bien utiles aux dames qui cherchent plaisir hors mariage. Et l'on chuchotait dans les cercles de la cour, mais sans y voir offense car cela semblait une juste réparation du sort, que la reine Isabelle était aux amours, comme on eût dit qu'elle était aux champs, ou mieux encore, aux anges !

Les préliminaires du traité, qu'on avait fait traîner en longueur, furent pratiquement signés le 31 mai entre Isabelle et son frère, avec l'agrément réticent d'Edouard qui récupérait son domaine aquitain, mais amputé de l'Agenais et du Bazadais, c'est-à-dire des régions que l'armée française avait occupées l'année précédente, et moyennant, en outre, un versement de soixante mille livres... Valois, là-dessus, s'était montré inflexible. Il n'avait pas fallu moins que la médiation du pape pour parvenir à un accord toujours soumis à l'expresse condition qu'Edouard viendrait rendre l'hommage, ce qu'il répugnait visiblement à faire, non plus maintenant pour de seuls motifs de prestige, mais pour des raisons de sécurité. On convint alors d'un subterfuge qui semblait satisfaire tout le monde. Date serait prise pour ce fameux hommage ; puis Edouard, en dernière minute, feindrait d'être malade, ce qui serait d'ailleurs à peine un mensonge — car à présent, lorsqu'il était question qu'il mît le pied en France, des malaises anxieux l'étouffaient, il pâlissait, sentait fuir les battements de son cœur et devait s'allonger haletant, pour une heure. Il remettrait alors à son fils aîné, le jeune Edouard, les titres et les possessions de duc d'Aquitaine, et l'enverrait à sa place prêter serment.

Chacun en cette combinaison se jugeait gagnant. Edouard échappait à l'obligation d'un voyage redouté. Les Despenser évitaient le risque de perdre emprise sur le roi. Isabelle allait retrouver son fils préféré dont elle souffrait d'être séparée. Mortimer voyait tout le renfort qu'apporterait à ses desseins futurs la présence du prince héritier dans le parti de la reine.

Ce parti ne cessait de s'accroître, et en France même. Le roi Edouard s'étonnait de ce que plusieurs de ses barons, en cette fin de printemps, aient eu nécessité d'aller visiter leurs possessions françaises et il s'inquiétait plus encore de ce qu'aucun ne revînt. D'autre part, les Despenser n'étaient pas sans entretenir à Paris quelques espions qui renseignaient Edouard sur l'attitude du comte de Kent, sur la présence de Maltravers auprès de Mortimer, sur toute cette opposition qui gravitait à la cour de France autour de la reine. Officiellement, la correspondance entre les deux époux demeurait courtoise, et Isabelle, dans les longues missives par lesquelles elle expliquait la lenteur des négociations, appelait Edouard « doux cœur ». Mais Edouard avait donné l'ordre aux amiraux et shérifs des ports d'intercepter tous courriers, quels qu'ils fussent, porteurs de lettres envoyées à quiconque par la reine, l'évêque de Norwich ou toute personne de leur entourage. Ces messagers devaient être amenés au roi sous une escorte sûre. Mais pouvait-on arrêter tous les Lombards qui circulaient avec des lettres de change ?

A Paris, Roger Mortimer, un jour qu'il passait dans le quartier du Temple, accompagné seulement de Alspaye et Ogle, fut frôlé par un bloc de pierre tombé d'un édifice en construction. Il dut de n'être pas écrasé au bruit que fit le bloc en heurtant un ais de l'échafaudage. Il ne vit là qu'un banal incident de rue ; mais trois jours plus tard, comme il sortait de chez Robert d'Artois, une échelle s'abattit devant son cheval. Mortimer alla s'en entretenir avec Tolomei qui con-

naissait son Paris secret mieux que personne. Le
Siennois fit venir l'un des chefs des compagnons
maçons du Temple qui avaient gardé leurs fran-
chises en dépit de la dispersion des chevaliers de
l'Ordre. Et les attentats contre Mortimer cessè-
rent. Du haut des échafaudages on adressait
même de grands saluts, bonnets ôtés, au seigneur
anglais vêtu de noir, dès qu'on l'apercevait. Toutefois Mortimer prit l'habitude d'être plus fortement escorté, et de faire éprouver son vin avec
une corne de narval, précaution contre le poison.
Les truands qui vivaient accrochés à la bourse
de Robert d'Artois furent priés d'ouvrir les yeux
et les oreilles. Les menaces qui environnaient
Mortimer ne firent que rendre plus intense
l'amour que la reine Isabelle lui portait.

Et puis brusquement, au début du mois d'août,
un peu avant le temps prévu pour l'hommage
anglais, Mgr de Valois, si fortement installé au
pouvoir qu'on l'appelait communément « le second roi », s'écroula brusquement, à cinquante-
cinq ans.

Depuis plusieurs semaines, il était fort coléreux
et s'irritait de tout ; particulièrement une grande
rage l'avait saisi au reçu d'une proposition faite
par le roi Edouard de marier leurs plus jeunes
enfants, Louis de Valois et Jeanne d'Angleterre,
qui avoisinaient leurs sept ans. Edouard compre-
nait-il enfin la bévue qu'il avait commise deux
ans plus tôt en rompant les négociations sur le
mariage de son fils aîné, et pensait-il de la sorte
ramener Valois dans son jeu ? Mgr Charles, par
une réaction singulière, prit cette offre pour une
seconde insulte et se mit en telle fureur qu'il
brisa tous les objets de sa table. En même temps,

il montrait une grande fébrilité dans ses travaux de gouvernement, s'impatientait des lenteurs du Parlement à rendre les arrêts, disputait avec Miles de Noyers des calculs fournis par la Chambre des Comptes ; ensuite il se plaignait de la fatigue que toutes ces tâches lui causaient.

Un matin qu'il était en Conseil et qu'il allait parapher un acte, il laissa choir la plume d'oie qu'on lui tendait et qui balafra d'encre bleue la cotte bleue dont il était vêtu. Sa main pendait auprès de sa jambe, et ses doigts étaient devenus de pierre. Il fut surpris du silence qui se faisait autour de lui, et ne se rendit pas compte qu'il tombait de son siège.

On le releva, les yeux bloqués vers la gauche, dans le haut des orbites, la bouche tordue du même côté, et la conscience partie. Il avait la face fort rouge, presque violette, et l'on s'empressa de querir un physicien pour le saigner. Comme l'avait été, onze ans plus tôt, son frère Philippe le Bel, il venait d'être frappé à la tête, dans les rouages mystérieux du vouloir. On crut qu'il passait et, à son hôtel où on le transporta, l'énorme maisonnée prit l'affairement éploré du deuil.

Pourtant, après quelques jours, où il parut présent à la vie plutôt par le souffle que par la pensée, il reprit à demi apparence d'exister. La parole lui était revenue, mais hésitante, mal articulée, butant sur certains mots, sans plus rien de cette redondance et de cette autorité qui la marquaient auparavant ; la jambe droite n'obéissait pas, ni la main qui avait lâché la plume d'oie.

Immobile dans un siège, accablé de chaleur

sous les couvertures dont on croyait bon de
l'étouffer, l'ex-roi d'Aragon, l'ex-empereur de
Constantinople, le comte de Romagne, le pair
français perpétuellement candidat à l'Empire
d'Allemagne, le dominateur de Florence, le vainqueur d'Aquitaine, le rassembleur de croisés, mesurait soudain que tous les honneurs qu'un
homme peut recueillir ne sont plus rien lorsque
s'installe le déshonneur du corps. Lui qui n'avait
eu, et depuis son enfance, que l'anxiété de conquérir les biens de la terre, se découvrit soudain
d'autres angoisses. Il exigea d'être conduit en
son château du Perray, près de Rambouillet, où
il n'allait guère et qui brusquement lui devint
cher, par un de ces bizarres attraits qui viennent aux malades pour des lieux où ils s'imagi-
nent pouvoir recouvrer la santé.

L'identité de son mal avec celui qui avait
abattu son frère aîné obsédait son cerveau dont
l'énergie était diminuée mais non point la clarté.
Il cherchait dans ses actes passés la cause de ce
châtiment que le Tout-Puissant lui infligeait. Affaibli, il devenait pieux. Il pensait au Jugement.
Mais les orgueilleux se font facilement la conscience pure ; Valois ne découvrait presque rien
qu'il eût à se reprocher. En toutes ses campagnes, en tous les pillages et massacres qu'il avait
ordonnés, en toutes les extorsions qu'il avait fait
subir aux provinces conquises et délivrées par lui,
il estimait avoir toujours bien usé de ses pouvoirs de chef et de prince. Un seul souvenir lui
était objet de remords, une seule action lui semblait l'origine de son actuelle expiation, un seul
nom s'arrêtait à ses lèvres lorsqu'il faisait l'examen de sa carrière : Marigny. Car il n'avait en

vérité jamais haï personne, sauf Marigny. Pour
tous les autres qu'il avait malmenés, châtiés,
tourmentés, expédiés à la mort, il n'avait jamais
agi que convaincu d'un bien général qu'il confon-
dait avec ses propres ambitions. Mais dans sa
lutte contre Marigny, il avait apporté tout le bas
acharnement qu'on peut mettre à une querelle
privée. Il avait menti sciemment en accusant Marigny, il avait porté faux témoignage contre lui,
et suscité de fausses dépositions ; il n'avait reculé devant aucune bassesse pour envoyer l'ancien coadjuteur et recteur général du royaume,
plus jeune alors qu'il ne se trouvait à présent
lui-même, se balancer à Montfaucon. Rien ne
l'avait guidé en cela que le besoin de vengeance,
et la rancœur d'avoir vu, jour après jour, un
autre disposer en France de plus de puissance
que lui.

Et voilà que maintenant, assis dans la cour de
son manoir du Perray, observant les oiseaux passer, regardant les écuyers sortir les beaux chevaux qu'il ne monterait plus, Valois s'était mis...
le mot le surprenait lui-même, mais il n'y en
avait pas d'autre !... il s'était mis à *aimer* Marigny,
à aimer sa mémoire. Il aurait voulu que son ennemi fût encore vivant afin de pouvoir se réconcilier avec lui et lui parler de toutes choses qu'ils
avaient connues, vécues ensemble et sur lesquelles ils s'étaient tant opposés. Son frère aîné Philippe le Bel, son frère Louis d'Evreux, ses deux
premières épouses même, tous ces disparus lui
manquaient moins que son ancien rival ; et aux
moments où il ne se croyait pas observé, on le
surprenait à marmonner quelques phrases d'une
conversation tenue avec un mort.

Chaque jour, il envoyait un de ses chambellans, muni d'un sac de monnaie, faire aumône aux pauvres d'un quartier de Paris, paroisse après paroisse ; et les chambellans étaient chargés de dire, en déposant les pièces dans les mains crasseuses : « Priez, bonnes gens, priez Dieu pour Mgr Enguerrand de Marigny et pour Mgr Charles de Valois. » Il lui semblait qu'il s'attirerait la clémence du Ciel si dans une même prière on l'unissait à sa victime. Et le peuple de Paris s'étonnait de ce que le puissant et magnifique seigneur de Valois demandât d'être nommé auprès de celui qu'il proclamait jadis coupable de tous les malheurs du royaume, et qu'il avait fait pendre aux chaînes du gibet.

Le pouvoir, au Conseil, était passé à Robert d'Artois qui, par la maladie de son beau-père, se trouvait soudain promu au premier rang. Le géant parcourait fréquemment, les étriers chaussés à fond, la route du Perray, pour aller demander un avis au malade. Car chacun s'apercevait, et d'Artois tout le premier, du vide qui s'ouvrait brusquement à la direction des affaires de la France. Certes, Mgr de Valois était connu pour un prince assez brouillon, tranchant de tout sans souvent réfléchir assez, et gouvernant d'humeur plutôt que de sagesse ; mais d'avoir vécu de cour en cour, de Paris en Espagne et d'Espagne à Naples, d'avoir soutenu les intérêts du Saint-Père en Toscane, d'avoir participé à toutes les campagnes de Flandre, d'avoir intrigué pour l'Empire et d'avoir siégé pendant plus de trente années au Conseil de quatre rois de France, lui était venue l'habitude de replacer chaque souci du royaume dans l'ensemble des affaires de l'Europe. Cela s'opérait en son esprit presque de soi-même.

Robert d'Artois, féru de coutumes · et grand procédurier, n'avait point d'aussi vastes vues. Aussi l'on disait du comte de Valois qu'il était le « dernier », sans bien pouvoir vraiment préciser ce que l'on entendait par là, sinon qu'il était le dernier représentant d'une grande manière d'administrer le monde, et qui allait sans doute disparaître avec lui.

Le roi Charles le Bel, indifférent, se promenait d'Orléans à Saint-Maixent et Châteauneuf-sur-Loire, attendant toujours que sa troisième épouse lui donnât la bonne nouvelle d'être enceinte.

La reine Isabelle était devenue, pour ainsi dire, maîtresse du Palais de Paris, et c'était une seconde cour anglaise qui se tenait là.

La date de l'hommage avait été fixée au 30 août. Edouard attendit donc la dernière semaine du mois pour se mettre en voyage, puis pour feindre de tomber souffrant en l'abbaye de Sandown, près de Douvres. L'évêque de Winchester fut envoyé à Paris pour certifier sous serment, s'il en était besoin, mais ce qu'on ne lui demanda pas, la validité de l'excuse, et proposer la substitution du fils au père, étant bien entendu que le prince Edouard, fait duc d'Aquitaine et comte de Ponthieu, apporterait les soixante mille livres promises.

Le 16 septembre, le jeune prince arriva, mais accompagné de l'évêque d'Oxford et surtout de Walter Stapledon, évêque d'Exeter et Lord trésorier. En choisissant celui-ci, qui était l'un des plus actifs, des plus âpres partisans du parti Despenser, l'homme aussi le plus habile, le plus rusé de son entourage et l'un des plus détestés, le roi Edouard marquait bien sa volonté de ne pas changer de politique. L'évêque d'Exeter n'était pas chargé seulement d'une mission d'escorte.

Le jour même de cette arrivée, et presque au moment où la reine Isabelle serrait dans ses bras son fils retrouvé, on apprit que Mgr de Valois avait fait une rechute de son mal et qu'il fallait s'attendre à ce que Dieu lui reprît l'âme d'une heure à l'autre. Aussitôt la famille entière, les grands dignitaires, les barons qui se trouvaient à Paris, les envoyés anglais, tout le monde se précipita au Perray, sauf l'indifférent Charles le Bel qui surveillait à Vincennes quelques aménagements intérieurs commandés à son architecte Painfetiz.

Et le peuple de France continuait à vivre sa belle année 1325.

VII

« CHAQUE PRINCE QUI MEURT... »

A ceux qui ne l'avaient pas vu durant les dernières semaines, combien Mgr de Valois apparaissait changé ! D'abord, on avait l'habitude qu'il
fût toujours coiffé, soit d'une grande couronne
scintillante de pierreries, les jours d'apparat, soit
d'un chaperon de velours brodé dont l'immense
crête dentelée lui retombait sur l'épaule, ou encore d'un de ces bonnets à cercle d'or qu'il portait en appartement. Pour la première fois, il se
montrait en cheveux, des cheveux blonds mélan-
gés de blanc, auxquels l'âge avait donné une couleur délavée, dont la maladie avait défrisé les
rouleaux, et qui pendaient sans vie, le long des
joues et sur les coussins. L'amaigrissement, chez
cet homme naguère gras et sanguin, était impressionnant, mais moins toutefois que l'immobilité
contractée d'une moitié du visage, que la bouche

un peu tordue dont un serviteur essuyait régulièrement la salive, moins impressionnant que la
fixité éteinte du regard. Les draps brochés d'or,
les courtines bleues semées de fleurs de lis qui,
drapées comme un dais, surmontaient le chevet,
ne faisaient qu'accuser la déchéance physique du
moribond.

Et lui-même, avant de recevoir tout ce monde
qui se pressait dans sa chambre, avait demandé
un miroir, et il avait un moment étudié ce visage
qui impressionnait si fort, deux mois plus tôt,
les peuples et les rois. Que lui importait à présent le prestige, la puissance ? Où étaient donc
les ambitions qu'il avait si longtemps poursui-
vies ? Que signifiait cette satisfaction, si vivace
naguère, de marcher toujours le front levé entre
des fronts baissés, depuis que sous ce front s'était
produit ce grand éclatement, ce grand bascule-
ment de tout ? Et cette main sur laquelle serviteurs, écuyers et vassaux se jetaient pour en baiser le dos et la paume, qu'était donc cette main
morte le long de lui-même ? Et l'autre main, qu'il
commandait encore, dont il se servirait tout à
l'heure une dernière fois pour signer le testament qu'il allait dicter... si une main gauche
voulait bien se prêter à tracer les signes de l'écriture !... cette main lui appartenait-elle davantage
que le cachet gravé dont il scellait ses ordres et
qu'on ferait glisser de son doigt après qu'il serait
mort ? Rien lui avait-il jamais appartenu ?

La jambe droite, totalement inerte, semblait
lui avoir été déjà reprise. Dans sa poitrine, par
moments, se produisait comme un vide de gouf-
fre.

L'homme est une unité pensante qui agit sur

les autres hommes et transforme le monde. Et puis, soudain, l'unité se désagrège, se délie et qu'est-ce alors que le monde, et que sont les autres ? L'important en cette heure, pour Mgr de Valois, ce n'étaient plus les titres, les possessions, les couronnes, les royaumes, les décisions du pouvoir, la primauté de sa personne parmi les vivants. Les emblèmes de son lignage, les acquisitions de sa fortune, même les descendants de son sang qu'il voyait autour de lui assemblés, tout cela pour lui avait perdu valeur essentielle. L'important, c'était l'air de septembre, les feuillages encore verts avec déjà quelques roussissures et qu'il apercevait par les fenêtres ouvertes, mais l'air surtout, l'air qu'il aspirait avec difficulté et qui allait s'engloutir dans cet abîme qu'il portait au fond de la poitrine. Tant qu'il sentirait l'air pénétrer dans sa gorge, le monde continuerait d'exister avec lui en son centre, mais un centre fragile, pareil à la fin de la flamme d'un cierge. Ensuite, tout cesserait d'être, ou plutôt tout continuerait, mais dans l'ombre totale et l'effrayant silence, comme une cathédrale existe quand le dernier cierge s'y est éteint.

Valois se rappelait les grands trépas de sa famille. Il réentendait les paroles de son frère Philippe le Bel : « Regardez ce que vaut le monde. Voici le roi de France ! » Il se souvenait des mots de son neveu Philippe le Long : « Voyez votre souverain seigneur ; il n'est nul d'entre vous, le plus pauvre fût-il, avec qui je ne voudrais échanger mon sort ! » Il avait entendu ces phrases-là sans les comprendre ; voilà donc ce qu'avaient éprouvé les princes ses parents au moment de passer dans la tombe ! Il n'existait pas d'autres mots pour le dire, et ceux qui avaient encore du temps à vivre étaient impuissants à le saisir. Chaque homme qui meurt est le plus pauvre homme de l'univers.

Et quand tout serait éteint, dissous, délié, quand la cathédrale se serait emplie d'ombre, qu'allait-il découvrir ce très pauvre homme, de l'autre côté ? Trouverait-il ce que lui avaient appris les enseignements de la religion ? Mais qu'étaient-ils ces enseignements, sinon d'immenses, d'angoissantes incertitudes ? Serait-il traduit devant un tribunal ; quel était le visage du juge ? Et tous les gestes de la vie, en quelle balance seraient-ils pesés ? Quelle peine peut être infligée à ce qui n'est plus ? Le châtiment... Quel châtiment ? Le châtiment consistait peut-être à conserver la conscience claire au moment de franchir le mur d'ombre.

Enguerrand de Marigny avait eu lui aussi — Charles de Valois ne pouvait se distraire d'y penser — la conscience claire, la conscience encore plus claire d'un homme en pleine santé, en pleine force, arraché à la vie non point par la rupture de quelque rouage secret de l'être, mais par le vouloir d'autrui. Non pas la dernière lueur du cierge, mais toutes les flammes soufflées d'un coup.

Les maréchaux, les dignitaires, les grands officiers qui avaient accompagné Marigny jusqu'au gibet, les mêmes ou leurs successeurs dans les mêmes charges, étaient là, en ce moment, autour de lui, emplissant toute la chambre, débordant dans la pièce voisine au-delà de la porte, et avec les mêmes regards d'hommes conduisant un des leurs à la dernière pulsation de son cœur, étrangers à la fin qu'ils guettent, et tout entiers dans un avenir dont le condamné est éliminé.

Ah ! Comme on donnerait toutes les couronnes de Byzance, tous les trônes d'Allemagne, tous les sceptres et tout l'or des rançons, pour un regard, un seul, où l'on ne se sente pas *éliminé !* Du chagrin, de la compassion, du regret, de l'effroi, et les émotions du souvenir : on rencontrait tout cela dans le cercle d'yeux de toutes couleurs qui entouraient un lit de prince mourant. Mais chacun de ces ressentiments n'était qu'une preuve de l'élimination.

Valois observait son fils aîné, Philippe, ce gaillard à grand nez, debout auprès de lui sous le dais, et qui serait, qui allait être, demain, ou un jour tout proche, ou dans une minute peut-être, le seul, le vrai comte de Valois, le Valois vivant ; il était triste comme il convenait de l'être, le grand Philippe, et pressait la main de sa femme, Jeanne de Bourgogne la Boiteuse ; mais soucieux aussi de son attitude, à cause de cet avenir devant lui, il semblait dire aux assistants : « Voyez, c'est mon père qui meurt ! » Dans ces yeux-là aussi Valois était déjà effacé.

Et les autres fils... Charles d'Alençon qui, lui, évitait de croiser le regard du moribond, se détournant lentement lorsqu'il le rencontrait ; et le petit Louis, qui avait peur, qui paraissait malade de peur parce que c'était la première agonie à laquelle il assistait... Et les filles... Plusieurs d'entre elles étaient présentes : la comtesse de Hainaut, qui faisait un signe, de temps à autre, au serviteur chargé d'essuyer la bouche, et sa cadette, la comtesse de Blois, et plus loin la comtesse de Beaumont auprès de son géant époux

Robert d'Artois, tous deux faisant groupe avec la
reine Isabelle d'Angleterre et le petit duc d'Aquitaine, ce garçonnet à longs cils, sage comme on
l'est à l'église, et qui ne garderait de son grand-
oncle Charles que ce seul souvenir.

Il semblait à Valois que l'on complotait de ce
côté-là ; on y préparait un avenir également dont
il était éliminé.

S'il inclinait la tête vers l'autre bord du lit, il
rencontrait, droite, compétente, mais déjà veuve,
Mahaut de Châtillon-Saint-Pol, sa troisième épouse. Gaucher de Châtillon, le vieux connétable,
avec sa tête de tortue et ses soixante-dix-sept ans,
était en train de remporter encore une victoire ;
il regardait un homme plus jeune de vingt ans
s'en aller avant lui.

Etienne de Mornay et Jean de Cherchemont,
tous deux anciens chanceliers de Charles de Valois avant d'être devenus tour à tour chanceliers
de France, Miles de Noyers, légiste et maître de
la Chambre des Comptes, Robert Bertrand le
chevalier au Vert Lion, nouveau maréchal, le
frère Thomas de Bourges, confesseur, Jean de
Torpo, physicien, étaient tous là pour l'aider, chacun au titre de sa fonction. Mais qui donc aide
un homme à mourir ? Hugues de Bouville essuyait une larme. Sur quoi pleurait-il, le gros
Bouville, sinon sur sa jeunesse enfuie, sa vieillesse prochaine, et sa propre vie écoulée ?

Certes, un prince qui meurt est plus pauvre
homme que le plus pauvre serf de son royaume.
Car le pauvre serf n'a pas à mourir en public ;
sa femme et ses enfants peuvent le leurrer sur
l'imminence de son départ ; on ne l'entoure pas
d'un apparat qui lui signifie sa disparition ; on

n'exige pas de lui qu'il dresse, *in extremis*, constat de sa propre fin. Or, c'était bien cela qu'ils réclamaient, tous ces hauts personnages assemblés. Un testament, qu'est-ce d'autre que l'aveu qu'on fait soi-même de son décès ? Une pièce destinée à l'avenir des autres... Son notaire particulier attendait, l'encrier fixé au bord de la planche à écrire, le vélin et la plume prêts. Allons ! il fallait commencer... ou plutôt achever. Le plus pénible n'était pas tant l'effort d'esprit que l'effort de renoncement... Un testament, cela débutait comme une prière...

« Au nom du Père, du Fils et du Saint-Esprit... »

Charles de Valois avait parlé. Et l'on crut qu'il priait.

« Ecrivez donc, l'ami, dit-il au secrétaire. Vous entendez bien que je dicte !... Je, Charles... »

Il s'arrêta, parce que c'était une sensation bien douloureuse, bien effrayante que d'écouter sa propre voix prononcer son propre nom pour la dernière fois... Le nom, n'est-ce pas le symbole même de l'existence de l'être et de son unité ? Valois eut envie vraiment d'en finir là, parce que rien d'autre ne l'intéressait plus. Mais il y avait tous ces regards. Une ultime fois, il fallait agir, et pour les autres, dont il se sentait déjà si profondément séparé.

« Je, Charles, fils du roi de France, comte de Valois, d'Alençon, de Chartres et d'Anjou, fais savoir à tous que je, sain d'esprit bien que malade de corps... »

Si l'élocution était partiellement gênée, si la langue accrochait sur certains mots, parfois les plus simples, la mécanique cérébrale continuait en apparence de fonctionner normalement. Mais cette dictée s'effectuait dans une sorte de dédoublement et comme s'il avait été son propre auditeur. Il lui semblait se tenir au milieu d'un fleuve embrumé ; sa voix s'adressait à la rive dont il se détachait ; il tremblait de ce qui adviendrait lorsqu'il toucherait l'autre berge.

« ... et demandant à Dieu merci, redoutant qu'Il ne m'étonnât d'épouvante quant au jugement de l'âme, j'ordonne ici de moi et de mes biens, et fais mon testament et ma dernière volonté de la manière ci-après écrite. Premièrement je remets mon âme à Notre Seigneur Jésus-Christ et à sa miséricordieuse Mère et à tous les Saints... »

Sur un signe de la comtesse de Hainaut, un serviteur essuya la salive qui coulait par un coin de la bouche. Toutes les conversations particulières s'étaient arrêtées et l'on évitait même les froissements d'étoffe. Les assistants paraissaient stupéfaits qu'en ce corps immobilisé, réduit, déformé par la maladie, la pensée eût gardé tant de précision et même de recherche dans la formulation.

Gaucher de Châtillon murmura à l'adresse de ses voisins :

« Ce n'est pas aujourd'hui qu'il va passer. »

Jean de Torpo, l'un des médecins, eut une moue négative. Pour lui, Mgr Charles n'atteindrait pas la nouvelle aurore. Mais Gaucher reprit :

« J'en ai vu, j'en ai vu... Je vous dis qu'il reste de la vie dans ce corps-là... »

La comtesse de Hainaut, le doigt sur la bouche, pria le connétable de se taire ; Gaucher était sourd et n'appréciait pas la force de son chuchotement.

Valois poursuivait sa dictée :

« Je veux la sépulture de mon corps en l'église

des Frères Mineurs de Paris, entre les sépultures de mes deux premières épouses compagnes... »

Son regard chercha le visage de sa troisième épouse, la vivante, bientôt comtesse douairière. Trois femmes, et toute une vie était passée... C'était Catherine, la seconde, qu'il avait le plus aimée... à cause, peut-être, de sa couronne féerique de Constantinople. Une beauté, Catherine de Courtenay, bien digne de porter un titre de légende ! Valois s'étonnait qu'en sa malheureuse chair, à moitié inerte et au bord de s'anéantir, demeurât vaguement, diffusément, comme un frémissement des anciens désirs qui transmettent la vie. Il reposerait donc à côté de Catherine, à côté de l'impératrice titulaire de Byzance ; et de l'autre côté, il aurait sa première épouse Marguerite, la fille du roi de Naples, toutes deux en poudre depuis si longtemps. Quelle étrangeté que le souvenir d'un désir pût persister quand le corps qui en était l'objet n'existe plus ! Est-ce que la résurrection... Mais il y avait la troisième épouse, celle qui le regardait, et qui avait été bonne compagne aussi. Il fallait lui laisser quelque fragment charnel.

« Item, je veux mon cœur en ladite ville et au lieu où ma compagne Mahaut de Saint-Pol élira sa sépulture ; et mes entrailles en l'abbaye de Chaâlis, le droit au partage de ma chair m'ayant été octroyé par bulle de Notre Très Saint-Père le pape... »

Il hésita, cherchant la date qui lui échappait et ajouta :

« ... précédemment [28]. »

Quelle fierté n'avait-il pas retirée de cette autorisation, donnée seulement aux rois, de pouvoir distribuer son cadavre comme on divise les saints en reliques ! Il lui serait fait traitement de roi jusque dans le tombeau. Mais maintenant il pensait à la grande résurrection, seul espoir laissé à ceux parvenus sur l'extrême bord de l'ultime marche. Si les enseignements de la religion étaient vrais, comment se passerait pour lui cette résurrection ? Les entrailles à Chaâlis, le cœur au lieu que Mahaut de Saint-Pol choisirait, et le corps en l'église de Paris... Etait-ce avec une poitrine vide, un ventre bourré de paille et recousu de chanvre, qu'il se dresserait entre Catherine et Marguerite ? Oh ! difficile espérance puisque inconcevable à l'esprit humain ! Y aurait-il cette presse de corps et de regards, comme celle qui se tenait en ce moment autour de son lit ? Quelle grande confusion attendre, si se dressaient ensemble tous les ancêtres et tous les descendants, et les meurtriers face à leurs victimes, et toutes les maîtresses, et toutes les trahisons... Est-ce que Marigny surgirait devant lui ?

« ... Item, je laisse à l'abbaye de Chaâlis soixante livres tournois pour faire mon anniversaire... »

Le linge à nouveau essuya son menton. Près d'un quart d'heure durant, il cita toutes les églises, abbayes, fondations pieuses situées dans ses fiefs, et auxquelles il laissait, à l'une cent livres, à l'autre cinquante, ici cent vingt, ici une fleur de lis pour embellir une châsse. Enumération monotone sauf pour le mourant à qui chaque nom prononcé représentait un clocher, une ville, un bourg dont il était pour quelques heures ou jours encore le seigneur. Couleurs d'un rempart, silhouette d'une flèche ajourée, sonorité des pavés ronds d'une rue montante, parfums d'une aire de marché, toutes choses une dernière fois, par la parole, possédées... Les pensées des assistants s'échappaient, comme à la messe quand le service est trop long. Seule Jeanne la Boiteuse, qui souffrait de rester si longtemps sur ses jambes inégales, écoutait avec attention. Elle additionnait, elle calculait. A chaque chiffre elle levait vers son mari, Philippe de Valois, un visage nullement disgracieux, mais qu'enlaidissaient les mauvaises pensées de l'avarice. Tous ces legs amputaient l'héritage.

Dans l'embrasure d'une fenêtre, Isabelle chuchotait avec Robert d'Artois ; mais l'inquiétude qui se lisait sur les traits de la reine n'était pas inspirée par la funèbre circonstance.

« Méfiez-vous de Stapledon, Robert, murmurait-elle. Cet évêque est la pire créature du diable, et Edouard ne l'a envoyé que pour causer nuisance, à moi ou à ceux qui me soutiennent. Il n'avait rien à faire ici, ce jourd'hui, et pourtant il s'est imposé, parce qu'il a reçu mission, dit-il, d'escorter partout mon fils. Il m'épie... La dernière lettre qui m'est parvenue avait été ouverte et le cachet recollé. »

On entendait la voix de Charles de Valois :

« Item, je lègue à ma compagne, la comtesse, mon rubis que ma fille de Blois me donna. Item, je lui laisse la nappe brodée qui fut à la reine Marie ma mère... »

Tous les yeux indifférents ou distraits durant l'énoncé des donations pieuses se remirent à briller parce qu'il était question des bijoux. La comtesse de Blois arquait les sourcils et marquait quelque désappointement. Son père aurait bien pu lui faire retour de ce rubis qu'elle lui avait offert.

« Item, le reliquaire que j'ai de saint Edouard... »

En entendant le nom d'Edouard, le jeune prince d'Angleterre releva ses longs cils. Mais non, le reliquaire aussi allait à Mahaut de Châtillon.

« Item, je laisse à Philippe, mon fils aîné, un rubis et toutes mes armes et harnois, excepté un haubert d'armure qui est du travail d'Acre, et l'épée avec laquelle le seigneur d'Harcourt combattit, que je laisse à Charles, mon fils second. Item, à ma fille de Bourgogne, femme de Philippe mon fils, la plus belle de toutes mes émeraudes. »

Les joues de la Boiteuse rosirent un peu, et elle remercia d'une inclination de tête qui parut une indécence. On pouvait être assuré qu'elle exigerait l'examen des émeraudes par un expert, pour reconnaître la plus belle !

« Item, à Charles mon fils second, tous mes chevaux et palefrois, mon calice d'or, un bassin d'argent et un missel. »

Charles d'Alençon se mit à pleurer, bêtement, comme s'il ne prenait conscience de l'agonie de son père, et de la peine qu'elle lui causait, qu'au moment où le moribond le citait.

« Item, je laisse à Louis, mon fils troisième, toute ma vaisselle d'argent... »

L'enfant se tenait collé à la jupe de Mahaut de Châtillon ; celle-ci lui caressa le front d'un geste tendre.

« Item, je veux et ordonne que tout ce qui demeurera de ma chapelle soit vendu pour faire prier pour l'âme de moi... Item, que tous les effets de ma garde-robe soient distribués aux valets de ma chambre... »

Un remous discret se fit près des fenêtres

ouvertes, et les têtes se penchèrent. Trois litières venaient d'entrer dans la cour du manoir, au sol couvert de paille pour étouffer le pas des chevaux. D'une grande litière ornée de sculptures dorées et de rideaux brodés des châteaux d'Artois, la comtesse Mahaut, pesante, monumentale, les cheveux tout gris sous son voile, descendait ainsi que sa fille, la reine douairière Jeanne, veuve de Philippe le Long. La comtesse était encore accompagnée de son chancelier, le chanoine Thierry d'Hirson, et de sa dame de parage, Béatrice, nièce de ce dernier. Mahaut arrivait de son château de Conflans près de Vincennes, d'où elle ne sortait guère en ces temps pour elle hostiles.

La seconde litière, toute blanche, transportait la reine douairière Clémence, veuve de Louis Hutin.

De la troisième litière, modeste, aux simples rideaux de cuir noir, sortait avec quelque peine, et aidé seulement de deux valets, messer Spinello Tolomei, capitaine général des Lombards de Paris.

Ainsi s'avançaient dans les couloirs du manoir deux anciennes reines de France, deux jeunes femmes du même âge, trente-deux ans, qui s'étaient succédé au trône, toutes deux vêtues de blanc, entièrement, selon l'usage établi pour les reines veuves, toutes deux blondes et belles, surtout la reine Clémence, et paraissant un peu comme deux sœurs jumelles. Derrière elles, les dominant des épaules, marchait la redoutable comtesse Mahaut dont chacun savait, mais sans avoir eu le courage d'en porter témoignage, qu'elle avait tué le mari de l'une pour que l'autre régnât. Et puis enfin, traînant la jambe, poussant le ventre, les cheveux blancs épars sur son col et les griffes

du temps plantées dans les joues, le vieux Tolomei qui avait été, de près ou de loin, mêlé à toutes les intrigues. Parce que l'âge ennoblit tout,
et parce que l'argent est la vraie puissance du
monde, parce que Mgr de Valois, sans Tolomei,
n'aurait pu épouser autrefois l'impératrice de
Constantinople, parce que, sans Tolomei, la cour
de France n'aurait pu envoyer Bouville chercher
la reine Clémence à Naples, ni Robert d'Artois
soutenir ses procès et épouser la fille du comte
de Valois, parce que sans Tolomei la reine d'Angleterre n'aurait pu se trouver ici avec son fils,
on accorda au vieux Lombard qui avait tant vu,
tant prêté, et s'était beaucoup tu, les égards qui
ne vont qu'aux princes.

On se tassait contre les murs, on s'effaçait pour
libérer la porte. Bouville se mit à trembler quand
Mahaut le frôla.

Isabelle et Robert d'Artois échangèrent une in-
terrogation muette. Tolomei entrant avec Mahaut,
cela signifiait-il que le vieux renard toscan travaillait aussi pour le compte de l'adversaire ? Mais
Tolomei, d'un sourire discret, rassura ses clients.
Il ne fallait voir, dans cette arrivée simultanée,
qu'un hasard de route.

L'entrée de Mahaut avait créé une gêne dans
l'assistance. Valois s'arrêta de dicter en voyant
apparaître sa vieille et géante adversaire, poussant devant elle les deux veuves blanches, comme
deux agnelles qu'on mène paître. Et puis Valois
aperçut Tolomei. Alors sa main valide, où brillait
le rubis qui allait passer au doigt de son fils
aîné, s'agita devant son visage, et il dit :

« Marigny, Marigny... »

On crut qu'il perdait l'esprit. Mais non ; la vue

de Tolomei lui rappelait leur commun ennemi. Sans l'aide des Lombards, jamais Valois ne serait venu à bout du coadjuteur.

On entendit alors la grande Mahaut d'Artois dire :

« Dieu vous pardonnera, Charles, car votre repentance est sincère. »

« La gueuse, prononça Robert d'Artois assez haut pour être entendu de ses voisins ; elle ose parler de remords ! »

Charles de Valois, négligeant la comtesse d'Artois, faisait signe au Lombard d'approcher. Le vieux Siennois vint au bord du lit, souleva la main paralysée, la baisa ; et Valois ne sentit pas ce baiser.

« Nous prions pour votre guérison, Monseigneur », dit Tolomei.

Guérison ! le seul mot de réconfort que Valois eût entendu parmi tous ces gens dont aucun ne mettait sa mort en doute et qui attendaient son dernier soupir comme une nécessaire formalité ! Guérison... Le banquier lui disait-il cela par complaisance ou bien le pensait-il vraiment ? Ils se regardèrent et, dans le seul œil ouvert de Tolomei, cet œil sombre et rusé, le moribond vit une expression de complicité. Un œil enfin d'où il n'était pas éliminé !

« Item, item, reprit Valois en pointant l'index vers le notaire, je veux et commande que toutes mes dettes soient payées par mes enfants. »

Ah ! c'était un beau legs qu'il faisait par ces mots à Tolomei, et plus lourd que tous les rubis et tous les reliquaires ! Et Philippe de Valois, et Charles d'Alençon, et Jeanne la Boiteuse, et la comtesse de Blois prirent tous la même mine déconfite. Il avait bien besoin de venir, ce Lombard !

« Item, à Aubert de Villepion, mon chambellan, une somme de deux cents livres tournois ; à Jean de Cherchemont qui fut mon chancelier avant d'être celui de France, autant ; à Pierre de Montguillon, mon écuyer... »

Voilà que Mgr de Valois était repris par ce goût de largesse qui lui avait si fort coûté tout au long de sa vie. Il voulait récompenser royalement ceux qui l'avaient servi. Deux cents, trois cents livres ; ce n'étaient point legs énormes, mais lorsqu'il en existait quarante, cinquante à la file et qui s'ajoutaient aux legs religieux... L'or du pape, déjà bien écorné, n'allait pas y suffire, ni une année de revenus de tout l'apanage Valois. Il serait donc prodigue, Mgr Charles, jusques après son trépas !

Mahaut s'était rapprochée du groupe anglais. Elle avait salué Isabelle d'un regard où luisait une vieille haine, souri au petit prince Edouard comme si elle l'eût voulu mordre, et enfin elle avait regardé Robert.

« Mon bon neveu, te voilà bien en peine ; c'était un vrai père pour toi..., dit-elle à voix basse.

— Et pour vous aussi, ma bonne tante, c'est là un coup navrant, répondit-il de même. Vous comptez à peu près le même nombre d'ans que Charles. L'âge où l'on meurt... »

Dans le fond de la salle, on entrait, on sortait. Isabelle s'aperçut soudain que l'évêque Stapledon avait disparu ; ou plus exactement qu'il était en train de disparaître, car elle le vit qui franchissait la porte, de ce mouvement onctueux, glissant et assuré qu'ont les ecclésiastiques pour traverser les foules. Et le chanoine d'Hirson, le chancelier de Mahaut filait dans son sillage. La géante suivait du regard cette sortie elle aussi, et les deux femmes se surprirent dans leur commune observation.

Isabelle aussitôt se posa d'inquiètes questions. Que pouvaient avoir à se dire Stapledon, l'envoyé de ses ennemis, et le chancelier de la comtesse ? Et comment se connaissaient-ils, alors que Stapledon était arrivé de la veille ? Les espions d'Angleterre avaient travaillé du côté de Mahaut, ce n'était que trop évident. « Elle a toutes raisons de vouloir se venger et me nuire, pensait Isabelle. J'ai dénoncé autrefois ses filles... Ah ! Comme je voudrais que Roger fût là ! Que n'ai-je insisté pour qu'il vienne ! »

Les deux ecclésiastiques en vérité n'avaient guère eu de peine à se joindre. Le chanoine d'Hirson s'était fait désigner l'envoyé d'Edouard.

« *Reverendissimus sanctissimusque Exeteris episcopus ?* lui avait-il demandé. *Ego canonicus et comitissæ Artesiensis cancellarius sum *.* »

Ils avaient mission de s'aboucher à la première occasion. Cette occasion venait de se présenter. A présent, assis côte à côte dans une embrasure de fenêtre, au retrait de l'antichambre, et leur chapelet en main, ils conversaient en latin, comme s'ils se fussent envoyé les répons des prières pour les agonisants.

Le chanoine d'Hirson possédait la copie d'une très intéressante lettre d'un certain évêque anglais qui signait « O », adressée à la reine Isabelle, let-

---

* Très révérend et saint évêque d'Exeter ?... Moi, je suis chanoine et chancelier de la comtesse d'Artois.

tre qui avait été dérobée à un commerçant italien pendant son sommeil, dans une auberge d'Artois. Cet évêque « O » conseillait à la destinataire de ne point revenir pour l'heure, mais de se faire le plus de partisans qu'elle pourrait en France, de réunir mille chevaliers et de débarquer avec eux pour chasser les Despenser et le mauvais évêque Stapledon. Thierry d'Hirson avait sur lui cette copie. Mgr Stapledon souhaitait-il en prendre connaissance ? Un papier passa du camail du chanoine aux mains de l'évêque, qui y jeta les yeux et y reconnut le style habile, précis, d'Adam Orleton. Si Lord Mortimer, ajoutait celui-ci, prenait le commandement de l'expédition, toute la noblesse anglaise se rallierait en quelques jours.

L'évêque Stapledon se rongeait le coin du pouce.

« *Ille baro de Mortuo Mari concubinus Isabellae reginae aperte est* * », précisa Thierry d'Hirson.

L'évêque d'Exeter en voulait-il des preuves ? Hirson lui en fournirait quant il voudrait. Il suffisait d'interroger les serviteurs, de faire surveiller les entrées et sorties du palais de la Cité, de demander simplement leur avis aux familiers de la cour.

Stapledon enfouit la copie de la lettre dans sa robe, sous sa croix pectorale.

Mgr de Valois, pendant ce temps, avait nommé les exécuteurs de son testament. Son grand sceau, fait d'un semis de fleurs de lis entouré de l'inscription : « *Caroli regis Franciae filii, comitis Valesi et Andegaviae* ** » s'était imprimé dans la cire

---

* Le baron Mortimer vit ici en concubinage ouvert avec la reine Isabelle.

** De Charles, fils de roi de France, comte de Valois et d'Anjou.

coulée sur les lacets qui pendaient au bas du document. L'assistance commençait à évacuer la chambre.

« Monseigneur, puis-je présenter à votre haute et sainte personne ma nièce Béatrice, damoiselle de parage de la comtesse ? » dit Thierry d'Hirson à Stapledon en désignant la belle fille brune, au regard coulant et aux hanches ondoyantes, qui s'approchait d'eux.

Béatrice d'Hirson baisa l'anneau de l'évêque ; puis son oncle lui dit quelques mots à voix basse. Elle rejoignit alors la comtesse Mahaut et lui murmura :

« C'est chose faite, Madame. »

Et Mahaut, qui se tenait toujours à proximité d'Isabelle, avança sa grande main pour caresser le front du jeune prince Edouard.

Puis chacun repartit pour Paris. Robert d'Artois et le chancelier, parce qu'ils avaient à veiller aux tâches du gouvernement. Tolomei, parce que ses affaires l'appelaient. Mahaut, parce que, sa vengeance mise en route, elle n'avait plus rien à faire là. Isabelle, parce qu'elle désirait au plus tôt parler à Mortimer, les reines veuves parce qu'on n'eût pas su où les loger. Même Philippe de Valois eut à regagner Paris, pour l'administration de ce gros comté dont il était déjà le tenant de fait.

Il ne resta auprès du moribond que sa troisième épouse, sa fille aînée la comtesse de Hainaut, ses plus jeunes enfants et ses proches serviteurs. Guère plus de monde qu'autour d'un petit chevalier de province, alors que son nom et ses actes avaient tant agité le monde, depuis les bords de l'Océan jusqu'aux rives du Bosphore.

Et le lendemain, Mgr Charles de Valois respirait toujours, et le surlendemain encore. Le connétable Gaucher avait vu juste ; la vie continuait à se battre dans ce corps foudroyé.

Toute la cour, pendant ces jours-là, se transporta à Vincennes, pour l'hommage que le jeune prince Edouard, duc d'Aquitaine, rendit à son oncle Charles le Bel.

Puis, à Paris, une pièce d'échafaudage chut tout près de la tête de l'évêque Stapledon ; une passerelle, le lendemain, se rompit sous les fers de la mule du clerc qui le suivait. Un matin qu'il s'éloignait de son logis à l'heure de la première messe, Stapledon se trouva nez à nez dans une rue étroite avec Gérard de Alspaye, l'ancien lieutenant de la tour de Londres, et le barbier Ogle. Les deux hommes paraissaient se promener, insouciants. Mais sort-on de chez soi à pareille heure, simplement pour entendre chanter les oiseaux ? Dans une encoignure se tenait aussi un petit groupe d'hommes silencieux parmi lesquels Stapledon crut reconnaître le visage chevalin du baron Maltravers. Un convoi de maraîchers qui encombra la chaussée permit à l'évêque anglais de regagner précipitamment sa porte. Le soir même, sans avoir fait aucun adieu, il prenait la route de Boulogne, pour aller secrètement s'embarquer.

Il emportait, outre la copie de la lettre d'Orleton, de nombreuses preuves rassemblées pour convaincre de complot et de trahison la reine Isabelle, Mortimer, le comte de Kent et tous les seigneurs qui les entouraient.

Dans un manoir d'Ile-de-France, à une lieue de Rambouillet, Charles de Valois, abandonné de presque tous et reclus dans son corps comme déjà dans un tombeau, existait toujours. Celui qu'on avait appelé le second roi de France n'était plus attentif qu'à l'air qui pénétrait ses poumons d'un rythme irrégulier, avec par instants d'angoissantes pauses. Et il continuerait de respirer cet air, dont toute créature se nourrit, de longues semaines encore, jusqu'en décembre.

TROISIÈME PARTIE

LE ROI VOLÉ

I

LES ÉPOUX ENNEMIS

DEPUIS huit mois, la reine Isabelle vivait en France ; elle y avait appris la liberté et rencontré l'amour. Et elle avait oublié son époux, le roi Edouard. Celui-ci n'existait plus en ses pensées que d'une façon abstraite, comme un mauvais héritage laissé par une ancienne Isabelle qui eût cessé d'être ; il avait basculé dans les zones mortes du souvenir. Elle ne se rappelait même plus, lorsqu'elle voulait s'y forcer pour aviver ses ressentiments, l'odeur du corps de son mari, ni la couleur exacte de ses yeux. Elle ne retrouvait que l'image vague et brouillée d'un menton trop long sous une barbe blonde, et l'onduleux, le désagréable mouvement du dos. Si la mémoire fuyait, la haine en revanche restait tenace.

Le retour précipité de l'évêque Stapledon à Londres justifia toutes les craintes d'Edouard et lui montra l'urgence qu'il y avait à faire revenir sa femme. Encore fallait-il agir avec habileté et, comme disait Hugh le vieux, endormir la louve si l'on voulait qu'elle regagnât le repaire. Aussi les lettres d'Edouard pendant quelques semaines furent celles d'un époux aimant, qu'affligeait l'absence de sa compagne. Les Despenser eux-mêmes participaient à ce mensonge en adressant à la reine des protestations de dévouement et en se joignant aux supplications du roi pour qu'elle leur accordât la joie de son prompt retour. Edouard avait également chargé l'évêque de Winchester d'user de son influence auprès de la reine.

Mais le 1er décembre, tout changea. Edouard, ce jour-là, fut saisi d'une de ces colères soudaines et démentes, une de ces rages, si peu royales, qui lui donnaient l'illusion de l'autorité. L'évêque de Winchester venait de lui transmettre la réponse de la reine ; celle-ci répugnait à regagner l'Angleterre par la crainte que lui inspiraient les entreprises de Hugh le jeune ; elle avait d'ailleurs fait part de cette crainte à son frère le roi de France. Il n'en fallut pas plus. Le courrier qu'Edouard dicta à Westminster, pendant cinq heures d'affilée, allait plonger les cours d'Europe dans la stupéfaction.

Et d'abord il écrivit à Isabelle elle-même. Il n'était plus question, à présent, de « doux cœur ».

« Dame, écrivait Edouard, souventes fois nous vous avons mandé, aussi bien avant l'hommage qu'après, que pour le grand désir que nous avons que vous fussiez auprès de nous et le grand mésaise de votre longue absence, vous vinssiez

*par devers nous en toute hâte et toutes excusa-
tions cessantes.*

« *Avant l'hommage, vous étiez excusée pour
cause de l'avancement des besognes ; mais depuis
lors vous nous avez mandé par l'honorable père
évêque de Winchester que vous ne viendriez
point, par peur et doute de Hugh Le Despenser,
ce dont nous sommes grandement étonné ; car
vous envers lui et lui envers vous vous êtes toujours fait louanges en ma présence, et nommé-
ment à votre départir, par promesses spéciales et
autres preuves de confiante amitié, et encore par
vos lettres particulières qu'il nous a montrées.*

« *Nous savons de vérité, et vous le savez également, Dame, que ledit Hugh nous a toujours procuré tout l'honneur qu'il a pu ; et vous savez aussi
que oncques nulle vilenie ne vous fit depuis que
vous êtes ma compagne, sinon, et par aventure,
une seule fois, et par votre faute, veuillez vous
en souvenir.*

« *Trop nous déplairait, à présent que l'hommage a été rendu à notre très cher frère le roi de
France et que nous sommes en si bonne voie
d'amitié avec lui, que vous fussiez, vous que nous
envoyâmes pour la paix, cause de quelque distance entre nous et pour des raisons inexactes.*

« *C'est pourquoi nous vous mandons, et chargeons, et ordonnons, que toutes excusations cessantes et feints prétextes, vous reveniez à nous en
toute hâte.*

« *Quant à vos dépenses, quand vous serez venue
comme femme doit faire à son seigneur, nous en
ordonnerons de telle manière que vous n'ayez
faute de rien et ne puissiez en rien être déshonorée.*

« *Aussi voulons et vous mandons que vous fassiez notre très cher fils Edouard venir par devers nous à plus de hâte qu'il pourra, car nous avons moult grand désir de lui voir et parler.*

« *L'honorable père en Dieu Wautier, évêque d'Exestre* [29], *nous a fait entendre naguère que certains de nos ennemis et bannis, lorsqu'ils étaient devers vous, le guettèrent pour vouloir faire mal à son corps s'ils en avaient eu le temps, et que, pour échapper à tels périls, il se hâta devers nous sur la foi et l'allégeance qu'il nous devait. Nous vous mandons ceci pour que vous entendiez que ledit évêque, lorsqu'il partit si soudainement de vous, ne le fit pour autres raisons.*

« *Donné à Westminster le premier jour de décembre 1325.*

« Edouard. »

Si la fureur éclatait dans le début de la missive et le mensonge ensuite, le venin était bien savamment placé à la fin.

Une autre lettre, celle-ci plus courte, était adressée au jeune duc d'Aquitaine :

« *Très cher fils, si jeune et de tendre âge que vous soyez, remembrez-vous bien ce dont nous vous chargeâmes et que vous commandâmes à votre départir de nous, à Douvres, et ce que vous nous répondîtes alors, dont nous vous avons su moult bon gré, et ne dépassez ou contrevenez en nul point ce dont nous vous chargeâmes alors.*

« *Et puisqu'il est ainsi, que votre hommage est reçu, présentez-vous devers notre très cher frère le roi de France votre oncle, et prenez votre congé de lui, et venez par devers nous en la compagnie*

de notre très chère compagne la Reine votre mère,
si elle vient tantôt.

« *Et si elle ne vient pas venez en toute hâte*
sans plus longtemps demeurer ; car nous avons
très grand désir de vous voir et parler ; et ce ne
laissez de le faire en aucune manière, ni pour
mère, ni pour autrui. Notre bénédiction. »

Les redites, ainsi qu'un certain désordre irrité
des phrases montraient bien que la rédaction
n'avait pas été confiée au chancelier ni à quelque
secrétaire, mais était l'œuvre du roi lui-même. On
pouvait presque entendre la voix d'Edouard dic-
tant ces messages. Charles IV le Bel n'était pas
oublié. La lettre qu'Edouard lui adressait reprenait, et presque terme pour terme, tous les points
de la lettre à la reine.

« *Vous avez entendu par gens dignes de foi,*
que notre compagne la Reine d'Angleterre n'ose
venir par devers nous par peur de sa vie et doute
qu'elle a de Hugh Le Despenser. Certes, très aimé
frère, il ne convient pas qu'elle se doute de lui ni
de nul autre homme vivant en notre royaume ;
car, par Dieu, il n'y a ni Hugh ni autre vivant en
notre territoire qui mal lui voulut et, s'il nous
venait de le sentir, nous le châtierions en manière
que les autres en prendraient exemple, ce dont
nous avons assez le pouvoir, Dieu merci.

« *C'est pourquoi, très cher et très aimé frère,*
encore vous prions spécialement, pour honneur
de vous et de nous, et de notre dîte compagne,
que vous veuillez tout faire pour qu'elle vienne
par devers nous le plus en hâte qu'elle pourra ;
car nous sommes moult chagriné d'être privé de

*la compagnie d'elle, chose que nous n'eussions
en nulle manière faite sinon par la grande sûreté
et confiance que nous avions en vous et en votre
bonne foi qu'elle reviendrait à notre volonté. »*

Edouard exigeait également le retour de son
fils, et dénonçait les tentatives d'assassinat im-
putables aux « ennemis et bannis au-delà » dirigées
contre l'évêque d'Exeter.

Certes, la colère de ce 1er décembre avait dû
être forte et les voûtes de Westminster en répercuter longtemps les échos criards. Car, pour le
même motif et sur le même ton, Edouard avait
écrit encore aux archevêques de Reims et de
Rouen, à Jean de Marigny, évêque de Beauvais, aux
évêques de Langres et de Laon, tous pairs ecclésiastiques, aux ducs de Bourgogne et de Bretagne,
ainsi qu'aux comtes de Valois et de Flandre, pairs
laïcs, à l'abbé de Saint-Denis, à Louis de Clermont-
Bourbon, grand chambrier, à Robert d'Artois, à
Miles de Noyers, président de la Chambre aux
Comptes, au connétable Gaucher de Châtillon.

Que Mahaut fût le seul pair de France excepté
de cette correspondance prouvait assez ses relations avec Edouard, et que celui-ci ne jugeait pas
de besoin de l'avertir officiellement de l'affaire.

Robert, en décachetant le pli qui lui était destiné, entra en grande joie et arriva, tout s'esclaf-
fant et se frappant les cuisses, chez sa cousine
d'Angleterre. La bonne histoire, et bien faite pour
qu'il la savourât ! Ainsi le roi Edouard envoyait
chevaucheurs aux quatre coins du royaume pour
instruire chacun de ses déboires conjugaux, défendre son ami de cœur et clamer son impuissance
à faire rentrer son épouse au foyer. Infortuné

pays d'Angleterre ; en quelles mains d'étoupe le sceptre de Guillaume le Conquérant était-il tombé ! Depuis les brouilles de Louis le Pieux et d'Aliénor d'Aquitaine, on n'avait rien ouï de meilleur !

« Faites-le bien cornard, ma cousine, criait Robert, et sans y mettre de gantelet, et que votre Edouard soit forcé de se courber en deux pour passer les portes de ses châteaux. N'est-ce pas, cousin Roger, que voilà tout ce qu'il mérite ? »

Et il frappait gaillardement l'épaule de Mortimer.

Edouard, dans son emportement, avait aussi décidé des mesures de rétorsion, confisquant les biens de son demi-frère le comte de Kent et ceux du Lord de Cromwell, chef d'escorte d'Isabelle. Mais il avait fait plus : il venait de sceller un acte par lequel il s'instituait « gouverneur et administrateur » des fiefs de son fils, duc d'Aquitaine, et réclamait en son nom les possessions perdues. Autant dire qu'il réduisait à néant et le traité négocié par sa femme, et l'hommage rendu par son fils.

« Libre à lui, libre à lui, dit Robert d'Artois. Nous allons donc lui reprendre une nouvelle fois son duché, du moins ce qu'il en reste. Les arbalètes de la croisade commencent à se rouiller ! »

Nul besoin, pour ce faire, de lever l'ost ni d'expédier le connétable dont l'âge durcissait les jointures ; les deux maréchaux, à la tête des troupes permanentes, suffiraient bien à aller cogner un peu, en Bordelais, sur les seigneurs gascons qui avaient la faiblesse, la sottise, de demeurer fidèles au roi d'Angleterre. Cela devenait une habitude. Et l'on trouvait, chaque fois, moins de monde en face de soi.

La lettre d'Edouard II fut l'une des dernières que lut Charles de Valois, l'un des derniers échos qui lui parvinrent des affaires du monde.

Mgr Charles mourut au milieu de ce mois de décembre ; ses obsèques furent pompeuses, comme l'avait été sa vie. Toute la maison de Valois, dont on s'aperçut mieux de la voir ainsi en cortège combien elle était nombreuse et importante, toute la famille de France, tous les dignitaires, la plupart des pairs, les reines veuves, le Parlement, la Chambre des Comptes, le connétable, les docteurs de l'Université, les corporations de Paris, les vassaux des fiefs d'apanage, les clergés des églises et abbayes inscrites sur le testament, conduisirent jusqu'à l'église des Franciscains, pour qu'il y fût couché entre ses deux premières épouses compagnes, le corps, rendu bien léger par la maladie et par l'embaumement, de l'homme le plus turbulent de son temps.

Les entrailles, ainsi que Valois en avait disposé, furent transportées en l'abbaye de Chaâlis, et le cœur, enfermé dans une urne, remis à la troisième épouse pour attendre le moment où elle aurait elle-même une sépulture.

Sur quoi le royaume subit une extrême froidure, comme si les os de ce prince, d'y avoir été descendus, faisaient geler d'un coup la terre de France. Il serait aisé pour les gens de cette époque de se rappeler l'année de sa mort ; ils n'auraient qu'à dire : « C'était au temps du grand gel. »

La Seine était entièrement prise par les glaces ; on traversait à pied ses petits affluents, tels le

ruisseau de la Grange Batelière ; les puits étaient
gelés, et l'on puisait aux citernes non plus avec
des seaux mais avec des haches. L'écorce des
arbres craquait dans les jardins ; des ormes se
fendirent jusqu'au cœur. Les portes de Paris connurent quelques grands dégâts, le froid ayant fait
éclater même les pierres. Des oiseaux de toutes
sortes, qu'on ne voyait jamais dans les villes, des
geais, des pies, cherchaient leur nourriture sur le
pavé des rues. La tourbe de chauffage se vendit
à prix double et l'on ne trouvait plus fourrure
dans les boutiques, ni une peau de marmotte, ni
un ventre de menu-vair, ni même une simple toison de mouton. Il mourut beaucoup de vieillards
et beaucoup d'enfants dans les demeures pauvres.
Les pieds des voyageurs gelaient dans leurs bottes ; les chevaucheurs délivraient leur courrier
avec des doigts bleus. Tout trafic fluvial était
arrêté. Les soldats, s'ils avaient l'imprudence
d'ôter leurs gants, laissaient la peau de leurs
mains collée sur le fer des armes ; les gamins
s'amusaient à persuader les idiots de village de
poser la langue sur un fer de hache. Mais ce qui
devait demeurer surtout dans les mémoires était
une grande impression de silence parce que la
vie paraissait arrêtée.

A la cour, l'an neuf fut célébré de façon assez
discrète, en raison à la fois et du deuil et du gel.
On s'offrit néanmoins le gui, et l'on échangea les
cadeaux rituels. Les comptes du Trésor laissaient
prévoir pour l'exercice qui se clôturerait à Pâques [30]
un excédent de recettes de soixante-treize mille
livres — dont soixante mille provenaient du traité
d'Aquitaine — sur lequel Robert d'Artois se fit
allouer huit mille livres par le roi. C'était bien

justice, puisque, depuis six mois, Robert gouvernait le royaume pour le compte de son cousin.
Il activa la nouvelle expédition de Guyenne, où les
armes françaises remportèrent une victoire d'autant plus rapide qu'elles ne rencontrèrent pratiquement aucune résistance. Les seigneurs locaux,
qui essuyaient une fois de plus la colère du suzerain de Paris contre son vassal de Londres, commencèrent à regretter d'être nés Gascons.

Edouard, ruiné, endetté, et qui se heurtait à
des refus de crédit, n'avait plus les moyens d'expédier des troupes pour défendre son fief ; il envoya
des bateaux pour ramener sa femme. Celle-ci venait d'écrire à l'évêque de Winchester afin qu'il
en fît part à tout le clergé anglais :

« *Vous, ni autres de bon entendement, ne devez
croire que nous laissâmes la compagnie de notre
seigneur sans trop grave cause et raisonnable, et
si ce ne fut pour un péril de notre corps par ledit
Hugh qui a le gouvernement de notre dit seigneur
et de tout notre royaume et nous voudrait désho-
norer comme nous en sommes bien certaine pour
l'avoir éprouvé. Si longtemps que Hugh sera comme il est, tenant notre époux en son gouvernement, nous ne pourrons rentrer au royaume
d'Angleterre sans exposer notre vie et celle de
notre très cher fils à péril de mourir.* »

Et cette lettre se croisa justement avec les nouveaux ordres qu'au début de février Edouard
adressait aux shérifs des comtés côtiers. Il les
informait que la reine et son fils, le duc d'Aquitaine, envoyés en France dans un désir de paix,
avaient, sous l'influence du traître et rebelle Mor-

timer, fait alliance avec les ennemis du royaume ; de ce fait, au cas où la reine et le duc d'Aquitaine débarqueraient des nefs par lui, le roi, envoyées, et seulement s'ils arrivaient avec de bonnes intentions, sa volonté était qu'ils fussent reçus courtoisement, mais s'ils débarquaient de vaisseaux étrangers, et montrant des volontés contraires aux siennes, l'ordre était de n'épargner que la reine et le prince Edouard, pour traiter en rebelles tous les autres qui sortiraient des navires.

Isabelle fit, par son fils, informer le roi qu'elle était malade et hors d'état de s'embarquer.

Mais au mois de mars, ayant appris que son épouse se promenait joyeusement dans Paris, Edouard II eut un nouvel accès de violence épistolaire. Il semblait que ce fût chez lui une affection cyclique qui le saisissait tous les trois mois.

Au jeune duc d'Aquitaine, il écrivait ceci :

« *Pour faux prétexte, notre compagne votre mère se retire de nous, à cause de notre cher et féal Hugh Le Despenser qui toujours nous a si bien et si loyalement servi ; mais vous voyez, et tout chacun peut voir, qu'ouvertement, notoirement, et s'égarant contre son devoir et contre l'état de notre couronne, elle a attiré à soi le Mortimer notre traître et ennemi mortel, prouvé, atteint et en plein Parlement jugé, et s'accompagne à lui en hôtel et dehors, en dépit de nous et de notre couronne et des droitures de notre royaume. Et encore fait-elle pis, si elle peut, quand elle vous garde en compagnie de notre dit ennemi devant tout le monde, en très grand déshonneur et vile-*

nie, et en préjudice des lois et usages du royaume d'Angleterre que vous êtes souverainement tenu de sauver et maintenir. »

Il mandait également au roi Charles IV :

« Si votre sœur nous aimait et désirait être en notre compagnie, comme elle vous a dit et en a menti, sauf votre révérence, elle ne serait partie de nous sous prétexte de nourrir paix et amitié entre nous et vous, toutes choses que je crus en bonne foi en l'envoyant vers vous. Mais vraiment, très cher frère, nous nous apercevons assez qu'elle ne nous aime mie, et la cause qu'elle donne, parlant de notre cher parent Hugh Le Despenser, est feinte. Nous pensons que c'est désordonnée volonté quand, si ouvertement et notoirement, elle retient en son conseil notre traître et ennemi mortel le Mortimer, et s'accompagne en hôtel et dehors à ce mauvais. Aussi vous devriez bien vouloir, très cher frère, qu'elle se châtiât et se comportât comme elle devrait faire pour l'honneur de toux ceux à qui elle tient. Veuillez nous faire connaître vos volontés de ce qu'il vous plaira de faire, selon Dieu, raison et bonne foi, sans avoir regard à impulsions capricieuses de femmes ou autre désir. »

Messages de même teneur étaient envoyés à nouveau vers tous les horizons, aux pairs, aux dignitaires, aux prélats, au pape lui-même. Les souverains d'Angleterre dénonçaient chacun l'amant de l'autre, publiquement, et cette affaire de double ménage, de deux couples où se trouvaient trois hommes pour une seule femme, faisait la joie des cours d'Europe.

Les amants de Paris n'avaient plus de ménagements à prendre. Plutôt que de chercher à feindre, Isabelle et Mortimer firent front et se montrèrent ensemble en toutes occasions. Le comte de Kent, que sa femme avait rejoint, vivait en compagnie du couple illégitime. Pourquoi se serait-on soucié de respecter les apparences, dès lors que le roi lui-même mettait tant d'ardeur à publier son infortune ? Les lettres d'Edouard n'avaient réussi en somme qu'à établir l'évidence d'une liaison que chacun accepta comme fait accompli et immuable. Et toutes les épouses infidèles de penser qu'il existait une grâce particulière pour les reines, et qu'Isabelle avait bien de la chance que son mari fût bougre !

Mais l'argent manquait. Plus aucune ressource ne parvenait aux émigrés dont les biens avaient été séquestrés. Et la petite cour anglaise de Paris vivait entièrement d'emprunts aux Lombards.

A la fin de mars, il fallut faire appel, une fois de plus, au vieux Tolomei. Il arriva chez la reine Isabelle accompagné du signor Boccace qui représentait les Bardi. La reine et Mortimer, avec une grande affabilité, lui exprimèrent leur besoin d'argent frais. Avec une égale affabilité, et toutes les marques du chagrin, messer Spinello Tolomei refusa. Il avait pour cela de bons arguments ; il ouvrit son grand livre noir et montra les additions. Messire de Alspaye, le Lord de Cromwell, la reine Isabelle... sur cette page-là, Tolomei fit une profonde inclination de tête... le comte de Kent et la comtesse... nouvelle révérence... le Lord Maltravers, Lord Mortimer... Et puis, sur quatre feuilles à la file, les dettes du roi Edouard Plantagenet lui-même...

Roger Mortimer protesta : les comptes du roi Edouard ne le concernaient pas !

« Mais, my Lord, dit Tolomei, pour nous ce sont toujours, toutes ensemble, les dettes de l'Angleterre ! Je suis peiné de vous refuser, grandement peiné, et de décevoir si belle dame que Madame la reine ; mais c'est trop me demander que d'attendre de moi ce que je n'ai plus, et que vous avez. Car cette fortune qu'on dit nôtre, elle n'est faite ainsi que de créances ! Mon bien, my Lord, ce sont vos dettes. Voyez, Madame, continua-t-il, en se tournant vers la reine, voyez, Madame, ce que nous sommes, nous autres pauvres Lombards, toujours menacés, qui devons à chaque roi nouveau payer un don de joyeux avènement... et combien en avons-nous payés, hélas ! depuis douze ans !... à qui sous chaque roi l'on retire le droit de bourgeoisie pour nous le faire acquitter par bonne taxe, et même deux fois si le règne est long. Voyez cependant ce que nous faisons pour les royaumes ! L'Angleterre coûte à nos compagnies cent soixante-dix mille livres, le prix de ses sacres, de ses guerres, de ses discordes, Madame ! Voyez mon vieil âge... Je me reposerais depuis bien longtemps si je n'avais à courir sans cesse pour récupérer des créances qui nous resservent à aider d'autres besoins. On nous dit avaricieux, avides, et l'on ne songe point aux risques que nous prenons pour prêter à chacun et permettre aux princes de ce monde de continuer leurs affaires ! Les prêtres s'occupent des petites gens, de faire aumône aux mendiants, et d'ouvrir hôpitaux pour les infortunés ; nous, nous nous occupons des misères des grands. »

Son âge lui permettait de s'exprimer de la sorte, et la douceur de son ton était telle qu'on ne pouvait s'offenser du discours. Tout en parlant, il lorgnait de son œil entrouvert un bijou qui brillait au col de la reine et qui était inscrit à crédit, dans son livre, au compte de Mortimer.

« Comment notre négoce a-t-il commencé ? Pourquoi existons-nous ? On ne se le remémore guère, poursuivait-il. Nos banques italiennes se sont créées lors des croisades parce que seigneurs et voyageurs répugnaient à se charger d'or sur les routes peu sûres où l'on était dévalisé à tout propos, ou même dans les camps qui n'étaient point hantés que de gens honnêtes. Et puis il y avait les rançons à payer. Alors, pour que nous acheminions l'or à leur compte et à notre péril, les seigneurs, et ceux d'Angleterre tout particulièrement, nous ont donné gages sur les revenus de leurs fiefs. Mais quand nous nous sommes présentés dans ces fiefs, avec nos créances, pensant que le sceau des grands barons devait être de suffisante obligation, nous n'avons pas été payés. Alors, nous avons fait appel aux rois, lesquels, pour garantir les créances de leurs vassaux, ont en échange exigé que nous leur prêtions, à eux aussi ; et voilà comment nos ressources gisent dans les royaumes. Non, Madame, à mon grand meschef et déplaisir, cette fois je ne puis. »

Le comte de Kent, qui assistait à l'entretien, dit :

« Soit, messire Tolomei. Nous allons devoir donc nous adresser à d'autres compagnies que la vôtre. »

Tolomei sourit. Que croyait-il, ce jeune homme blond qui se tenait assis, les jambes croisées, et

caressait négligemment la tête de son lévrier ?
Porter sa clientèle ailleurs ? Cette phrase-là, Tolomei, en sa longue carrière, l'avait entendue plus
de mille fois. La belle menace !

« My Lord, quand il s'agit d'aussi grands em-
prunteurs que vos personnes royales, vous pensez
bien que toutes nos compagnies se tiennent infor-
mées, et que le crédit qu'il me faut à regret vous
refuser, aucune autre compagnie ne vous l'accor-
dera ; messer Boccace, que vous voyez, est avec
moi pour les besognes des Bardi. Demandez-lui !...
Car, Madame... (c'était toujours à la reine que
Tolomei revenait) cet ensemble de créances nous
est devenu bien fâcheux par le fait que rien ne
les garantit. Au point où en sont arrivées vos
affaires avec le Sire roi d'Angleterre, celui-ci ne
va point garantir vos dettes ! Ni vous les siennes,
je pense. A moins que vous soyez en intention de
les reprendre à votre compte ? Ah ! si cela était,
peut-être pourrions-nous encore vous porter
appui. »

Et il ferma complètement l'œil gauche, croisa
les mains sur son ventre, et attendit.

Isabelle s'entendait peu aux questions de finances. Elle leva les yeux vers Roger Mortimer. Comment fallait-il prendre les dernières paroles du
banquier ? Que signifiait, après si long palabre,
cette soudaine ouverture ?

« Eclairez-nous, messer Tolomei, dit-elle.

— Madame, reprit le banquier, votre cause est
belle et celle de votre époux fort laide. La Chrétienté sait les traitements méchants qu'il vous a
infligés, les mœurs qui noircissent sa vie et le
mauvais gouvernement qu'il impose à ses sujets
par la personne de ses détestables conseillers. En

revanche, Madame, vous êtes aimée parce que vous êtes aimable, et je gage qu'il ne manque pas de bons chevaliers en France et ailleurs qui seraient prêts à lever leurs bannières pour vous et vous rendre votre place en votre royaume... fût-ce en boutant hors de son trône le roi d'Angleterre votre époux.

— Messer Tolomei, s'écria le comte de Kent, comptez-vous pour rien que mon frère, tout détestable qu'il soit, ait été couronné ?

— My Lord, my Lord, répondit Tolomei, les rois ne sont vraiment tels que du consentement de leurs sujets. Et vous avez un autre roi tout prêt à donner au peuple d'Angleterre, ce jeune duc d'Aquitaine qui semble montrer bien de la sagesse pour son jeune âge. J'ai beaucoup vu les passions humaines ; je sais assez bien reconnaître celles qui ne se défont point et entraînent les plus puissants princes à leur perte. Le roi Edouard ne se déliera pas du Despenser ; mais en revanche, l'Angleterre est toute disposée à acclamer tel souverain qu'on lui offrira pour remplacer le mauvais sien et les méchants qui l'entourent... Certes, vous m'opposerez, Madame, que les chevaliers qui s'offriront à combattre pour votre cause seront chers à payer ; il faudra leur fournir harnois, vivre et plaisirs. Mais nous, les Lombards, qui ne pouvons plus faire face à soutenir votre exil, nous pourrions encore faire face à soutenir votre armée, si Lord Mortimer dont la valeur n'est à personne inconnue s'engageait à en prendre la tête... et si bien sûr, il nous était garanti que vous repreniez à votre compte les dettes de Messire Edouard, pour les acquitter le jour de votre succès. »

La proposition ne pouvait être plus clairement faite. Les compagnies lombardes s'offraient à jouer la femme contre le mari, le fils contre le père, l'amant contre l'époux légitime. Mortimer n'en était point aussi surpris qu'on s'y serait attendu ni même n'affecta de l'être lorsqu'il répondit :

« La difficulté, messer Tolomei, est de réunir ces bannières. Cela ne se fait point dans une cave. Où pourrions-nous rassembler mille chevaliers que nous prendrons à notre solde ? En quel pays ? Les convoquer en France, nous ne pouvons, si bien disposé que soit le roi Charles envers sa sœur la reine. »

Il y avait de la connivence entre le vieux Siennois et l'ancien prisonnier d'Edouard.

« Le jeune duc d'Aquitaine, dit Tolomei, n'a-t-il pas reçu en propre le comté de Ponthieu, qui vient de Madame la reine, et le Ponthieu ne se trouve-t-il pas vis-à-vis l'Angleterre, et jouxte le comté d'Artois où Mgr Robert, bien qu'il n'en soit pas le tenant, compte force partisans, ainsi que vous le savez, my Lord, puisque vous y fûtes abrité après votre évasion ?

— Le Ponthieu..., répéta la reine, songeuse. Quel est votre conseil, gentil Mortimer ? »

L'affaire, pour se débattre seulement de parole, n'en était pas moins une offre ferme. Tolomei était prêt à délivrer quelque crédit à la reine et à son amant afin qu'ils puissent faire face à l'immédiat et partir pour le Ponthieu organiser l'expédition. Et puis en mai, il fournirait le gros des fonds. Pourquoi mai ? Ne pouvait-il pas avancer cette date ?

Tolomei calculait. Il calculait qu'il avait, de

concert avec les Bardi, une créance à récupérer
sur le pape. Il demanderait à Guccio, qui se trouvait à Sienne, de se rendre, à cet effet, en Avignon.
Le pape avait fait savoir incidemment, par un
voyageur, qu'il accueillerait volontiers une visite
du jeune homme ; il fallait profiter des bonnes
dispositions du Saint-Père. Une occasion aussi,
pour Tolomei, la dernière peut-être, de revoir ce
neveu qui lui manquait beaucoup.

Et puis il y avait un petit amusement, dans
la pensée du banquier. Comme Valois naguère à
propos de la croisade, comme Robert d'Artois
au sujet de l'Aquitaine, le Lombard se disait
pour l'Angleterre : « C'est le pape qui paiera. »
Alors, le temps que Boccace, qui partait pour
l'Italie, passât par Sienne, le temps que de Sienne
Guccio allât en Avignon, qu'il arrivât à Paris...

« En mai, Madame, en mai... Que Dieu bénisse
vos besognes. »

II

RETOUR A NEAUPHLE

ETAIT-ELLE donc si petite, la maison de banque de
Neauphle, et si basse l'église de l'autre côté du
minuscule champ de foire, et si étroit le chemin
montant qui tournait pour aller vers Cressay, Thoiry, Septeuil ? Le souvenir et la nostalgie agrandissent étrangement la réalité des
choses.

Neuf années écoulées ! Cette façade, ces arbres,
ce clocher, venaient de rajeunir Guccio de neuf
années ! Ou plutôt non ; de le vieillir, au contraire, de tout ce temps écoulé.

Guccio avait retrouvé instinctivement son geste
de jadis pour s'incliner en passant la porte basse
qui séparait les deux pièces de négoce du comptoir,
au rez-de chaussée. Sa main avait cherché d'elle-
même la corde d'appui, le long du madrier de
chêne qui servait d'axe à l'escalier tournant,

pour monter à son ancienne chambre. Ainsi, c'était là qu'il avait tant aimé, comme jamais avant, comme jamais depuis !

La pièce exiguë, collée sous les solives du toit, sentait la campagne et le passé. Comment un logis si resserré avait-il pu contenir un aussi grand amour ? Par la fenêtre, à peine une fenêtre, une lucarne plutôt, il apercevait un paysage inchangé. Les arbres étaient fleuris en ce début de mai, comme au temps de son départ, neuf ans plus tôt. Pourquoi les arbres en fleurs dispensent-ils toujours une si forte émotion ? Entre les branches des pêchers, roses et arrondies comme des bras, apparaissait le toit de l'écurie, cette écurie dont Guccio s'était enfui devant l'arrivée des frères Cressay! Ah ! la belle peur qu'il avait eue cette nuit-là !

Il se retourna vers le miroir d'étain, toujours à la même place sur le coffre de chêne. Chaque homme, au souvenir de ses faiblesses, se rassure à se regarder, oubliant que les signes d'énergie qu'il lit sur son visage ne font impression qu'à lui-même, et que c'est devant les autres qu'il fut faible ! Le métal poli aux reflets de grisaille renvoyait à Guccio le portrait d'un garçon de trente ans, brun, avec une ride assez profondément creusée entre les sourcils, et deux yeux sombres dont il n'était pas mécontent, car ces yeux-là avaient vu déjà bien des paysages, la neige des montagnes, les vagues de deux mers, et allumé le désir dans le cœur des femmes, et soutenu le regard des princes et des rois.

... Guccio Baglioni, mon ami, que n'as-tu continué une carrière si bellement commencée ! Tu étais allé de Sienne à Paris, de Paris à Londres, de Londres à

Naples, à Lyon, à Avignon ; tu portais messages
pour les reines, trésors pour les prélats. Pendant
deux grandes années tu as circulé ainsi, parmi
les plus grands seigneurs de la terre, chargé de
leurs intérêts ou de leurs secrets. Et tu avais à
peine vingt ans ! Tout te réussissait. Il n'est que
de voir les attentions dont on t'entoure à présent,
au retour de neuf années d'absence, pour juger
des souvenirs que tu as laissés. Le Saint-Père lui-
même te le prouve. Aussitôt qu'il te sait de retour
en Avignon pour un banal recouvrement de créance, lui, le souverain pontife, du haut du trône de
saint Pierre et submergé par tant de tâches, il
demande à te voir, il s'intéresse à ton sort, à ta
fortune, il a la mémoire de se rappeler que tu
as eu un enfant jadis, il s'inquiète de te savoir
privé de cet enfant, il consacre à te conseiller
quelques-unes de ses précieuses minutes... « ... Un
fils doit être élevé par son père », te dit-il ; et il
te fait délivrer sauf-conduit de messager papal,
le meilleur qui soit.

... Et Bouville ! Bouville que tu viens trouver,
porteur de la bénédiction du pape Jean, et qui
te traite ainsi qu'ami depuis longtemps attendu,
et qui a de grosses larmes dans les yeux en te
voyant, et qui te délègue un de ses propres sergents d'armes pour t'accompagner dans ta démarche, et te remet une lettre, cachetée de son
sceau, adressée aux frères Cressay, afin qu'on te
laisse voir ton enfant !...

Ainsi, les plus hauts personnages s'occupaient
de Guccio, sans aucun motif intéressé, pensait
celui-ci, simplement pour l'amitié qu'inspirait sa
personne, pour l'agilité de son esprit, et sans
doute pour une certaine façon de se conduire

avec les grands de ce monde qui lui était un don de nature.

Ah ! que n'avait-il persévéré ! Il aurait pu devenir l'un de ces grands Lombards, puissants dans les Etats à l'égal des princes, comme Macci dei Macci, gardien actuel du Trésor royal de France, ou bien comme Frescobaldi d'Angleterre qui entrait, sans se faire annoncer, chez le chancelier de l'Echiquier.

Etait-il trop tard, après tout ? Bien au fond de lui-même, Guccio se sentait supérieur à son oncle, et capable d'une plus éclatante réussite. Car le bon oncle Spinello, à froidement juger, faisait un négoce assez courant. Capitaine général des Lombards de Paris, il l'était devenu à l'ancienneté. Il possédait du bon sens, certes, et de l'habileté, mais point un exceptionnel talent. Guccio considérait tout cela de façon impartiale, à présent que, passé l'âge des illusions, il se sentait un homme de raisonnement pondéré. Oui, il avait eu tort autrefois. Or, sa malheureuse aventure avec Marie de Cressay, il ne pouvait se le cacher, était la cause de ses renoncements.

Car pendant de longs mois, sa pensée n'avait été occupée que de ce déplorable événement, tous ses actes commandés par la volonté de dissimuler cet échec. Ressentiment, déception, abattement, honte de revoir ses amis et ses protecteurs après un dénouement peu glorieux, rêves de revanche... Son temps s'était usé à cela tandis qu'il s'installait dans une nouvelle vie, à Sienne, où l'on ne savait de ses amours de France que ce qu'il voulait bien en dire lui-même. Ah ! elle ignorait, cette ingrate Marie, la grande destinée

dont elle avait brisé le cours en refusant autrefois
de fuir avec lui ! Que de fois, en Italie, il y avait
amèrement songé. Mais maintenant, il allait se
venger...

Et si Marie, soudain, lui déclarait qu'elle
l'aimait toujours, qu'elle l'avait attendu sans
faiblesse et qu'un affreux malentendu avait été
la seule cause de leur séparation ? Oui, si cela
était ? Guccio savait qu'en ce cas il ne résisterait
point, qu'il oublierait ses griefs aussitôt qu'ex-
primés, et qu'il emmènerait sans doute Marie de
Cressay à Sienne, dans le palais familial, pour
présenter sa belle épouse à ses concitoyens. Et
pour montrer à Marie cette ville neuve, moins
grande que Paris ou que Londres, certes, mais
qui l'emportait en magnificence architecturale,
avec son Municipio édifié depuis peu et dont
Simone Martini terminait actuellement les fres-
ques intérieures, avec sa cathédrale noire et
blanche qui serait la plus belle de Toscane, une
fois sa façade achevée. Ah ! le plaisir de partager
ce que l'on aime avec une femme aimée ! Et que
faisait-il à rêver devant un miroir d'étain, au lieu
de courir à Cressay et de profiter de l'émotion
de la surprise ?

Et puis il réfléchit. Les amertumes pendant
neuf ans remâchées ne pouvaient pas s'oublier
d'un coup, ni la peur non plus qui l'avait chassé,
un matin, de ce jardin même. Les cris furieux
des deux frères Cressay qui voulaient lui rompre
l'échine... Sans un bon cheval, il était mort...
Mieux valait envoyer le sergent d'armes avec la lettre du comte de Bouville ; la démarche aurait
plus de poids.

Mais Marie, après neuf ans, était-elle toujours

aussi belle ? Serait-il toujours aussi fier de se
montrer à son bras ?

Guccio pensait avoir atteint l'âge où l'on se
conduit par la raison. Or, si une ride s'enfonçait
entre les sourcils, il était toujours le même homme,
le même mélange d'astuce et de naïveté, d'orgueil
et de songes. Tant il est vrai que les années chan-
gent peu notre nature et qu'il n'est pas d'âge
pour nous délivrer des erreurs. Les cheveux blan-
chissent plus vite que les faiblesses.

On rêve d'un événement pendant neuf années ;
on l'espère et on le redoute, on prie la Vierge
chaque nuit qu'il s'accomplisse et l'on prie Dieu
chaque jour de l'empêcher ; on s'est préparé,
soir après soir, matin après matin, à ce que l'on
dira s'il se produit ; on a murmuré toutes les
réponses que l'on donnera à toutes les questions
que l'on a imaginées ; on a prévu les cent, les
mille façons dont cet événement pourrait survenir... Il survient. On est désemparé.

Ainsi se trouve Marie de Cressay ce matin-
là, parce que sa servante, qui fut autrefois confi-
dente de son bonheur et de son drame, est venue
tout à l'heure lui chuchoter à l'oreille que Guccio
Baglioni était de retour. Qu'on l'a vu arriver
au village de Neauphle. Qu'il semble avoir train
de seigneur. Que des sergents du roi lui servent d'escorte. Qu'il doit être messager du
pape... Les gamins sur la place ont regardé, bouche bée, le harnais de cuir jaune brodé des clefs
de saint Pierre. A cause de ce harnais, cadeau
du pape au neveu de ses banquiers, toutes

les cervelles du village se sont mises à travailler.

Et la servante est là, essoufflée, les yeux brillants d'émoi au-dessus de ses joues rouges, et Marie de Cressay ne sait ce qu'elle doit ni va faire.

Elle dit :

« Ma robe ! »

Cela lui est venu tout seul, sans y réfléchir, et la servante a aussitôt compris, parce que Marie a peu de robes et qu'elle n'en peut demander d'autre que celle-là qui fut cousue naguère dans le beau tissu de soie donné par Guccio, celle qu'on sort du coffre chaque semaine, qu'on brosse avec soin, qu'on défroisse, qu'on aère, devant laquelle on pleure parfois, et qu'on ne revêt jamais.

Guccio peut apparaître d'un moment à l'autre. La servante l'a-t-elle aperçu ? Non. Elle ne rapporte que des nouvelles qui couraient de seuil en seuil... Peut-être est-il déjà en chemin ! Si seulement Marie avait une pleine journée pour se préparer à cette arrivée ! Elle a attendu neuf années, et cela revient à n'avoir qu'un seul instant !

Qu'importe que l'eau soit froide dont elle s'asperge la gorge, le ventre, les bras, devant la servante qui se détourne, surprise de l'impudeur subite de sa maîtresse, et puis coule un regard vers ce beau corps dont c'est pitié vraiment qu'il soit sans homme depuis si longtemps, et qu'elle se met à jalouser un peu en voyant comme il est demeuré plein, et ferme, et pareil à une belle plante sous le soleil. Pourtant les seins sont plus lourds qu'autrefois et s'affaissent légèrement sur la poitrine ; les cuisses ne sont plus aussi lisses, le ventre est marqué de quelques petites stries laissées par la maternité. Allons ! le corps des filles nobles s'abîme aussi, moins que le corps des servantes, certes, mais il s'abîme quand même, et c'est justice de Dieu, qui fait toutes les créatures pareilles.

Marie a du mal à entrer dans la robe. L'étoffe a-t-elle rétréci d'être restée si longtemps sans usage, ou bien est-ce Marie qui a grossi ? On dirait plutôt que la forme de son corps s'est modifiée, comme si les contours, les rondeurs n'étaient plus à la même place. Elle a changé. Elle sait bien aussi que le duvet blond est plus fourni sur sa lèvre, que les taches de rousseur dues à l'air des champs se sont incrustées plus largement sur son visage. Ses cheveux, cette brassée de cheveux dorés dont il faut en hâte retisser les tresses, n'ont plus leur souplesse lumineuse d'antan.

Et voici que Marie se retrouve dans sa robe de fête qui la gêne aux entournures ; et ses mains rougies par les travaux de la maison sortent des manches de soie verte.

Qu'a-t-elle fait de toutes ces années qui maintenant ne semblent plus qu'un soupir du temps ?

Elle a vécu de se souvenir. Elle s'est nourrie quotidiennement de ses quelques mois d'amour et de bonheur, comme d'une provision trop rapidement engrangée. Elle a écrasé chaque instant de ce passé au moulin de la mémoire. Elle a revu mille fois le jeune Lombard arrivant pour réclamer sa créance et chassant le méchant prévôt. Mille fois elle a reçu son premier regard, refait leur première promenade. Elle a mille fois répété son vœu dans le silence et l'ombre nocturne de la chapelle, devant le moine inconnu. Mille fois elle a découvert sa grossesse. Mille fois elle a été arrachée par violence au couvent des filles du faubourg Saint-Marcel et conduite en litière fermée, tenant son nourrisson serré contre sa poitrine, à Vincennes, au château des rois. Mille fois on a devant elle revêtu son enfant des langes royaux, et on le lui a ramené mort, et elle en a encore le cœur poignardé. Et elle hait toujours la feue comtesse de Bouville, et elle l'espère en proie aux tourment infernaux. Mille fois, elle a juré sur les Evangiles de garder le petit roi de France, et de ne rien révéler des atroces secrets de la cour, même en confession, et de ne jamais revoir Guccio ; et mille fois elle s'est demandé : « Pourquoi est-ce à moi que cela est arrivé ? »

Elle l'a demandé au grand ciel bleu des jours d'août, aux nuits d'hiver passées à grelotter seule, entre des draps raides, aux aurores sans espérance. Pourquoi ?

Elle l'a demandé aussi au linge compté pour la buanderie, aux sauces remuées sur le feu de la cuisine, aux viandes mises en saloir, au ruisseau qui court au pied du manoir et au bord duquel on cueille les joncs et les iris, les matins de procession.

Elle a, par instants, haï Guccio, furieusement, pour le seul fait d'exister et d'avoir traversé sa vie comme le vent d'orage traverse une maison aux portes ouvertes ; et puis aussitôt elle s'est reproché cette pensée comme un blasphème.

Elle s'est prise tour à tour pour une très grande pécheresse à laquelle le Tout-Puissant a imposé cette perpétuelle expiation, pour une martyre, pour une sorte de sainte tout exprès désignée par les volontés divines à dessein de sauver la couronne de France, la descendance de saint Louis, tout le royaume, en la personne de ce petit en-

fant à elle confié... C'est de cette façon qu'on
peut devenir folle, lentement, sans que les autres
autour de vous s'en aperçoivent.

Des nouvelles du seul homme qu'elle ait aimé,
des nouvelles de son époux auquel personne ne
reconnaît ce titre, elle n'en a eu que de loin en
loin, par quelques paroles du commis de la banque à la servante. Guccio était vivant. C'était
tout ce qu'elle savait. Comme elle a souffert de
l'imaginer, d'être impuissante à l'imaginer plutôt,
en un pays lointain, une ville étrangère, parmi
des parents, d'elle inconnus, auprès d'autres
femmes sûrement, d'une autre épouse peut-être...
Et voilà que Guccio est à un quart de lieue ! Mais
est-ce vraiment pour elle qu'il est revenu ? Ou
simplement pour régler quelque affaire du comptoir ? Ne serait-ce pas le plus affreux qu'il fût si
proche et que ce ne fût pas pour elle ? Et pour-
rait-elle lui en faire reproche, puisqu'elle-même
a refusé de le voir, voici neuf ans, elle-même lui
a si durement signifié de ne plus jamais l'approcher, et sans pouvoir lui révéler la raison de
cette cruauté ! Et soudain elle s'écrie :

« L'enfant ! »

Car Guccio va vouloir connaître ce petit garçon qu'il croit le sien ! Ne serait-ce pas pour cela
qu'il a reparu ?

Jeannot est là, dans le pré qu'on aperçoit par
la fenêtre, le long de la Mauldre, ce ruisseau
bordé d'iris jaunes et trop peu profond pour
qu'on s'y noie, jouant avec le dernier fils du palefrenier, les deux garçons du charron et la fille
du meunier ronde comme une boule. Il a de la
boue sur les genoux, sur le visage et jusque dans
l'épi de cheveux blonds qui se tord sur son front.

Il crie fort. Il a des mollets fermes et roses, celui qu'on croit un petit bâtard, un enfant du péché, et qu'on traite comme tel.

Mais comment ne s'aperçoivent-ils pas tous, les frères de Marie, les paysans du domaine, les gens de Neauphle, que Jeannot n'a rien de la blondeur dorée, presque rousse, de sa mère, et moins encore de la noirceur profonde, du teint couleur d'épices, de Guccio ? Comment ne voit-on pas qu'il est un vrai petit Capétien, qu'il en a le visage large, les yeux bleu pâle, un peu trop écartés, le menton qui deviendra fort, la blondeur de paille ? Le roi Philippe le Bel était son grand-père. C'est miracle que les gens aient le regard si peu ouvert et ne reconnaissent dans les choses et les êtres que l'idée qu'ils s'en font !

Quand Marie a demandé à ses frères d'envoyer Jeannot chez les moines Augustins d'un couvent voisin afin qu'il y apprenne à lire et à écrire, ils ont haussé les épaules.

« Nous savons lire un peu et cela ne nous sert guère ; nous ne savons pas écrire, et cela ne nous servirait de rien, a répondu Jean de Cressay. Pourquoi veux-tu que Jeannot ait besoin d'en apprendre plus long que nous ? C'est bon pour les clercs d'étudier, et tu ne peux même point le faire clerc puisqu'il est bâtard ! »

Dans le pré aux iris, l'enfant suit en rechignant la servante qui est venue le chercher. Il jouait au chevalier, la gaule en main, et était au moment d'enfoncer les défenses de l'appentis où des méchants retenaient prisonnière la fille du meunier.

Mais voici justement que les frères de Marie rentrent d'inspecter leurs champs. Ils sont pou-

dreux, sentent la sueur de cheval et ont les ongles noirs. Jean, l'aîné, est déjà pareil à ce que
fut leur père ; il a l'estomac lourd par-dessus
la ceinture, la barbe broussailleuse, et les deux
crocs lui manquent parmi ses dents gâtées. Il
attend une guerre pour se révéler ; et chaque
fois que devant lui on parle de l'Angleterre, il
crie que le roi n'a qu'à lever l'ost et que la chevalerie saura bien montrer ce dont elle est capable. Il n'est point chevalier, du reste ; mais il
pourrait le devenir à la faveur d'une campagne.
Il n'a connu des armées que l'ost boueux de
Louis Hutin, et l'on n'a pas fait appel à lui pour
l'expédition d'Aquitaine. Il a nourri un moment
d'espoir lors des intentions de croisade de
Mgr Charles de Valois ; et puis Mgr Charles est
mort. Ah ! que ce baron-là eût fait un bon roi !

Pierre de Cressay, le cadet, est resté plus
mince et plus pâle, mais ne soigne guère davantage sa mise. Sa vie est un mélange d'indifférence et de routine. Ni Jean ni Pierre ne s'est
marié. Leur sœur veille au ménage, depuis la
mort de leur mère, dame Eliabel ; ils ont ainsi
quelqu'un pour assurer leur cuisine, réparer leur
gros linge ; et contre Marie ils peuvent s'emporter à l'occasion, plus aisément qu'ils n'oseraient
le faire envers une épouse. Si leurs chausses
sont déchirées, il leur est toujours loisible de
tenir Marie pour responsable de ce qu'ils n'ont
pas trouvé femme à leur convenance, à cause du
déshonneur par elle jeté sur la famille.

A cela près, ils vivent dans une aisance limitée
grâce à la pension que le comte de Bouville fait
régulièrement servir à la jeune femme sous le
prétexte qu'elle fut nourrice royale, et grâce

aussi aux cadeaux en nature que le banquier Tolomei continue d'envoyer à celui qu'il croit son
petit-neveu. Le péché de Marie a donc pour les
deux frères été de quelque avantage.

Pierre connaît à Montfort-l'Amaury une bour-
geoise veuve qu'il va visiter de temps à autre, et
ces jours-là, il fait toilette avec un air coupable.
Jean préfère ne chasser qu'en ses labours, et se
sent seigneur à peu de frais parce que quelques
gamins, dans les hameaux voisins, ont déjà sa
tournure. Mais ce qui est honneur pour un garçon de noblesse est déshonneur pour une fille
noble ; cela se sait, il n'y a pas à y revenir.

Les voilà tous deux bien surpris, Jean et Pierre,
de voir leur sœur atournée de sa robe de soie, et
Jeannot trépignant, parce qu'on le débarbouille.
Est-ce donc jour de fête, dont la mémoire leur a
manqué ?

« Guccio est à Neauphle », dit Marie.

Et elle recule, parce que Jean serait bien capable de lui envoyer un soufflet.

Mais non, Jean se tait ; il regarde Marie. Et
Pierre de même, les bras ballants. Ils n'ont pas
la cervelle modelée pour l'imprévu. Guccio est
revenu. La nouvelle est de taille, et il leur faut
quelques minutes pour s'en pénétrer. Quels problèmes cela va-t-il leur poser ?... Ils aimaient
bien Guccio, ils sont forcés d'en convenir, lorsqu'il était compagnon de leurs chasses, qu'il leur
apportait des faucons de Milan ; ils ne voyaient
pas que le gaillard faisait l'amour à leur sœur,
presque sous leur nez. Puis ils ont voulu le tuer
quand dame Eliabel a découvert le péché au ventre de sa fille. Puis ils ont regretté leur violence
après qu'ils eurent visité le banquier Tolomei

en son hôtel de Paris, et compris, mais trop tard, qu'ils eussent mieux préservé leur honneur à laisser leur sœur s'éloigner mariée à un Lombard qu'à la garder mère d'un enfant sans père.

Ils n'ont guère longtemps à s'interroger car le sergent d'armes à la livrée du comte de Bouville, trottant un grand cheval bai et portant cotte de drap bleu dentelée autour des fesses, entre dans la cour du manoir qui se peuple aussitôt de visages ébaubis. Les paysans mettent le bonnet à la main ; des têtes d'enfants surgissent des portes entrebâillées ; les femmes s'essuient les mains à leur tablier.

Le sergent vient délivrer deux messages au sire Jean, l'un de Guccio, l'autre du comte de Bouville lui-même. Jean de Cressay a pris la mine importante et hautaine de l'homme qui reçoit une lettre ; il a froncé le sourcil, avancé les lèvres en lippe à travers sa barbe et ordonné d'une voix forte qu'on fasse boire et manger le messager, comme si celui-ci venait de fournir quinze lieues. Puis il se retire auprès de son frère, pour lire. Ils ne sont pas trop de deux ; il leur faut même appeler Marie qui sait mieux déchiffrer les signes d'écriture.

Et Marie se met à trembler, trembler, trembler.

« Nous n'y comprenons mie, messire. Notre sœur s'est soudain mise à trembler, comme si Satan en propre personne avait surgi devant elle, et elle a refusé tout net de même vous en-

trevoir. Aussitôt ensuite, elle fut secouée de gros
sanglots. »

Ils étaient bien embarrassés, les deux frères
Cressay. Ils avaient fait brosser leurs bottes, et
Pierre avait revêtu la cotte qu'il ne mettait d'or-
dinaire que pour aller visiter la veuve de Montfort. Dans la seconde pièce du comptoir de Neauphle, devant un Guccio qui leur opposait figure
sombre et ne les avait même pas invités à s'asseoir, ils se tenaient plutôt penauds, et l'esprit
partagé de sentiments contraires.

Au reçu des lettres, deux heures auparavant,
ils avaient cru pouvoir négocier comme une
bonne affaire le départ de leur sœur et la reconnaissance de son mariage. Mille livres comp-
tant, voilà ce qu'ils demanderaient. Un Lombard
pouvait bien débourser cela. Mais Marie avait mis
en déroute leurs espérances par son étrange attitude et son obstination à ne pas revoir Guccio.

« Nous avons tâché à la raisonner, et bien contre notre avantage ; car si elle venait à nous
quitter elle nous manquerait fort puisqu'elle
tient tout notre ménage. Mais enfin, nous comprenons bien que si, après tant d'années, vous
revenez la demander, c'est bien qu'elle est votre
épouse véritable, quand même le mariage s'est-il
fait en secret. Et puis le temps s'est écoulé... »

C'était le barbu qui parlait et sa phrase s'em-
brouillait un peu. Le cadet se contentait d'ap-
prouver de la tête.

« Nous vous le disons tout franc, reprit Jean de
Cressay, nous avons commis une faute en vous
faisant refus de notre sœur. Mais cela n'est pas
tant venu de nous que de notre mère... Dieu l'ait
en garde !... qui s'était fort butée. Chevalier se

doit de reconnaître ses torts, et si Marie notre
sœur a passé outre notre consentement, nous
portons une part de la coulpe. Tout cela devrait
être effacé. Le temps est notre maître à tous.
Or, maintenant, c'est elle qui vous refuse ; et
pourtant je jure Dieu qu'elle n'a pas d'autre
homme en tête, cela non ! Ainsi, je ne comprends
plus. Elle a la cervelle faite de curieuse façon,
notre sœur, n'est-il pas vrai, Pierre ? »

Pierre de Cressay hocha le front.

Pour Guccio, c'était une belle revanche que
d'avoir ainsi sous ses yeux, repentants et la langue entortillée, ces deux garçons qui jadis étaient
arrivés, en pleine nuit, l'épieu en main, pour
l'occire, et l'avaient obligé à fuir la France. A
présent, ils ne souhaitaient rien tant que lui donner leur sœur ; pour un peu, ils l'auraient supplié de brusquer les choses, de venir à Cressay,
d'imposer sa volonté et faire valoir ses droits
d'époux.

Mais c'était mal connaître Guccio et son om-
brageux orgueil. Des deux benêts, il faisait peu de
cas. Marie seule avait de l'importance pour lui.
Or, Marie le repoussait alors qu'il était là, tout
proche d'elle, et qu'il arrivait si consentant à oublier toutes les injures passées.

« Mgr de Bouville devait bien penser qu'elle
agirait ainsi, dit le barbu, puisqu'il me mande
dans sa lettre : « Si dame Marie, comme il est
« à croire, refuse de voir le seigneur Guccio... »
Savez-vous quelle raison il avait d'écrire cela ?

— Non, je ne sais vraiment, répondit Guccio,
mais il faut croire qu'elle en a dit bien long et
bien fermement sur mon compte, à messire de
Bouville, pour qu'il ait vu si clair !

— Et pourtant, elle n'a pas d'autre homme en tête », répéta le barbu.

La colère commençait d'envahir Guccio. Ses sourcils noirs se serraient sur la ride qui lui marquait le front. Cette fois, vraiment, tout lui donnait droit d'agir sans scrupules. Marie serait payée de sa cruauté par une cruauté pire.

« Et mon fils ? demanda-t-il.

— Il est là. Nous l'avons amené. »

Dans la pièce voisine, l'enfant regardait le commis faire des comptes et s'amusait à caresser les barbes d'une plume d'oie. Jean de Cressay ouvrit la porte.

« Jeannot, approche », dit-il.

Guccio, attentif à ce qui se passait en lui-même, se forçait un peu à l'émotion. « Mon fils, je vais voir mon fils », se disait-il. En vérité, il ne ressentait rien. Pourtant, que de fois il avait espéré cet instant ! Mais il n'avait pas prévu ce petit pas lourd, campagnard, qu'il entendait approcher.

L'enfant entra. Il portait des braies courtes et un sarrau de toile ; son épi rebelle se tordait sur son front clair. Un vrai petit paysan !

Il y eut un moment de gêne pour les trois hommes, gêne que l'enfant perçut fort bien. Pierre le poussa vers Guccio.

« Jeannot, voici... »

Il fallait bien dire quelque chose, dire à Jeannot qui était Guccio ; et l'on ne pouvait dire que la vérité.

« ... voici ton père. »

Guccio, sottement, attendait un élan, des bras ouverts, des larmes. Le petit Jeannot leva vers lui des yeux bleus étonnés :

« Mais on m'avait dit qu'il était mort », dit-il.

Guccio en eut un choc ; une grande fureur mauvaise s'éleva en lui.

« Mais non, mais non, se hâta de couper Jean de Cressay. Il était en voyage et ne pouvait envoyer de nouvelles. N'est-il pas vrai, ami Guccio ? »

« De combien de mensonges ne l'a-t-on pas abreuvé ! pensa Guccio. Patience, patience... Lui dire que son père était mort, ah ! les méchantes gens ! Mais patience... » Pour meubler le silence, il dit :

« Comme il est blond !

— Oui, tout à fait semblable à l'oncle Pierre, le frère de notre défunt père, répondit Jean de Cressay.

— Jeannot, viens vers moi, viens », dit Guccio.

L'enfant obéit, mais sa petite main rugueuse restait étrangère dans la main de Guccio, et il s'essuya la joue après avoir été embrassé.

« Je souhaiterais le garder quelques jours avec moi, reprit Guccio, afin de pouvoir le conduire à mon oncle Tolomei, qui désire le connaître. »

Et ce disant, Guccio avait machinalement, comme Tolomei, fermé l'œil gauche.

Jeannot, la bouche entrouverte, le regardait. Que d'oncles ! Autour de lui, on n'entendait parler que de cela.

« Moi, j'ai un oncle à Paris qui m'envoie des présents, dit-il d'une voix claire.

— C'est justement celui-ci que nous irons visiter. Si tes oncles n'y voient pas d'obstacles. Vous n'y voyez pas d'obstacles ? demanda Guccio.

— Certes non, répondit Jean de Cressay. Mgr de Bouville nous en prévient dans sa lettre, et nous engage à ne point nous opposer... »

Décidément, les Cressay ne bougeaient pas le doigt sans l'accord de Bouville !

Le barbu pensait déjà aux cadeaux que le banquier ne manquerait pas de faire à son petit-neveu. Il fallait s'attendre à une bourse d'or qui serait particulièrement bienvenue, car justement, cette année-là, la maladie s'était mise sur le bétail. Et qui sait ? le banquier était vieux ; peut-être avait-il l'intention de coucher l'enfant sur ses volontés...

Guccio savourait déjà sa vengeance. Mais la vengeance a-t-elle jamais consolé d'un amour perdu ?

L'enfant fut d'abord ébloui par le cheval et le harnachement papal. Jamais il n'avait vu si belle monture, et sa surprise fut grande de s'y trouver juché, sur le devant de la selle. Puis il se mit à observer ce père tombé du ciel, ou plutôt les détails qu'il en pouvait apercevoir en penchant ou en tordant le cou. Il regardait les chausses collantes qui ne faisaient aucun pli sur le genou, les bottes souples de cuir foncé, et cet étrange vêtement de voyage, couleur de feuilles rousses, à manches étroites, et fermé jusqu'au menton par une série de minuscules boutons.

Le sergent d'armes avait une tenue bien plus éclatante, bien plus flatteuse par sa couleur gros bleu luisant sous le soleil, ses découpures festonnées aux manches et sur les reins, et ses armes seigneuriales brodées sur la poitrine. Mais l'enfant se rendit compte bien vite que Guccio donnait des ordres au sergent, et il prit grande considération pour ce père qui parlait en maître à un personnage si brillamment vêtu.

Ils avaient parcouru déjà près de quatre lieues. Dans l'auberge de Saint-Nom-la-Bretèche où ils s'arrêtèrent, Guccio, d'une voix naturellement autoritaire, commanda une omelette aux herbes, un chapon rôti sur broche, du fromage caillé. Et du vin. L'empressement des servantes augmenta encore le respect de Jeannot.

« Pourquoi parlez-vous d'autre façon que nous, messire ? demanda-t-il. Vous ne dites point les mots pareillement. »

Guccio se sentit blessé de cette remarque faite sur son accent de Toscane, et par son propre fils.

« Parce que je suis de Sienne, en Italie qui est mon pays, répondit-il avec fierté ; et toi aussi, tu vas devenir Siennois, libre citoyen de cette ville où nous sommes puissants. Et puis, ne m'appelle plus messire, mais *padre*.

— *Padre* », répéta docilement le petit.

Ils s'attablèrent, Guccio, le sergent et l'enfant. Et tandis qu'on attendait l'omelette, Guccio commença d'apprendre à Jeannot les mots de sa langue pour désigner les objets de la vie.

« *Tavola*, disait-il en saisissant le bord de la table, *bottiglia*, en soulevant la bouteille, *vino*... »

Il se sentait embarrassé devant cet enfant, manquait de naturel ; la crainte de ne pas s'en faire aimer le paralysait, la crainte également de ne pas l'aimer. Car il avait beau se répéter : « C'est mon fils », il n'éprouvait toujours rien d'autre qu'une profonde hostilité envers les gens qui l'avaient élevé.

Jeannot n'avait jamais bu de vin. A Cressay, on se contentait de cidre, ou même de frênette, comme les paysans. Il en prit quelques gorgées. Il était habitué à l'omelette et au lait caillé, mais le chapon rôti avait un air de fête ; et puis ce repas pris au bord de la route, en milieu d'après-midi, lui plaisait bien. Il n'avait pas peur, et l'agrément de l'aventure lui faisait oublier de penser à sa mère. On lui avait dit qu'il la reverrait dans quelques jours... Paris, Sienne, tous ces noms n'évoquaient pour lui aucune idée précise de distance. Samedi prochain il reviendrait au bord de la Mauldre et pourrait déclarer à la fille du meunier, aux garçons du charron : « Moi, je suis Siennois » sans avoir besoin de rien expliquer, puisqu'ils en savaient encore moins que lui.

La dernière bouchée avalée, les dagues essuyées sur un morceau de mie et remises à la ceinture, on remonta à cheval. Guccio souleva l'enfant et le posa devant lui, en travers de sa selle [31].

Le gros repas et le vin surtout, dont il venait de goûter pour la première fois, avaient alourdi l'enfant. Avant une demi-lieue franchie, il s'endormit, indifférent aux secousses du trot.

Rien n'est plus émouvant qu'un sommeil d'enfant, et surtout dans le grand jour, à l'heure où les adultes veillent et agissent. Guccio maintenait en équilibre cette petite vie déjà pesante, cahotante, dodelinante, abandonnée. Instinctivement, il caressa du menton les cheveux blonds qui se nichaient contre lui et il referma plus étroitement son bras, comme pour obliger cette tête ronde et ce gros sommeil à se coller plus étroitement à sa poitrine. Un parfum d'enfance montait du petit corps endormi. Et brusquement Guccio se sentit père, et tout fier de l'être, et les larmes lui brouillèrent les yeux.

« Jeannot, mon Jeannot, mon Giannino », mur-

mura-t-il en posant les lèvres sur les cheveux
soyeux et tièdes.

Il avait mis sa monture au pas et fait signe au
sergent de ralentir aussi, afin de ne pas réveiller
l'enfant et de prolonger son propre bonheur.
Qu'importait l'heure à laquelle on arriverait !
Demain Giannino se réveillerait dans l'hôtel de
la rue des Lombards qui lui paraîtrait un palais ;
des servantes l'entoureraient, le laveraient, l'ha-
billeraient en seigneur, et une vie de conte de
fées commencerait pour lui !

Marie de Cressay replie sa robe inutile devant
la servante muette et dépitée. La servante aussi
rêve d'une autre existence où elle suivrait sa maîtresse, et il y a un peu de blâme dans son attitude.

Mais Marie a cessé de trembler et ses yeux
sont séchés ; sa décision est prise. Elle n'a
plus que quelques jours à attendre, une semaine
au plus. Car ce matin, la surprise a provoqué de
sa part une réponse absurde, un refus dément !

Parce que, saisie de court, elle n'a pensé qu'au
serment d'autrefois que Mme de Bouville, cette
mauvaise femme, l'avait forcée de prononcer...
Et puis aux menaces. « Si vous revoyez ce jeune
Lombard, il lui en coûtera la vie... ».

Mais deux rois se sont succédé et personne
n'a jamais parlé ! Et Mme de Bouville est morte.
D'ailleurs était-il même conforme à la loi de
Dieu, cet affreux serment ? N'est-ce pas un péché que d'interdire à la créature humaine d'avouer
à un confesseur ses troubles d'âme ? Les reli-

gieuses elles-mêmes peuvent être relevées de leurs vœux. Et puis, nul n'a le droit de séparer l'épouse de l'époux ! Cela non plus n'est pas chrétien. Et le comte de Bouville n'est pas évêque, et d'ailleurs il n'est point aussi redoutable que l'était sa femme.

Toutes ces choses, Marie aurait dû y penser ce matin, et savoir reconnaître aussi que sans Guccio elle ne pouvait vivre, que sa place était auprès de lui, que Guccio venant la chercher, rien au monde, ni les serments anciens, ni les secrets de la couronne, ni la crainte des hommes, ni le châtiment de Dieu s'il devait survenir, ne l'empêcheraient de le suivre.

Elle ne mentira pas à Guccio. Un homme qui, au bout de neuf ans, vous aime encore, qui n'a pas repris femme, et revient vous chercher, est de cœur droit, loyal, pareil au chevalier qui franchit toutes les épreuves. Un tel homme peut partager un secret et en demeurer le gardien. Et l'on n'a pas le droit non plus de lui mentir, de lui laisser croire que son fils est vivant, qu'il le serre dans ses bras, alors que ce n'est pas vrai.

Marie saura expliquer à Guccio que leur enfant, leur premier-né... car déjà cet enfant mort n'est plus dans sa pensée que leur premier-né... a été, par un enchaînement fatal, donné, échangé, pour sauver la vie du vrai roi de France. Et elle demandera à Guccio de partager son serment, et ils élèveront ensemble le petit Jean le Posthume qui a régné les cinq premiers jours de sa vie, jusqu'au moment où les barons viendront le chercher pour lui rendre sa couronne ! Et les autres enfants qu'ils auront seront un jour comme des frères pour le roi de France. Puisque tout peut arriver dans le mal, par les agencements incroyables du sort, pourquoi tout ne pourrait-il pas arriver dans le bien ?

Voilà ce que Marie expliquera à Guccio, dans quelques jours, la semaine prochaine, lorsqu'il ramènera Jeannot ainsi qu'il en est convenu avec les frères.

Alors le bonheur si longtemps différé pourra commencer ; et si toute chose heureuse sur la terre doit être payée d'un poids égal de souffrance, alors ils auront l'un et l'autre payé par avance toutes leurs joies futures ! Guccio voudra-t-il s'installer à Cressay ? Certes pas. A Paris ? Le lieu serait trop dangereux pour le petit Jean, et il ne faudrait point tout de même aller braver de trop près le comte de Bouville ! Ils iront en Italie. Guccio emmènera Marie dans ce pays dont elle ne connaît que les belles étoffes et l'habile travail des orfèvres. Comme elle l'aime, cette Italie, puisque c'est de là qu'est venu l'homme que Dieu lui destinait ! Marie est déjà en voyage aux côtés de son époux retrouvé. Dans une semaine ; elle a une semaine à attendre...

Hélas ! En amour, il ne suffit pas d'avoir les mêmes désirs ; faut-il encore les exprimer au même moment !

III

LA REINE DU TEMPLE

Pour un enfant de neuf ans dont tout l'horizon, depuis qu'il avait l'âge de se souvenir, avait été limité par un ruisseau, des fosses à fumier et des toits de campagne, la découverte de Paris ne pouvait être qu'un enchantement. Mais que dire quand cette découverte s'accomplissait sous la conduite d'un père si fier, si glorieux de son fils, et qui le faisait habiller, friser, baigner, oindre, qui l'amenait dans les plus belles boutiques, le gavait de sucreries, lui offrait une bourse de ceinture, avec de vrais sols dedans, et des souliers brodés ! Jeannot, ou Giannino, vivait des jours éblouis.

Et toutes ces belles maisons où il pénétrait ! Car Guccio, sous des prétextes divers, souvent même sans aucun prétexte, visitait à tour de rôle ses connaissances d'antan, simplement pour pou-

voir prononcer orgueilleusement : « mon fils ! »,
et montrer ce miracle, cette splendeur unique au
monde : un petit garçon qui lui disait : « *padre
mio* » avec un bon accent d'Ile-de-France.

Si l'on s'étonnait de la blondeur de Giannino,
Guccio faisait allusion à la mère, une personne
de noblesse ; il prenait alors ce ton faussement
discret qui annonce l'indiscrétion et cet air un
peu fanfaron dans le mystère qu'ont les Italiens
pour feindre de se taire sur leurs conquêtes. Ainsi
tous les Lombards de Paris, les Peruzzi, les Boc-
canegra, les Macci, les Albizzi, les Frescobaldi, les
Scamozzi, et le signor Boccace lui-même étaient
au courant.

L'oncle Tolomei, un œil ouvert, un œil fermé,
le ventre pesant et la jambe lourde, ne participait pas peu à cette ostentation ! Ah ! si Guccio
avait pu se réinstaller à Paris, sous son toit, et
avec le petit Giannino, comme il se serait senti
heureux, le vieux Lombard, pour les jours qui
lui restaient à vivre.

Mais c'était là un rêve impossible. Pourquoi
ne voulait-elle pas de régularisation du mariage,
pourquoi ne voulait-elle pas accepter la vie commune avec son époux, cette sotte, cette entêtée
de Marie de Cressay, puisque maintenant tout
le monde semblait d'accord ? Tolomei, quelque
répugnance qu'il éprouvât à entreprendre le
moindre déplacement, s'offrait à aller à Neauphle tenter une ultime démarche.

« Mais c'est moi qui ne veux plus d'elle, mon
oncle, déclarait Guccio. Je ne laisserai pas ba-
fouer mon honneur. Et puis quelle plaisance y
aurait-il à vivre auprès d'une femme qui ne
m'aime plus ?

— En es-tu bien sûr ? »

Il y avait un signe, un seul, qui pouvait permettre à Guccio de se poser la question. Il avait reconnu au cou de l'enfant le petit reliquaire de corps à lui-même offert par la reine Clémence quand il se trouvait en l'Hôtel-Dieu de Marseille, et dont il avait à son tour fait présent à Marie, une fois qu'elle était fort malade.

« Ma mère l'a ôté de son cou et l'a passé au mien, quand mes oncles m'ont mené vers vous l'autre matin », avait expliqué l'enfant.

Mais pouvait-on se fonder sur un si faible indice, sur un geste qui pouvait n'être que de religiosité ?

Et puis le comte de Bouville avait été formel.

« Si vous voulez garder cet enfant, il faut que vous partiez avec lui pour Sienne, et le plus tôt sera le mieux », avait-il dit à Guccio.

L'entrevue avait eu lieu en l'hôtel de l'ancien grand chambellan, derrière le Pré-aux-Clercs. Bouville se promenait dans son jardin clos de murs. Et les larmes lui étaient venues aux paupières en voyant Giannino. Il avait baisé la main du petit garçon avant de le baiser aux joues et, le contemplant, le détaillant des cheveux aux souliers, il avait murmuré :

« Un vrai petit prince, un vrai petit prince ! »

En même temps, il s'essuyait les yeux. Guccio était étonné de cette émotion excessive, et il en était touché comme d'un hommage d'amitié à lui-même rendu.

« Un vrai petit prince, comme vous le dites, messire, avait répondu Guccio tout heureux ; et c'est chose bien surprenante quand on songe qu'il n'a connu que la vie des champs et que sa mère, après tout, n'est qu'une paysanne ! »

Bouville hochait la tête. Oui, oui, tout cela était bien étonnant...

« Emmenez-le, vous ne pouvez mieux faire. D'ailleurs, n'avez-vous pas l'auguste approbation de notre Très Saint-Père ? Je vous ferai donner cette fois deux sergents pour vous accompagner jusqu'aux frontières du royaume, afin qu'aucun mal ne vous survienne, ni à... cet enfant. »

Il ne lui semblait pas aisé de prononcer : « votre fils ».

« Adieu, mon petit prince, dit-il en embrassant encore Giannino. Vous reverrai-je jamais ? »

Et puis il s'éloigna très vite, parce que les pleurs recommençaient à abonder dans ses gros yeux. Vraiment, cet enfant ressemblait trop douloureusement au grand roi Philippe !

« Retourne-t-on à Cressay ? » demanda Giannino le matin du 11 mai, devant les portemanteaux et les malles de bât qu'on emplissait.

Il ne paraissait pas trop impatient de rentrer au manoir.

« Non, mon fils, répondit Guccio, nous allons d'abord à Sienne.

— Ma mère va-t-elle venir avec nous ?

— Non, pas à présent ; elle nous rejoindra plus tard. »

L'enfant parut tranquillisé. Guccio pensa qu'après neuf ans de mensonges au sujet de son père, Giannino allait maintenant être abreuvé de nouveaux mensonges à propos de sa mère. Mais comment agir autrement ? Un jour peut-être faudrait-il lui laisser croire que sa mère était morte...

Avant de se mettre en route, il restait à Guccio une visite à faire, la plus prestigieuse sinon la plus importante ; il désirait saluer la reine douairière Clémence de Hongrie.

« Où est-ce donc, la Hongrie ? demanda l'enfant.

— Très loin, du côté du Levant. Il faut de nombreuses semaines de route pour y parvenir. Peu de gens y sont allés.

— Pourquoi est-elle à Paris, cette dame Clémence, si elle est reine de Hongrie ?

— Mais elle n'a jamais été reine de Hongrie, Giannino ; son père en fut roi, mais elle, elle a été reine de France.

— Alors, c'est la femme du roi Charles le Biau ? »

Non, la femme du roi c'était Madame d'Evreux, qu'on couronnait ce jour même ; et l'on irait d'ailleurs, tout à l'heure, au palais royal, donner un coup d'œil sur la cérémonie à la Sainte-Chapelle, afin que Giannino partît sur un dernier souvenir plus beau que tous les autres. Guccio, l'impatient Guccio, n'éprouvait ni ennui ni lassitude à expliquer à cette petite cervelle des choses qui semblaient évidentes et ne l'étaient nullement, si l'on ne les savait pas de longtemps. C'est ainsi que se fait l'apprentissage du monde.

Mais cette reine Clémence qu'on allait voir, qui était-elle alors ? Et comment Guccio la connaissait-il ?

De la rue des Lombards au Temple, par la rue de la Verrerie, il y avait peu de distance. Chemin faisant, Guccio recontait à l'enfant comment il était allé à Naples, avec le comte de Bouville... le gros seigneur, tu sais, que nous avons visité l'au-

tre jour et qui t'a embrassé... afin de demander
cette princesse en mariage pour le roi Louis Dixième qui était mort à présent. Et comment lui-
même, Guccio, s'était trouvé auprès de Madame Clémence sur le bateau qui la conduisait
en France, et comment il avait manqué de périr
dans une grande tempête avant d'aborder à Marseille.

« Et ce reliquaire, que tu portes au cou, me
fut donné par elle pour me remercier de l'avoir
sauvée de la noyade. »

Et ensuite, quand la reine Clémence avait eu
un fils, c'était la mère de Giannino qui avait été
choisie pour nourrice.

« Ma mère ne m'en a jamais rien dit, s'écria
l'enfant surpris. Ainsi elle connaissait aussi Madame Clémence ? »

Tout cela était bien compliqué. Giannino aurait
aimé savoir si Naples était en Hongrie. Et puis
il y avait des passants qui les bousculaient ; une
phrase commencée restait en suspens ; un marchand d'eau, avec le tintamarre de ses seaux, in-
terrompait une réponse. Il était bien difficile à
l'enfant de faire de l'ordre dans le récit... « Ainsi
tu es le frère de lait du petit roi Jean le Posthume qui mourut à cinq jours... »

Frère de lait, cela Giannino comprenait bien ce
que c'était. A Cressay il en entendait parler tout
le temps ; des frères de lait, il y en a plein la
campagne. Mais frère de lait d'un roi ? Il y avait
matière à rester songeur. Car un roi, c'est un
homme grand et fort, avec une couronne en tête...
Il n'avait jamais pensé que les rois pussent
avoir des frères de lait, ni même être jamais
de petits enfants. Quant à « posthume » ... un

autre mot bizarre, lointain comme la Hongrie.

« Ma mère ne m'en a jamais rien dit », répéta Giannino.

Et il commençait à en vouloir à sa mère de tant de choses étonnantes qu'elle lui avait cachées.

« Et pourquoi cela s'appelle le Temple, où nous allons ?

— A cause des templiers.

— Ah ! oui ! je sais ; ils crachaient sur la croix, ils adoraient une tête de chat, et ils empoisonnaient les puits pour garder tout l'argent du royaume. »

Il tenait cela du fils du charron qui répétait les propos de son père qui les tenait lui-même de Dieu sait qui. Il n'était pas aisé pour Guccio, dans cette foule et en si peu de temps, d'expliquer à son fils que la vérité était un peu plus subtile. Et l'enfant ne comprenait pas pourquoi la reine qu'on allait voir habitait chez d'aussi vilaines gens.

« Ils n'y habitent plus, *figlio mio*. Ils n'existent plus ; c'est l'ancienne demeure du grand maître.

— Maître Jacques de Molay ? C'était lui ?

— Fais les cornes, fais les cornes avec les doigts, mon garçon, quand tu prononces ce nom-là !... Donc les templiers ont été supprimés, brûlés ou chassés, le roi a pris le Temple qui était leur château...

— Quel roi ? »

Il ne s'y retrouvait plus, le pauvre Giannino, parmi tant de souverains !

« Philippe le Bel.

— Tu l'as vu, toi, le roi le Bel ? »

L'enfant en avait entendu parler, de ce roi terrifiant et maintenant si hautement respecté ; mais cela faisait partie de toutes les ombres d'avant sa naissance. Et Guccio fut attendri.

« C'est vrai, pensa-t-il, il n'était pas né ; pour lui, cela veut dire autant que saint Louis ! »

Et comme la presse ralentissait leurs pas :

« Oui, je l'ai vu, répondit-il. J'ai même manqué de le renverser, dans une de ces rues, à cause de deux lévriers que je promenais en laisse, le jour de mon arrivée à Paris, il y a douze ans. »

Et le temps lui reflua sur les épaules comme une grosse vague soudaine qui vous submerge et puis s'éparpille. Une écume de jours s'écroula autour de lui. Il était un homme, déjà, qui racontait ses souvenirs !

« Donc, continua-t-il, la maison des templiers est devenue la propriété du roi Philippe le Bel, et après du roi Louis, et après du roi Philippe le Long qui a précédé le roi d'à présent. Et le roi Philippe le Long a donné le Temple à la reine Clémence, en échange du château de Vincennes qu'elle avait reçu par testament de son époux le roi Louis [32].

— *Padre mio*, je voudrais une oublie. »

Il avait senti une bonne odeur de gaufre s'échappant d'un éventaire, et cela faisait disparaître d'un coup tout intérêt pour ces rois qui se succédaient trop vite et échangeaient leurs châteaux. Il savait déjà, d'autre part, que de commencer sa phrase par « *padre mio* » était un sûr moyen d'obtenir ce qu'il désirait ; mais cette fois la recette fut vaine.

« Non, quand nous reviendrons, car à présent

tu te salirais. Rappelle-toi bien ce que je t'ai enseigné. Ne parle à la reine que si elle t'adresse
la parole ; et puis tu t'agenouilleras pour lui baiser la main.

— Comme à l'église ?

— Non, pas comme à l'église. Viens, je vais
te montrer, mais moi j'ai du mal à le faire à
cause de ma jambe blessée. »

Ils étaient curieux à voir, vraiment, pour les
passants, cet étranger de petite taille, au teint
sombre, et cet enfant tout blond qui, dans une
encoignure de porte, s'entraînaient à la génu-
flexion.

« ... Et puis tu te relèves, rapidement ; mais
ne bouscule pas la reine ! »

L'hôtel du Temple était fort modifié, depuis
l'époque de Jacques de Molay ; et d'abord il avait
été morcelé. La résidence de la reine Clémence
ne comprenait que la grande tour carrée à quatre
poivrières, quelques logis secondaires, remises,
écuries, autour de la cour pavée, et un jardin partie potager et partie d'agrément. Le reste de la
commanderie, les habitations des chevaliers, les
armureries, les chantiers des compagnons, isolés
par de hauts murs, avaient été affectés à d'autres usages. Et cette cour gigantesque, destinée
aux rassemblements militaires, paraissait à présent déserte et comme morte. La litière d'apparat, à rideaux blancs, qui attendait la reine Clémence, y semblait un bateau arrivé par mégarde
ou détresse dans un port désaffecté. Et bien qu'il
y eût autour de la litière quelques écuyers et va-

lets, tout l'hôtel avait un ton de silence et d'aban-
don.

Guccio et Giannino pénétrèrent dans la tour du
Temple par la porte même d'où Jacques de Molay, extrait de son cachot, était sorti douze ans
plus tôt pour être conduit au supplice [33]. Les
salles avaient été remises à neuf ; mais, en dépit
des tapisseries, des beaux objets d'ivoire, d'argent et d'or, ces lourdes voûtes, ces étroites fenêtres, ces murs où les bruits s'étouffaient, et les
proportions mêmes de cette résidence guerrière,
ne constituaient pas une demeure de femme,
d'une femme de trente-deux ans. Tout y rappelait les hommes rudes, portant le glaive sur la
robe, qui avaient un moment assuré à la Chrétienté la suprématie totale dans les limites de
l'ancien empire romain. Pour une jeune veuve, le
Temple semblait une prison.

Madame Clémence fit peu attendre ses visiteurs. Elle apparut, vêtue déjà pour la cérémonie
à laquelle elle se rendait, en robe blanche, gor-
gière de voile sur la naissance de la poitrine,
manteau royal sur les épaules et couronne d'or
en tête. Une reine vraiment comme on en voit
peintes aux vitraux des églises. Giannino crut que
les reines étaient vêtues de cette sorte tous les
jours de la vie. Belle, blonde magnifique, distante et le regard un peu absent, Clémence de
Hongrie offrait un sourire qui n'était que de
commande, le sourire qu'une reine sans pouvoir,
sans royaume, se doit de laisser tomber sur le
peuple qui l'approche.

Cette morte sans tombeau trompait ses jours
trop longs par des occupations inutiles, collec-
tionnait les pièces d'orfèvrerie, et c'était là tout

l'intérêt qui lui restait au monde, ou qu'elle
feignait d'avoir.

L'entrevue fut plutôt décevante pour Guccio
qui attendait davantage d'émotion, mais non pour
l'enfant qui voyait devant lui une sainte du Ciel
en manteau d'étoiles.

Madame de Hongrie posait ces questions bien-
séantes qui nourrissent la conversation des souverains lorsqu'ils n'ont rien à dire. Guccio avait
beau tenter d'orienter l'entretien vers leurs communs souvenirs, vers Naples, vers la tempête ; la
reine éludait. Tout souvenir, en vérité, lui était
pénible : elle repoussait les souvenirs. Et quand
Guccio, cherchant à mettre en valeur Giannino,
précisa : « Le frère de lait de votre infortuné
fils, Madame », une expression presque dure
passa sur le beau visage de Clémence. Une reine
ne pleure pas en public. Mais c'était trop d'inconsciente cruauté, vraiment, que de lui présenter bien vivant, blond et frais, un enfant de
l'âge qu'aurait eu le sien, et qui avait sucé le
même lait.

La voix du sang ne parlait guère, mais seulement celle du malheur. Et puis le jour était peut-
être mal choisi, alors que Clémence allait assister au couronnement d'une troisième reine de
France depuis elle ! Elle s'obligea par politesse
à demander :

« Que fera-t-il quand il sera grand, ce bel enfant ?

— Il tiendra banque, Madame, je l'espère du
moins, comme nous tous. »

La reine Clémence croyait que Guccio venait
lui réclamer une créance ou le paiement de quelque coupe d'or, de quelque joyau dont elle se fût

fournie chez son oncle. Elle avait une telle habitude de ces réclamations de fournisseurs ! Elle fut surprise quand elle comprit que ce jeune homme s'était dérangé seulement pour la voir. Existait-il donc encore des gens qui la venaient saluer sans rien avoir à requérir d'elle, ni remboursement ni service ?

Guccio dit à l'enfant de montrer à Madame la reine le reliquaire qu'il portait au cou. La reine ne se souvenait plus, et Guccio dut lui rappeler la visite qu'elle lui avait faite à l'Hôtel-Dieu de Marseille. Elle pensa : « Ce jeune homme m'a aimée. »

Consolation illusoire des femmes dont la destinée amoureuse s'est arrêtée trop tôt, et qui ne sont plus attentives qu'aux signes des sentiments qu'elles ont pu inspirer autrefois !

Elle se pencha pour embrasser l'enfant. Mais Giannino se ragenouilla aussitôt, et lui baisa la main.

Elle chercha autour d'elle, d'un mouvement presque machinal, un cadeau à faire, aperçut une boîte de vermeil et la tendit à l'enfant en disant :

« Tu aimes sûrement les dragées ? Conserve ce drageoir et que Dieu te garde. »

Il était temps de se rendre à la cérémonie. Elle monta en litière, ordonna de clore les rideaux blancs, et puis fut prise d'un mal d'être qui lui venait de tout le corps, de la poitrine, des jambes, du ventre, de toute cette beauté inutile ; elle put enfin pleurer.

Dans la rue du Temple la foule était nombreuse qui se dirigeait vers la Seine, vers la Cité, pour aller saisir quelques bribes du couronnement, et

qui ne verrait sans doute rien d'autre qu'elle-
même.

Guccio, prenant Giannino par la main, se mit
à la suite de la litière blanche, comme s'il faisait
partie de l'escorte de la reine. Ils purent ainsi
franchir le Pont-au-Change, pénétrer dans la cour
du Palais, et là s'arrêter pour voir passer les
grands seigneurs qui entraient, en costume d'apparat, dans la Sainte-Chapelle. Guccio les reconnaissait pour la plupart et pouvait les nommer
à l'enfant : la comtesse Mahaut d'Artois, encore
grandie par sa couronne, et le comte Robert, son
neveu, qui la dépassait en taille ; Mgr Philippe de
Valois, maintenant pair de France, avec à son
côté sa femme qui boitait ; et puis Madame Jeanne de Bourgogne, l'autre reine veuve. Mais quel
était ce jeune couple, dix-huit et quinze ans environ, qui venait ensuite ? Guccio se renseigna
auprès de ses voisins. On lui répondit que c'était
Madame Jeanne de Navarre et son mari Philippe d'Evreux. Eh oui ! La fille de Marguerite de
Bourgogne avait maintenant quinze ans, et elle
était mariée, après tant de drames dynastiques
autour et à cause d'elle suscités.

La presse devint telle que Guccio dut hisser
Giannino sur ses épaules ; il y pesait lourd le
petit diable !

Ah ! voici que s'avançait la reine Isabelle d'Angleterre, rentrée du Ponthieu. Guccio la trouva
étonnamment peu changée depuis qu'il l'avait
entrevue autrefois à Westminster, le temps de lui
délivrer un message de Robert d'Artois. Pourtant
il se la rappelait plus grande... Sur le même rang
marchait son fils, le jeune Edouard d'Aquitaine.
Et toutes les têtes se tendaient parce que la

traîne du manteau ducal du jeune homme était
portée par Lord Mortimer, comme si celui-ci eût
été le grand chambellan du prince. Un défi de
plus lancé au roi Edouard. Lord Mortimer présentait un visage victorieux, mais moins toutefois que le roi Charles le Bel, auquel on n'avait
jamais vu figure si resplendissante, parce que la
reine de France, cela se chuchotait, était enceinte
de deux mois, enfin ! Et son couronnement officiel,
jusque-là différé, constituait un remerciement.

Giannino se pencha soudain sur l'oreille de
Guccio :

« *Padre, padre mio*, dit-il, le gros seigneur qui
m'a embrassé l'autre jour, que nous sommes allés
voir dans son jardin, il est là, il me regarde ! »

Brave Bouville, coincé dans la foule des dignitaires ; quelles confuses et troublantes pensées
roulaient dans sa tête en apercevant le vrai roi
de France, que tout le monde croyait dans un
caveau de Saint-Denis, juché sur les épaules d'un
négociant lombard, tandis qu'on couronnait
l'épouse de son second successeur !

L'après-midi même, sur la route de Dijon, deux
sergents d'armes du même comte de Bouville
escortaient le voyageur siennois accompagné de
l'enfant blond. Guccio Baglioni s'imaginait enlever son fils ; il volait en fait le tenant réel et
légitime du trône. Et ce secret n'était connu que
d'un vieillard auguste, dans une chambre d'Avignon emplie de cris d'oiseaux, d'un ancien chambellan, dans son jardin du Pré-aux-Clercs, et
d'une jeune femme à jamais désespérée, dans un
pré d'Ile-de-France. La reine veuve qui habitait
au Temple continuerait de faire dire des messes
pour un enfant mort.

IV

LE CONSEIL DE CHAALIS

L'ORAGE a nettoyé le ciel de fin juin. Dans les appartements royaux de l'abbaye de Chaâlis, cet établissement cistercien qui est une fondation capétienne et où les entrailles de Charles de Valois ont été déposées voici quelques mois, les cierges se consument en fumant et mélangent leur odeur de cire à l'air chargé des parfums de la terre après la pluie, et aux senteurs d'encens comme il en flotte dans toutes les demeures religieuses. Les insectes échappés à l'orage sont entrés par les ogives des fenêtres et dansent autour des flammes [34].

C'est un soir triste. Les visages sont pensifs, moroses, ennuyés, dans cette salle voûtée où les tapisseries déjà anciennes, à semis de fleurs de lis et du modèle exécuté en série pour les résidences royales, pendent le long de la pierre nue.

Une dizaine de personnes se trouvent là réunies autour du roi Charles IV : Robert d'Artois, autrement appelé le comte de Beaumont-le-Roger, le nouveau comte de Valois, Philippe, l'évêque-pair de Beauvais, Jean de Marigny, le chancelier Jean de Cherchemont, le comte Louis de Bourbon, le boiteux, grand chambrier, le connétable Gaucher de Châtillon. Ce dernier a perdu son fils aîné l'année précédente, et cela, comme on dit, l'a vieilli d'un coup. Il paraît vraiment ses soixante-seize ans ; il est de plus en plus sourd et en accuse ces bouches à poudre qu'on lui a fait partir dans les oreilles au siège de La Réole.

Quelques femmes ont été admises parce qu'en vérité c'est une affaire de famille qu'on doit traiter ce soir. Il y a là les trois Jeanne, Madame Jeanne d'Evreux, la reine, Madame Jeanne de Valois, comtesse de Beaumont, l'épouse de Robert, et encore Madame Jeanne de Bourgogne, la méchante, l'avare, petite-fille de saint Louis, boiteuse comme le cousin Bourbon, et qui est la femme de Philippe de Valois.

Et puis Mahaut, Mahaut aux cheveux tout gris et aux vêtements noirs et violets, forte en poitrine, en croupe, en épaules, en bras, colossale ! L'âge, qui ordinairement réduit la taille des êtres, n'a pas eu tel effet sur Mahaut d'Artois. Elle est devenue une vieille géante, et ceci est plus impressionnant encore qu'une jeune géante. C'est la première fois, depuis bien longtemps, que la comtesse d'Artois reparaît à la cour autrement que couronne en tête pour les cérémonies auxquelles l'oblige son rang, la première fois, en fait, depuis le règne de son gendre Philippe le Long.

Elle est arrivée à Chaâlis, dans les couleurs du deuil, pareille à un catafalque en marche, drapée comme une église la semaine de la Passion. Sa fille Blanche vient de mourir, à l'abbaye de Maubuisson où elle avait été enfin admise après qu'on l'eut d'abord transférée de Château-Gaillard dans une résidence moins cruelle, près de Coutances. Mais Blanche n'a guère profité de cette amélioration de son sort obtenue en échange de l'annulation du mariage. Elle est morte quelques mois après son entrée au couvent, épuisée par ses longues années de détention, par les terribles nuits d'hiver dans la forteresse des Andelys, morte de maigreur, de toux, de malheur, presque démente, sous un voile de religieuse, à trente ans. Et tout cela pour quelques mois d'amour, si même on peut appeler amour son aventure avec Gautier d'Aunay ; un entraînement plutôt à imiter les plaisirs de sa belle-sœur Marguerite de Bourgogne, alors qu'elle avait dix-huit ans, l'âge où l'on ne sait pas ce que l'on fait !

Ainsi celle qui aurait pu être en ce moment reine de France, la seule femme que Charles le Bel ait vraiment aimée, vient ainsi de s'éteindre alors qu'elle accédait à une relative paix. Et le roi Charles le Bel, en qui cette mort soulève de lourdes vagues de souvenirs, est triste devant sa troisième épouse qui sait fort bien à quoi il pense et qui feint de ne pas s'en apercevoir.

Mahaut a saisi l'occasion de ce deuil. Elle est venue d'elle-même et sans se faire annoncer, comme poussée seulement par le mouvement du cœur, offrir, elle la mère éprouvée, ses condoléances à l'ancien mari malheureux ; et ils sont tombés dans les bras l'un de l'autre. Mahaut, de

sa lèvre moustachue, a baisé les joues de son ex-
gendre ; Charles, d'un mouvement enfantin, a
laissé tomber son front sur la monumentale
épaule et répandu quelques larmes parmi les
draperies de corbillard dont la géante est vêtue.
Ainsi se modifient les relations entre les êtres
humains quand la mort passe parmi eux et sup-
prime les mobiles du ressentiment.

Elle a idée en tête, dame Mahaut, pour s'être
précipitée à Chaâlis ; et son neveu Robert ronge
son frein. Il lui sourit, ils se sourient, ils s'appellent « ma bonne tante », « mon beau neveu »
et se témoignent *bon amour de parents* comme
ils s'y sont engagés par le traité de 1318. Ils se
haïssent. Ils s'entretueraient s'ils se trouvaient
seuls dans une même pièce. Mahaut est venue
en vérité... elle ne le dit pas mais Robert le de-
vine bien !... à cause d'une lettre qu'elle a reçue.
Toutes les personnes présentes, d'ailleurs, ont
reçu la même lettre, à quelques variantes près :
Philippe de Valois, l'évêque Marigny, le connétable, et le roi... surtout le roi.

Les étoiles parsèment la nuit qu'on aperçoit,
claire, par les fenêtres. Ils sont dix, onze personnages de la plus haute importance, assis en
cercle sous les voûtes, entre les piliers à cha-
piteaux sculptés, et ils sont très peu. Ils ne se
donnent pas à eux-mêmes une véritable impression de force.

Le roi, de caractère faible et d'entendement limité, est, de surcroît, sans famille directe, sans
serviteurs personnels. Les princes ou les dignitaires autour de lui ce soir assemblés, qui sont-
ils ? Des cousins, ou bien des conseillers hérités
de son père ou de son oncle. Nul qui soit vérita-

blement à lui, créé par lui, lié à lui. Son père avait trois fils et deux frères siégeant à son Conseil ; et même les jours de brouille, même les jours où feu Mgr de Valois jouait les ouragans, c'était un ouragan de famille. Louis Hutin avait deux frères et deux oncles ; Philippe le Long, ces mêmes oncles, qui l'appuyaient diversement, et encore un frère, Charles lui-même. Ce survivant n'a presque plus rien. Son Conseil fait penser irrésistiblement à une fin de dynastie ; le seul espoir d'une continuation de la lignée, d'une dévolution directe, dort au ventre de cette femme silencieuse, ni jolie ni laide, qui se tient les mains croisées auprès de Charles, et qui se sait une reine de rechange.

La lettre, la fameuse lettre dont on est occupé, est datée du 19 juin et vient de Westminster ; le chancelier la tient en main, la cire verte du sceau brisé s'écaille sur le parchemin.

« Ce qui a produit si grande ire au cœur du roi Edouard paraît bien être que Mgr de Mortimer ait tenu le manteau du duc d'Aquitaine, lors du couronnement de Madame la reine. Que son personnel ennemi soit aposté auprès de son fils en telle marque de dignité, Sire Edouard ne l'a pu ressentir que comme personnelle offense. »

C'est Mgr de Marigny qui vient de parler, accompagnant parfois son propos d'un geste de ses doigts où brille l'améthyste épiscopale. Ses trois robes superposées sont d'étoffe légère, ainsi qu'il convient pour la saison, et la robe de dessus, plus courte, tombe en plis harmonieux. On reconnaît par moments chez Mgr de Marigny un peu de l'autorité du grand Enguerrand dont il est maintenant le seul frère survivant.

Le visage du prélat paraît sans faiblesse, barré de sourcils horizontaux, de part et d'autre d'un nez droit. Mgr de Marigny, si le sculpteur respecte ses traits, fera un beau gisant pour le dessus de son tombeau... mais dans longtemps, car il est jeune encore. Il a su tôt profiter de la fortune d'Enguerrand quand celui-ci était au plus haut de sa gloire, et s'en séparer à point nommé quand Enguerrand fut précipité. Toujours il a traversé aisément les vicissitudes qu'entraînent les changements de règne ; récemment encore, il a bénéficié des tardifs remords de Charles de Valois. Il est fort influent au Conseil.

« Cherchemont, dit le roi Charles à son chancelier, refaites-moi lecture de cet endroit où notre frère Edouard se plaint de messire de Mortimer. »

Jean de Cherchemont déplie le parchemin, l'approche d'un cierge, marmonne un peu avant de retrouver les lignes en cause et lit :

« ... *l'adhérence de notre femme et notre fils avec nos traîtres et ennemis mortels notoirement connus en tant que ledit traître, le Mortimer, porta à Paris la suite de notre fils, publiquement, en la solennité de couronnement de notre très chère sœur, votre compagne, la reine de France, à la Pentecôte dernière passée, en si grande honte et dépit de nous...* »

L'évêque Marigny se penche vers le connétable Gaucher et lui murmure :

« Que voilà lettre bien mal écrite ! »

Le connétable n'a pas bien entendu ; il se contente de bougonner :

« Un hors-nature, un sodomite ! »

— Cherchemont, reprend le roi, quel droit

avons-nous de nous opposer à la requête de notre frère d'Angleterre, lorsqu'il nous enjoint de supprimer séjour à son épouse ? »

Cette manière, de la part de Charles le Bel, de s'adresser à son chancelier, et non pas de se tourner, comme il le fait d'habitude, vers Robert d'Artois, son cousin, l'oncle de sa femme, son premier conseiller, prouve bien que pour une fois il a une volonté en tête.

Jean de Cherchemont, avant de répondre, parce qu'il n'est pas absolument sûr de l'intention du roi et qu'il craint d'autre part de heurter Mgr Robert, Jean de Cherchemont se réfugie dans la fin de la lettre comme si, avant de donner un avis, il lui fallait en méditer davantage les dernières lignes.

« ... *Ce pour quoi, très cher frère,* lit le chancelier, *nous vous prions derechef, si affectueusement et de cœur comme nous pouvons, que cette chose que nous désirons souverainement, veuillez nosdites requêtes entendre et les parfaire bénignement, et tôt à effet, par profit et honneur d'entre nous ; et que nous ne soyons déshonorés...* »

L'évêque Marigny secoue la tête et soupire. Il souffre d'entendre une langue si rugueuse, si gauche ! Mais enfin, toute mal écrite qu'elle soit, cette lettre, le sens en est clair.

La comtesse Mahaut d'Artois se tait ; elle se garde de triompher trop tôt, et ses yeux gris brillent dans la lumière des cierges. Sa délation de l'automne dernier et ses machinations avec l'évêque d'Exeter, en voici les fruits mûrs au début de l'été, et bons à cueillir.

Personne ne lui ayant rendu le service de lui

couper la parole, le chancelier se voit contraint
d'émettre un avis.

« Il est certain, Sire, que selon les lois à la fois
de l'Eglise et des royaumes, il faut de quelque
manière donner apaisement au roi Edouard. Il
réclame son épouse... »

Jean de Cherchemont est un ecclésiastique,
ainsi que le veut sa fonction ; et il se tourne vers
l'évêque Marigny, quêtant des yeux un appui.

« Notre Saint-Père le pape nous a lui-même fait
porter un message dans ce sens par l'évêque
Thibaud de Châtillon », dit Charles le Bel.

Car Edouard est allé jusqu'à s'adresser au pape
Jean XXII, lui envoyant transcription de toute
la correspondance où s'étale son infortune conju-
gale. Que pouvait faire le pape Jean, sinon répondre qu'une épouse doit vivre auprès de son
époux ?

« Il faut donc que Madame ma sœur s'en re-
parte vers son pays de mariage », ajouta Charles le Bel.

Il a dit cela sans regarder personne, les yeux
baissés vers ses souliers brodés. Un candélabre
qui domine son siège éclaire son front où l'on
retrouve soudain quelque chose de l'expression
butée de son frère le Hutin.

« Sire Charles, déclare Robert d'Artois, c'est
livrer aux Despenser Madame Isabelle, poings
liés, que de l'obliger à s'en retourner là-bas !
N'est-elle pas venue chercher auprès de vous
refuge, parce qu'elle redoutait déjà d'être occise ?
Que sera-ce à présent !

— Certes, Sire mon cousin, vous ne pouvez... »,
dit le grand Philippe de Valois toujours prêt à
épouser le point de vue de Robert.

Mais sa femme, Jeanne de Bourgogne, l'a tiré par la manche, et il s'est arrêté net ; et l'on verrait bien, si ce n'était la nuit, qu'il rougit.

Robert d'Artois s'est aperçu du geste, et du brusque mutisme de Philippe, et du regard qu'ont échangé Mahaut et la jeune comtesse de Valois. S'il pouvait, il lui tordrait bien le cou, à cette boiteuse-là !

« Ma sœur s'est peut-être agrandi le danger, reprend le roi. Ces Despenser ne paraissent pas de si méchantes gens qu'elle m'en a fait portrait. J'ai reçu d'eux plusieurs lettres fort agréables et qui montrent qu'ils tiennent à mon amitié.

— Et des présents aussi, de belle orfèvrerie, s'écrie Robert en se levant, et toutes les flammes des cierges vacillent et les ombres se partagent sur les visages. Sire Charles, mon aimé cousin, avez-vous, pour trois saucières de vermeil qui manquaient à votre buffet, changé de jugement au sujet de ces gens qui vous ont fait la guerre, et sont comme bouc à chèvre avec votre beau-frère ? Nous avons tous reçu présents de leur part ; n'est-il pas vrai, Monseigneur de Beauvais, et vous Cherchemont, et toi Philippe ? Un courtier en change, je puis vous donner son nom, il s'appelle maître Arnold, a reçu l'autre mois cinq tonneaux d'argent, pour un montant de cinq mille marcs esterlins, avec instruction de les employer à faire des amis au comte de Gloucester dans le Conseil du roi de France. Ces présents ne coûtent guère aux Despenser, car ils sont payés aisément sur les revenus du comté de Cornouailles qu'on a saisi à votre sœur. Voilà, Sire, ce qu'il vous faut savoir et vous remémorer. Et quelle loyauté pouvez-vous attendre d'hommes qui se déguisent en femmes pour servir les vices de leur maître ? N'oubliez pas ce qu'ils sont, et où siège leur puissance. »

Robert ne saurait résister, même en Conseil, à la tentation de la grivoiserie ; il insiste :

« ... Siège : voilà le juste mot ! »

Mais son rire ne lève aucun écho, sinon chez le connétable. Le connétable n'aimait pas Robert d'Artois, autrefois, et il en avait assez donné les preuves en aidant Philippe le Long, au temps que celui-ci était régent, à défaire le géant et à le mettre en prison. Mais, depuis quelque temps, le vieux Gaucher trouve à Robert des qualités, à cause de sa voix peut-être, la seule qu'il comprenne sans effort.

Les partisans de la reine Isabelle, ce soir, se peuvent compter. Le chancelier est indifférent, ou plutôt il est attentif à conserver une charge qui dépend de la faveur ; son opinion grossira le courant le plus fort. Indifférente aussi, la reine Jeanne, qui pense peu ; elle souhaite surtout ne point éprouver d'émois qui soient nuisibles à sa grossesse. Elle est nièce de Robert d'Artois et ne laisse pas d'être sensible à son autorité, à sa taille, à son aplomb ; mais elle est soucieuse de montrer qu'elle est une bonne épouse, et prête donc à condamner par principe les épouses qui sont objet de scandale.

Le connétable serait plutôt favorable à Isabelle. D'abord parce qu'il déteste Edouard d'Angleterre pour ses mœurs, et ses refus de rendre l'hommage. De façon générale, il n'aime pas ce qui est anglais. Il excepte de ce sentiment Lord Mortimer qui a rendu bien des services ; ce serait lâcheté que de l'abandonner à présent. Il

ne se gêne point pour le dire, le vieux Gaucher,
et pour déclarer également qu'Isabelle a toutes
les excuses.

« Elle est femme, que diable, et son mari n'est
pas homme ! C'est lui le premier coupable ! »

Mgr de Marigny, haussant un peu la voix, lui
répond que la reine Isabelle est fort pardonna-
ble, et que lui-même, pour sa part, est prêt à lui
donner l'absolution ; mais l'erreur, la grande
erreur de Madame Isabelle, c'est d'avoir rendu
son péché public; une reine ne doit point offrir
l'exemple de l'adultère.

« Ah ! c'est vrai, c'est juste, dit Gaucher. Ils
n'avaient point besoin d'aller mains jointes en
toutes cérémonies, et de partager la même couche comme cela se dit qu'ils le font. »

Sur ce point-là, il donne raison à l'évêque. Le
connétable et le prélat sont donc du parti de
la reine Isabelle, mais avec quelques restrictions.
Et puis là s'arrêtent les préoccupations du connétable sur ce sujet. Il pense au collège de langue
romane, qu'il a fondé près de son château de
Châtillon-sur-Seine, et où il serait en ce moment
si on ne l'avait pas retenu pour cette affaire. Il
s'en consolera en allant tout à l'heure écouter
les moines chanter l'office de nuit, plaisir qui
peut paraître étrange, pour un homme qui devient sourd ; mais voilà, Gaucher entend mieux
dans le bruit. Et puis ce militaire a le goût des
arts ; cela se trouve.

La comtesse de Beaumont, une belle jeune
femme qui sourit toujours de la bouche et jamais
des yeux, s'amuse infiniment. Comment ce géant
qu'on lui a donné pour mari, et qui lui fournit
un perpétuel spectacle, va-t-il se sortir de l'af-

faire où il est ? Il gagnera, elle sait qu'il gagnera ; Robert gagne toujours. Et elle l'aidera à
gagner si elle le peut, mais point par des paroles
publiques.

Philippe de Valois est pleinement favorable à
Madame d'Angleterre, mais il va la trahir, parce
que sa femme, qui haït Isabelle, lui a fait la
leçon et que cette nuit elle se refusera à lui,
après cris et tempêtes, s'il agit autrement qu'elle
en a décidé. Et le gaillard à grand nez se trouble,
hésite, bafouille.

Louis de Bourbon est sans courage. On ne l'envoie plus dans les batailles, parce qu'il prend la
fuite. Il n'a aucun lien particulier avec la reine
Isabelle.

Le roi est faible, mais capable d'entêtement,
comme cette fois dont on se souvient où il refusa
tout un mois à son oncle Charles de Valois la
commission de lieutenant royal en Aquitaine. Il
est plutôt mal disposé à l'égard de sa sœur parce
que les ridicules lettres d'Edouard, à force de
répétition, ont fini par agir sur lui; et puis surtout parce que Blanche est morte et qu'il re-
pense au rôle joué par Isabelle, il y a douze ans,
dans la découverte du scandale. Sans elle, il n'aurait jamais su ; et même sachant, il aurait, sans
elle, pardonné, pour garder Blanche. Cela valait-
il tant d'horreur, d'infamie remuée, de jours de
souffrance, et pour finir ce trépas ?

Le clan des ennemis d'Isabelle ne comprend
que deux personnes, Jeanne la Boiteuse et Mahaut d'Artois, mais solidement alliées par une
commune haine.

Si bien que Robert d'Artois, l'homme le plus
puissant après le roi, et même, en beaucoup

d'aspects, plus important que le souverain, lui
dont l'avis prévaut toujours, qui décide de toutes choses d'administration, qui dicte les ordres
aux gouverneurs, baillis et sénéchaux, Robert
est seul, soudain, à soutenir la cause de sa cousine.

Ainsi en va-t-il de l'influence dans les cours ;
c'est une étrange et fluctuante addition d'états
d'âmes, ou les situations se transforment insensiblement avec la marche des événements et la
somme des intérêts en jeu. Et les grâces portent
en elles le germe des disgrâces. Non qu'aucune disgrâce menace Robert ; mais Isabelle vraiment
est menacée. Elle que, voici quelques mois, on
plaignait, on protégeait, on admirait, à qui l'on
donnait raison en tout, dont on applaudissait
l'amour comme une belle revanche, voilà qu'elle
n'a plus au Conseil du roi qu'un seul partisan.
Or, l'obliger à rentrer en Angleterre, c'est tout
exactement lui poser le cou sur le billot de la
tour de Londres, et cela chacun le sait bien. Mais
soudain on ne l'aime plus ; elle a trop triomphé.
Personne n'est plus désireux de se comprome-
tre pour elle, sinon Robert, mais parce que c'est
pour lui une façon de lutter contre Mahaut.

Or, voici que celle-ci s'éploie à son tour et
lance son attaque depuis longtemps préparée.

« Sire, mon cher fils, je sais l'amour que vous
portez à votre sœur, et qui vous honore, dit-elle ;
mais il faut bien regarder en face qu'Isabelle est
une mauvaise femme dont tous nous pâtissons
ou avons pâti. Voyez l'exemple qu'elle donne à
votre cour, depuis qu'elle s'y trouve, et songez
que c'est la même femme qui fit pleuvoir naguère mensonges sur mes filles et sur la sœur

de Jeanne ici présente. Quand je disais alors à votre père... Dieu en garde l'âme !... qu'il se laissait abuser par sa fille, n'avais-je pas raison ? Elle nous a tous souillés à plaisir, par des mauvaises pensées qu'elle voyait dans le cœur des autres et qui ne sont qu'en elle, comme elle le prouve assez ! Blanche qui était pure, et qui vous a aimé jusqu'à ses derniers jours comme vous le savez, Blanche vient d'en mourir cette semaine ! Elle était innocente, mes filles étaient innocentes ! »

Le gros doigt de Mahaut, un index dur comme un bâton, prend le ciel à témoin. Et pour faire plaisir à son alliée du moment, elle ajoute, se tournant vers Jeanne la Boiteuse :

« Ta sœur était sûrement innocente, ma pauvre Jeanne, et tous nous avons subi le malheur à cause des calomnies d'Isabelle, et ma poitrine de mère en a saigné. »

Si elle continue de la sorte, elle va faire pleurer l'assemblée ; mais Robert lui lance :

« Innocente, votre Blanche ? Je veux bien, ma tante, mais ce n'est tout de même point le Saint-Esprit qui l'a engrossée en prison ! »

Le roi Charles le Bel a une grimace nerveuse. Robert, vraiment, n'avait pas besoin de rappeler cela.

« Mais c'est le désespoir qui a poussé là ma fillette ! crie Mahaut toute rebiffée. Qu'avait-elle à perdre, cette colombe, souillée de calomnies, mise en forteresse et à demi folle ? A tel traitement, je voudrais bien savoir qui pourrait résister.

— Je fus en prison, moi aussi, ma tante, au temps où, pour vous plaire, votre gendre Philippe le Long m'y plaça. Je n'ai point engrossé pour autant la femme du geôlier ni, par désespoir, ne me suis servi du porte-clefs pour épouse, comme il paraît que cela se fait dans notre famille anglaise ! »

Ah ! le connétable commence à reprendre de l'intérêt au débat.

« Et qui vous dit d'ailleurs, mon neveu qui vous plaisez si fort à salir la mémoire d'une morte, qu'elle n'a pas été prise de force, ma Blanche ? On a bien étranglé sa cousine dans la même prison, dit Mahaut en regardant Robert dans les yeux ; on peut avoir violé l'autre ! Non, Sire mon fils, poursuit-elle en revenant au roi, puisque vous m'avez appelée à votre Conseil...

— Nul ne vous a appelée, dit Robert, vous êtes bien venue de vous-même. »

Mais on ne coupe pas aisément la parole à la vieille géante.

« ... alors ce conseil, je vous le donne, et d'un cœur de mère que je n'ai jamais cessé d'avoir pour vous, en dépit de tout ce qui eût pu m'éloigner. Je vous le dis, Sire Charles : chassez votre sœur de France, car chaque fois qu'elle y est revenue, la couronne a connu un malheur ! L'année que vous fûtes fait chevalier avec vos frères et mon neveu Robert lui-même qui s'en doit souvenir, le feu prit à Maubuisson pendant le séjour d'Isabelle, et peu s'en fallut que nous ne fussions tous grillés ! L'année suivante, elle nous amena ce scandale qui nous a couverts de boue et d'infamie, et qu'une bonne fille du roi, une bonne sœur de ses frères, même s'il y avait eu quelque ombre de vérité, se serait dû de taire, au lieu d'aller clabauder partout, avec l'aide de qui je sais ! Et encore du temps de votre frère Philippe, quand elle vint à Amiens pour qu'Edouard rendît l'hommage, qu'est-il survenu ? Les pastoureaux ont ravagé le royaume ! Et je tremble à présent, depuis qu'elle est de retour ! Car vous attendez un enfant, qu'on espère mâle, puisqu'il vous faut donner un roi à la France ; alors je vous le dis bien, Sire mon fils : tenez cette porteuse de malheur distante du ventre de votre épouse ! »

Ah ! elle a bien ajusté son carreau d'arbalète. Mais Robert déjà riposte.

« Et quand notre cousin Hutin a trépassé, très bonne tante, où était donc Isabelle ? Point en France, que je sache. Et quand son fils, le petit Jean le Posthume, s'est éteint tout brusquement dans vos bras, où vous le teniez, très bonne tante, où était Isabelle ? Dans la chambre de Louis ? Parmi les barons assemblés ? Peut-être la mémoire me manque, je ne la revois pas. A moins, à moins que ces deux trépas de rois ne soient pas, dans votre pensée, à compter parmi les malheurs du royaume. »

La gredine a affaire à plus fort gredin. Si deux paroles encore viennent à s'échanger, on va s'accuser clairement d'assassinat !

Le connétable connaît cette famille depuis près de soixante ans. Il plisse ses yeux de tortue :

« Ne nous égarons point, dit-il, et revenons, Messeigneurs, au sujet qui demande décision. »

Et quelque chose passe dans sa voix qui rappelle, soudain, le ton des conseils du Roi de fer.

Charles le Bel caresse son front lisse et dit :

« Si, pour donner satisfaction à Edouard, on faisait sortir messire de Mortimer du royaume ? »

Jeanne la Boiteuse prend la parole. Elle a la voix nette, pas très haute ; mais après ces grands beuglements qu'ont poussés les deux taureaux d'Artois, on l'écoute.

« Ce seraient peine et temps perdus, déclara-t-elle. Pensez-vous que notre cousine va se séparer de cet homme qui est maintenant son maître ? Elle lui est bien trop dévouée d'âme et de corps ; elle ne respire plus que par lui. Ou elle refusera son départ, ou elle partira de concert. »

Car Jeanne la Boiteuse déteste la reine d'Angleterre, non seulement pour le souvenir de Marguerite, sa sœur, mais encore pour ce trop bel amour qu'Isabelle montre à la France. Et pourtant, Jeanne de Bourgogne n'a pas à se plaindre ; son grand Philippe l'aime vraiment, et de toutes les manières, bien qu'elle n'ait pas les jambes de la même longueur. Mais la petite-fille de saint Louis voudrait être la seule, dans l'univers, à être aimée. Elle hait les amours des autres.

« Il faut prendre décision », répète le connétable.

Il dit cela parce que l'heure s'avance et parce qu'en cette assemblée les femmes vraiment parlent trop.

Le roi Charles l'approuve en hochant la tête et puis déclare :

« Demain matin, ma sœur sera conduite au port de Boulogne pour y être embarquée, et ramenée sous escorte à son légitime époux. Je le veux ainsi. »

Il a dit « je le veux » et les assistants se regardent, car ce mot bien rarement est sorti de la bouche de Charles le Faible.

« Cherchemont, ajoute-t-il, vous préparerez la

commission d'escorte que je scellerai de mon petit sceau. » ‑

Rien ne peut être ajouté. Charles le Bel est buté ; il est le roi, et parfois s'en souvient.

Seule la comtesse Mahaut se permet de dire : « C'est sagement décidé, Sire mon fils. »

Et puis l'on se sépare sans grands souhaits de bonne nuit, avec le sentiment d'avoir participé à une vilaine action. Les sièges sont repoussés, chacun se lève pour saluer le départ du roi et de la reine.

La comtesse de Beaumont est déçue. Elle avait cru que Robert, son époux, l'emporterait. Elle le regarde ; il lui fait signe de se diriger vers la chambre. Il a un mot encore à dire Mgr de Marigny.

Le connétable d'un pas lourd, Jeanne de Bourgogne d'un pas boiteux, Louis de Bourbon boitant aussi, ont quitté la salle. Le grand Philippe de Valois suit sa femme avec un air de chien de chasse qui a mal rabattu le gibier.

Robert d'Artois parle un instant à l'oreille de l'évêque de Beauvais, lequel croise et décroise ses longs doigts.

Un moment plus tard, Robert regagne son appartement par le cloître de l'hôtellerie. Une ombre est assise entre deux colonnettes, une femme qui regarde la nuit.

« Bons rêves à vous, Monseigneur Robert. »

Cette voix à la fois ironique et traînante appartient à la demoiselle de parage de la comtesse Mahaut, Béatrice d'Hirson, qui se tient là, songeuse semble-t-il, et attendant quoi ? Le passage de Robert ; celui-ci le sait bien. Elle se lève, s'étire, se découpe dans l'ogive, fait un pas, deux pas, d'un mouvement balancé, et sa robe glisse contre la pierre.

« Que faites-vous là, gentille garce ? » lui dit Robert.

Elle ne répond pas directement, désigne de son profil les étoiles dans le ciel et dit :

« C'est belle nuit que voici, et pitié que de s'aller coucher seule. Le sommeil vient mal en la chaude saison... »

Robert d'Artois s'approche jusqu'à venir contre elle, interroge de haut ces longs yeux qui le défient et brillent dans la pénombre, pose sa large main sur la croupe de la demoiselle... et puis brusquement se retire en secouant les doigts, comme s'il se brûlait.

« Eh ! belle Béatrice, s'écrie-t-il en riant, allez prestement vous mettre les naches au frais dans l'étang, car sinon vous allez flamber ! »

Cette brutalité de geste, cette grossièreté de paroles, font frémir la demoiselle Béatrice. Il y a longtemps qu'elle attend l'occasion de conquérir le géant : ce jour-là, Mgr Robert sera à la merci de la comtesse Mahaut et elle, Béatrice, connaîtra un désir enfin satisfait. Mais ce ne sera pas pour ce soir encore.

Robert a plus important à faire. Il gagne son appartement, entre dans la chambre de la comtesse sa femme ; celle-ci se redresse dans son lit. Elle est nue ; elle dort ainsi tout l'été. Robert caresse machinalement un sein qui lui appartient par mariage, juste un bonsoir. La comtesse de Beaumont n'éprouve rien de cette caresse, mais elle s'amuse ; elle s'amuse toujours de voir apparaître son mari, et d'imaginer ce qu'il peut avoir en tête. Robert d'Artois s'est affalé sur un

siège ; il a étendu ses immenses jambes, les soulève de temps à autre, et les laisse retomber, les
deux talons ensemble.

« Vous ne vous couchez point, Robert ?

— Non, ma mie, non. Je vais même vous quitter pour courir à Paris tout à l'heure, quand ces
moines auront fini de chanter dans leur église. »

La comtesse sourit.

« Mon ami, ne croyez-vous pas que ma sœur
de Hainaut pourrait accueillir quelque temps
Isabelle, et lui permettre de regrouper ses
forces ?

— J'y pensais, ma belle comtesse, j'y pensais
justement. »

Allons ! Madame de Beaumont est rassurée ;
son mari gagnera.

Ce n'était pas tellement le service d'Isabelle
qui mit Robert d'Artois à cheval, cette nuit-là,
que sa haine pour Mahaut. La gueuse voulait
s'opposer à lui, nuire à ceux qu'il protégeait, et
reprendre influence sur le roi ? On verrait bien
qui garderait le dernier mot.

Il alla secouer son valet Lormet.

« Va faire seller trois chevaux. Mon écuyer, un
sergent...

— Et moi ? dit Lormet.

— Non, pas toi, tu vas retourner dormir. »

C'était gentillesse de la part de Robert. Les
années commençaient à peser sur le vieux compagnon de ses méfaits, tout à la fois garde du
corps, étrangleur et nourrice. Lormet maintenant avait le souffle court et supportait mal les

brumes du petit matin. Il maugréa. Puisqu'on se passait de lui, à quoi bon l'avoir réveillé ? Mais il aurait bougonné plus encore s'il lui avait fallu partir.

Les chevaux furent vite sellés ; l'écuyer bâillait, le sergent d'armes achevait de se harnacher.

« En selle, dit Robert, ce sera une promenade. »

Bien assis sur le troussequin de sa selle, il garda le pas pour sortir de l'abbaye par la ferme et les ateliers. Puis, aussitôt atteinte la Mer de sable qui s'étendait claire, insolite et nacrée, entre les bouleaux blancs, vrai paysage pour une assemblée de fées, il fit prendre le galop. Dammartin, Mitry, Aulnay, Saint-Ouen : une promenade de quatre heures avec quelques temps d'allure plus lente, pour souffler, et juste une halte dans une auberge ouverte la nuit qui servait à boire aux rouliers de maraîchage.

Le jour ne pointait pas encore quand on arriva au palais de la Cité. La garde laissa passage au premier conseiller du roi, Robert monta droit aux appartements de la reine Isabelle, enjamba les serviteurs endormis dans les couloirs, traversa la chambre des femmes qui lancèrent des hurlements de volailles effarouchées et crièrent : « Madame, Madame! on entre chez vous. »

Une veilleuse brûlait au-dessus du lit où Mortimer était couché avec la reine.

« Ainsi, c'est pour cela, pour qu'ils puissent dormir dans les bras l'un de l'autre, que j'ai galopé toute la nuit à m'enlever les fesses ! » pensa Robert.

La surprise passée, et les chandelles allumées, toute gêne fut oubliée, en raison de l'urgence.

Robert mit les deux amants au courant, rapidement, de ce qui s'était décidé à Chaâlis et se tramait contre eux. Tout en écoutant, et en questionnant, Mortimer se vêtait devant Robert d'Artois, très naturellement, comme cela se fait entre gens de guerre. La présence de sa maîtresse ne semblait pas non plus l'embarrasser ; ils étaient décidément bien installés en ménage.

« Il vous faut partir dans l'heure, mes bons amis, voilà mon conseil, dit Robert, et tirer vers les terres d'Empire pour vous y mettre à l'abri. Tous deux, avec le jeune Edouard, et peut-être Cromwell, Alspaye et Maltravers, mais peu de monde pour ne point vous ralentir, vous allez piquer sur le Hainaut, où je vais dépêcher un chevaucheur qui vous devancera. Le bon comte Guillaume et son frère Jean sont deux grands seigneurs loyaux, redoutés de leurs ennemis, aimés de leurs amis. La comtesse mon épouse vous appuiera pour sa part auprès de sa sœur. C'est le meilleur refuge que vous puissiez gagner pour le présent. Notre ami de Kent, que je vais prévenir, vous rejoindra en se détournant par le Ponthieu, afin de rassembler les chevaliers que vous avez là-bas. Et puis, à la grâce de Dieu !... Je veillera à ce que Tolomei continue à vous acheminer des fonds ; d'ailleurs, il ne peut plus agir autrement, il est trop engagé avec vous. Grossissez vos troupes, faites votre possible, battez-vous. Ah ! si le royaume de France n'était si gros morceau, où je ne veux pas laisser champ libre aux mauvaisetés de ma tante, j'irais volontiers avec vous.

— Tournez-vous donc, mon cousin, que je me vête, dit Isabelle.

— Alors quoi, ma cousine, pas de récompense ?
Ce coquin de Roger veut donc tout garder pour
lui ? dit Robert en obéissant. Il ne s'ennuie pas,
le gaillard ! »

Pour une fois, ses intentions grivoises ne pa-
rurent pas choquantes ; il y avait même quelque
chose de rassurant dans cette manière de plai-
santer, en plein drame. Cet homme qui passait
pour si méchant était capable de bons gestes, et
son impudeur de paroles, parfois, n'était qu'un
masque à un certaine pudeur de sentiments.

« Je suis en train de vous devoir la vie, Robert,
dit Isabelle.

— Charge de revanche, ma cousine, charge de
revanche ! On ne sait jamais », lui cria-t-il par-
dessus son épaule.

Il vit sur une table une coupe de fruits, préparée pour la nuit des amants ; il prit une pêche,
y mordit largement et le jus doré lui baigna le
menton.

Branle-bas dans les couloirs, écuyers courant
aux écuries, messagers dépêchés aux seigneurs
anglais qui logeaient en ville, femmes qui se hâ-
taient à fermer les coffres légers, après y avoir
entassé l'essentiel ; tout un grand mouvement
agitait cette partie du Palais.

« Ne prenez pas par Senlis, dit Robert, la bouche encombrée de sa douzième pêche ; notre bon
Sire Charles en est trop proche et pourrait faire
mettre à vos trousses. Passez par Beauvais et
Amiens. »

Les adieux furent brefs ; l'aurore commençait
seulement à éclairer la flèche de la Sainte-Chapelle et déjà, dans la cour, l'escorte était prête.
Isabelle s'approcha de la fenêtre ; l'émotion la

retint un instant devant ce jardin, ce fleuve, et à côté de ce lit où elle avait connu le temps le plus heureux de sa vie. Quinze mois s'étaient écoulés depuis le premier matin où elle avait respiré, à cette même place, le parfum merveilleux que répand le printemps, quand on aime. La main de Roger Mortimer se posa sur son épaule, et les lèvres de la reine glissèrent vers cette main...

Bientôt les fers des chevaux sonnèrent dans les rues de la Cité, puis sur le Pont-au-Change, vers le nord.

Mgr Robert d'Artois gagna son hôtel. Quand le roi serait averti de la fuite de sa sœur, il y aurait beau temps que celle-ci se trouverait hors d'atteinte ; et Mahaut devrait se faire saigner pour que le flux du sang ne l'étouffât pas... « Ah ! ma bonne gueuse !... » Robert pouvait dormir, d'un lourd sommeil de bœuf, jusqu'aux cloches de midi.

QUATRIÈME PARTIE

LA CHEVAUCHÉE
CRUELLE

HARWICH

LES mouettes, encerclant de leur vol criard les mâtures des navires, guettaient les déchets tombant à la mer. Dans l'embouchure où se jettent à la fois l'Orwell et la Stour, la flotte voyait se rapprocher le port de Harwich, son môle de bois et sa ligne de maisons basses.

Déjà deux embarcations légères avaient abordé, débarquant une compagnie d'archers chargés de s'assurer de la tranquillité des parages ; la rive ne paraissait pas gardée. Il y avait eu un peu de confusion sur le quai où la population, d'abord attirée par toutes ces voiles qui arrivaient du large, s'était enfuie en voyant des soldats prendre pied ; mais bientôt rassurée, elle s'attroupait à nouveau.

Le navire de la reine, arborant à sa corne la longue flamme brodée des lis de France et des

lions d'Angleterre, filait sur son erre. Dix-huit
vaisseaux de Hollande le suivaient. Les équipages,
aux commandements des maîtres mariniers,
abaissaient les voilures ; les longues rames venaient de sortir du flanc des nefs, comme des
plumes d'ailes soudain déployées, pour aider à
la manœuvre.

Debout sur le château d'arrière, la reine d'Angleterre, entourée de son fils le prince Edouard,
du comte de Kent, de Lord Mortimer, de messire
Jean de Hainaut et de plusieurs autres seigneurs
anglais et hollandais, assistait à la manœuvre
et regardait grandir la rive de son royaume.

Pour la première fois depuis son évasion, Roger Mortimer n'était pas habillé de noir. Il portait non point la grande cuirasse à heaume fermé,
mais simplement l'équipement de petite bataille,
le casque sans visière auquel s'attachait le camail
d'acier, et le haubert de mailles par-dessus quoi
flottait sa cotte d'armes rouge et bleue, ornée
de ses emblèmes.

La reine était vêtue de la même manière, son
mince et blond visage enchâssé dans le tissu
d'acier, et la jupe traînant jusqu'à terre mais
sous laquelle elle avait chaussé, comme les hommes, des jambières de mailles.

Et le jeune prince Edouard, lui aussi, se montrait en tenue de guerre. Il avait beaucoup grandi,
ces derniers mois, et pris un peu tournure
d'homme. Il observait les mouettes, les mêmes,
lui semblait-il, aux mêmes cris rauques, aux
mêmes becs avides, qui avaient accompagné
le départ de la flotte dans l'embouchure de la
Meuse.

Ces oiseaux lui rappelaient la Hollande. Tout,

d'ailleurs, la mer grise, le ciel gris nuancé de vagues traînées roses, le quai aux petites maisons de brique où l'on allait bientôt aborder, le paysage vert, onduleux, laguneux qui s'étendait derrière Harwich, tout s'accordait pour le faire se souvenir des paysages hollandais. Mais aurait-il contemplé un désert de pierres et de sable, sous un soleil flambant, qu'il eût encore songé, par indifférence, à ces terres de Brabant, d'Ostrevant, de Hainaut, qu'il venait de quitter. C'est que Mgr Edouard, duc d'Aquitaine et héritier d'Angleterre, était, pour ses quatorze ans trois quarts, tombé amoureux en Hollande.

Et voici comment la chose s'était faite, et quels notables événements avaient marqué la mémoire du jeune prince Edouard.

Après qu'on eut fui Paris à la sauvette, en ce petit matin où Mgr d'Artois avait intempestivement éveillé le Palais, on s'était hâté, en forçant les journées, pour gagner au plus pressé les terres d'Empire, jusqu'à ce qu'on fût parvenu chez le sire Eustache d'Aubercicourt, lequel, aidé de sa femme, avait fait un accueil tout d'empressement et de liesse à la reine anglaise et à sa compagnie. Dès qu'installée et répartie au mieux dans le château cette chevauchée inattendue, messire d'Aubercicourt avait sauté en selle pour s'en aller prévenir le bon comte Guillaume, dont la femme était cousine germaine de la reine Isabelle, en sa ville capitale de Valenciennes. Le lendemain même accourait le frère cadet du comte, messire Jean de Hainaut.

Curieux homme que celui-ci ; non point d'apparence, car il était bien honnêtement fait, le visage rond sur un corps solide, l'œil rond, le nez rond au-dessus d'une brève moustache blonde ; mais singulier dans sa manière d'agir. Car, arrivé devant la reine, et pas encore débotté, il avait mis un genou sur les dalles, et s'était écrié, la main sur le cœur :

« Dame, voyez ici votre chevalier qui est prêt à mourir pour vous, quand même tout le monde vous ferait faute et j'userai de tout mon pouvoir, avec l'aide de vos amis, pour vous reconduire, vous et Monseigneur votre fils, par-delà la mer en votre Etat d'Angleterre. Et tous ceux que je pourrai prier y mettront leur vie, et nous aurons gens d'armes assez, s'il plaît à Dieu. »

La reine, pour le remercier d'une aide si soudaine, avait esquissé le geste de s'agenouiller devant lui ; mais messire Jean de Hainaut l'en avait empêchée et la saisissant à pleins bras, et toujours la serrant et lui soufflant dans la figure, avait continué :

« Ne plaise à Dieu que jamais la reine d'Angleterre ait à se ployer devant quiconque. Confortez-vous, Madame, et votre gentil fils aussi, car je vous tiendrai ma promesse. »

Lord Mortimer commençait à faire la longue figure, trouvant que messire Jean de Hainaut avait l'empressement un peu vif à mettre son épée au service des dames. Vraiment cet homme-là se prenait proprement pour Lancelot du Lac, car il avait déclaré tout soudain qu'il ne souffrirait dormir ce soir-là sous le même toit que la reine, afin de ne pas la compromettre, et comme s'il n'apercevait pas au moins six grands seigneurs autour d'elle ! Il s'en était allé faire benoîtement retraite en une abbaye voisine, pour revenir tôt le lendemain, après messe et boire,

querir la reine et conduire toute cette compagnie à Valenciennes.

Ah ! les excellentes gens que ce comte Guillaume le Bon, son épouse et leurs quatre filles,
qui vivaient dans un château blanc ! Le comte
et la comtesse formaient un ménage heureux ;
cela se voyait sur leurs visages et s'entendait
dans toutes leurs paroles. Le jeune prince
Edouard, qui avait souffert dès l'enfance du
spectacle de désaccord donné par ses parents, regardait avec admiration ce couple uni et, en
toutes choses, bienveillant. Comme elles étaient
heureuses, les quatre jeunes princesses de Hainaut, d'être nées en pareille famille !

Le bon comte Guillaume s'était offert au service de la reine Isabelle, de moins éloquente façon que son frère, toutefois, et en prenant quelques avis afin de ne point s'attirer les foudres
du roi de France, ni celles du pape.

Messire Jean de Hainaut, lui, se dépensait. Il
écrivait à tous les chevaliers de sa connaissance,
les priant sur l'honneur et l'amitié de le venir
joindre dans son entreprise et pour le vœu qu'il
avait fait. Il mit tant à rumeur Hainaut, Brabant, Zélande et Hollande que le bon comte
Guillaume s'inquiéta ; c'était tout l'ost de ses
Etats, toute sa chevalerie, que messire Jean était
en train de lever. Il l'invita donc à plus de modération ; mais l'autre ne voulait rien entendre.

« Messire mon frère, disait-il, je n'ai qu'une
mort à souffrir, qui est dans la volonté de Notre
Seigneur, et j'ai promis à cette gentille dame de
la conduire jusque en son royaume. Ainsi ferai-
je, même s'il m'en faut mourir, car tout chevalier
doit aider de son loyal pouvoir toutes dames et

pucelles déchassées et déconfortées, à l'instant qu'ils en sont requis ! »

Guillaume le Bon craignait aussi pour son Trésor, car tous ces bannerets auxquels ont faisait fourbir leur cuirasse, il allait bien falloir les payer ; mais là-dessus, il fut rassuré par Lord Mortimer, qui semblait tenir des banques lombardes assez d'argent pour entretenir mille lances.

On resta donc près de trois mois à Valenciennes, à mener la vie courtoise, tandis que Jean de Hainaut annonçait chaque jour quelque nouveau ralliement d'importance, tantôt celui du sire Michel de Ligne ou du sire de Sarre, tantôt du chevalier Oulfart de Ghistelles, ou Perceval de Semeries, ou Sance de Boussoy.

On alla comme en famille faire pèlerinage en l'église de Sebourg aux reliques de saint Druon, fort vénérées depuis que le grand-père du comte Guillaume, Jean d'Avesnes, qui souffrait d'une pénible gravelle, en avait obtenu guérison.

Des quatre filles du comte Guillaume, la deuxième, Philippa, avait plu tout de suite au jeune prince Edouard. Elle était rousse, potelée, criblée de taches de son, le visage large et le ventre déjà bombu ; une bonne petite Valois, mais teintée de Brabant. Les deux jeunes gens se trouvaient parfaitement appareillés par l'âge ; et l'on eut la surprise de voir le prince Edouard, qui ne parlait jamais, se tenir autant qu'il le pouvait auprès de la grosse Philippa, et lui parler, parler, parler pendant des heures entières... Cette attirance n'échappait à personne ; les silencieux ne savent plus feindre dès qu'ils abandonnent le silence.

Aussi la reine Isabelle et le comte de Hainaut étaient-ils vite venus à l'accord de fiancer leurs enfants qui montraient l'un pour l'autre si grande inclination. Par là Isabelle cimentait une alliance indispensable ; et le comte de Hainaut, du moment que sa fille était promise à devenir reine un jour en Angleterre, ne voyait plus que du bien à prêter ses chevaliers.

Malgré les ordres formels du roi Edouard II, qui avait interdit à son fils de se fiancer ou de se laisser fiancer sans son consentement[35], les dispenses avaient été déjà demandées au Saint-Père. Il semblait vraiment écrit dans les destins que le prince Edouard épouserait une Valois ! Son père, trois ans plus tôt, avait refusé pour lui une des dernières filles de Mgr Charles, bienheureux refus puisque maintenant le jeune homme allait pouvoir s'unir à la petite-fille de ce même Mgr Charles, et qui lui plaisait.

L'expédition, aussitôt, avait pris pour le prince Edouard un sens nouveau. Si le débarquement réussissait, si l'oncle de Kent et Lord Mortimer, avec l'aide du cousin de Hainaut, parvenaient à chasser les mauvais Despensers et à commander en leur place auprès du roi, celui-ci serait bien forcé d'agréer à ce mariage.

On ne se gênait plus, d'ailleurs, pour parler devant le jeune homme des mœurs de son père ; il en avait été horrifié, écœuré. Comment un homme, un chevalier, un roi, pouvait-il se conduire de pareille manière avec un seigneur de sa cour ? Le prince était résolu, quand viendrait son tour de régner, à ne jamais tolérer pareilles turpitudes parmi ses barons, et il montrerait à tous, auprès de sa Philippa, un vrai, bel et loyal

amour d'homme et de femme, de reine et de roi.
Cette ronde, rousse et grasse personne, déjà fortement féminine, et qui lui paraissait la plus belle
demoiselle de toute la terre, avait sur le duc
d'Aquitaine un pouvoir rassurant.

Ainsi c'était son droit à l'amour que le jeune
homme allait gagner, et cela effaçait pour lui la
peine qu'il y a à marcher en guerre contre son
propre père.

Trois mois donc avaient passé de cette manière
heureuse, les plus beaux sans conteste qu'eût
connus le prince Edouard.

Le rassemblement des Hennuyers, puisque ainsi
s'appelaient les chevaliers de Hainaut, s'était fait
à Dordrecht, sur la Meuse, jolie ville étrangement coupée de canaux, de bassins, où chaque
rue de terre enjambait une rue d'eau, où les navires de toutes les mers, et ceux aussi, plats et
sans voiles, qui remontaient les rivières, accos-
taient jusque devant le parvis des églises. Une
cité pleine de négoces et de richesses, où les seigneurs marchaient sur les quais entre les ballots
de laine et les caisses d'épices, où l'odeur de poisson, fraîche et salée, flottait autour des halles,
où les mariniers et les portefaix mangeaient dans
la rue de belles soles blondes toutes chaudes
surgies de la friture et qu'on achetait aux éven-
taires, où le peuple, sortant après messe de la
grosse cathédrale de brique, venait badauder
devant ce grand arroi de guerre, jamais encore
vu, et qui se tenait au pied des demeures ! Les
mâtures des nefs se balançaient plus haut que
les toits.

Combien d'heures, et d'efforts, et de cris
n'avait-il pas fallu pour charger les bateaux,

ronds comme les sabots dont la Hollande était
chaussée, de tout l'attirail de cette cavalerie :
caisses d'armements, coffres aux cuirasses, vivres, cuisines, fourneaux, et une maréchalerie par
bannière et cent hommes avec les enclumes, les
soufflets, les marteaux ! Ensuite, on avait dû embarquer les gros chevaux de Flandre, ces lourds
alezans pattus aux robes presque rouges sous le
soleil, avec des crinières plus pâles, délavées et
flottantes, et d'énormes croupes charnues, soyeu-
ses, vraies montures de chevaliers sur lesquelles
on pouvait poser les selles à hauts arçons, ac-
crocher les caparaçons de fer, et placer un homme
en armure ; près de quatre cents livres à emporter au galop.

On comptait mille et plus de ces chevaux, car
messire Jean de Hainaut, tenant parole, avait
réuni mille chevaliers, accompagnés de leurs
écuyers, leurs varlets, leurs goujats, soit au total deux mille sept cent cinquante-sept hommes
à solde, d'après le registre qu'en tenait Gérard
de Alspaye.

Le château d'arrière de chaque vaisseau servait
d'appartement aux grands seigneurs de l'expédition.

Ayant mis à la voile le matin du 22 septembre,
afin de profiter des courants d'équinoxe, on
avait navigué tout un jour sur la Meuse pour
venir s'ancrer devant les digues de Hollande.
Les mouettes criardes tournaient autour des nefs.
Le lendemain, la flotte cinglait vers la haute
mer. Le temps paraissait beau ; mais voici que
vers la fin du jour le vent s'était levé par le travers, contre lequel les navires avaient peine à
lutter ; sur une eau creusée d'énormes vagues,

toute l'expédition souffrait de grand malaise et
de grande peur. Les chevaliers vomissaient par-
dessus les rambardes quand encore il leur restait la force de s'en approcher. Les équipages eux-
mêmes étaient incommodés et les chevaux, bous-
culés dans les écuries d'entrepont, répandaient
des odeurs affreuses. Une tempête est plus effrayante de nuit que de jour. Les aumôniers
s'étaient mis en prières.

Messire Jean de Hainaut faisait merveille de
courage et de réconfort auprès de la reine Isabelle, un peu trop même, car il est certaines occasions où l'empressement des hommes peut devenir importun aux dames. La reine avait éprouvé
comme un soulagement lorsque messire de Hainaut s'était trouvé malade à son tour.

Seul, Lord Mortimer paraissait résister au
gros temps ; les hommes jaloux ne souffrent pas
du mal de mer, du moins cela se dit. En revanche, le baron de Maltravers présentait lorsque
vint l'aurore un pitoyable aspect. Le visage plus
long et plus jaune que jamais, les cheveux pendant sur les oreilles, la cotte d'armes maculée, il
était assis les jambes écartées contre un rouleau
de filin, et gémissait à chaque vague comme si
elle lui eût apporté son trépas.

Enfin, par la grâce de Mgr saint Georges, la
mer s'étant apaisée, chacun avait pu remettre un
peu d'ordre sur sa personne. Puis les hommes
de vigie avaient reconnu la terre d'Angleterre, à
quelques milles seulement plus au sud du point
où l'on voulait arriver ; les mariniers s'étaient di-
rigés vers le port de Harwich où l'on abordait à
présent, et dont la nef royale, rames levées, frô-
lait déjà le môle de bois.

Le jeune prince Edouard d'Aquitaine, à travers ses longs cils blonds, contemplait rêveusement les choses autour de lui, car tout ce que son regard rencontrait et qui était rond, roux ou rose, les nuages poussés par la brise de septembre, les voiles basses et gonflées des derniers navires, les croupes des alezans de Flandre, les joues de messire Jean de Hainaut, tout lui rappelait, invinciblement, la Hollande de ses amours.

En posant la semelle sur le quai de Harwich, Roger Mortimer se sentit tout à fait semblable à son ancêtre qui, deux cent soixante années plus tôt, avait débarqué sur le sol anglais au côté du Conquérant. Et cela se vit bien à son air, à son ton et à la manière dont il prit toutes choses en main.

Il partageait la direction de l'expédition, à égalité de commandement, avec Jean de Hainaut, partage assez normal puisque Mortimer n'avait pour lui que sa bonne cause, quelques seigneurs anglais et l'argent des Lombards ; tandis que l'autre conduisait les deux mille sept cent cinquante-sept hommes qui allaient combattre. Toutefois, Mortimer considérait que l'autorité de Jean de Hainaut ne devait s'exercer que sur l'organisation et la subsistance des troupes, tandis que lui-même entendait garder la responsabilité entière des opérations. Le comte de Kent, pour sa part, semblait peu soucieux de se pousser en avant ; car si, en dépit des informations optimistes qu'on avait reçues, une partie de la noblesse demeurait fidèle au roi Edouard, les

troupes de ce dernier seraient commandées par le
comte de Norfolk, maréchal d'Angleterre, c'est-
à-dire le propre frère de Kent. Or, se révolter
contre un demi-frère plus vieux de vingt ans et
qui se montre mauvais roi est une chose ; mais
c'en est une tout autre que de tirer l'épée contre
un frère très aimé et dont un an seulement vous
sépare.

Mortimer, cherchant d'abord le renseignement,
avait fait querir le Lord-maire de Harwich.
Savait-il où se trouvaient les troupes royales ?
Quel était le plus proche château qui pouvait
offrir abri à la reine le temps qu'on débarquât
les hommes et qu'on déchargeât les navires ?

« Nous sommes ici, déclara Mortimer au Lord-
maire, pour aider le roi Edouard à se défaire des
mauvais conseillers dont gémit son royaume, et
pour remettre la reine en l'état qui lui est dû.
Nous n'avons donc point d'autres intentions que
celles inspirées par la volonté des barons et de
tout le peuple d'Angleterre. »

Voilà qui était bref, clair, ce que Roger Mortimer répéterait à chaque halte afin d'expliquer,
aux gens qui s'en pourraient surprendre, l'arrivée
de cette armée étrangère.

Le Lord-maire, un vieil homme dont les cheveux blancs voletaient, et qui frissonnait dans sa
robe, non point de froid mais de peur, ne paraissait guère avoir d'informations. Le roi, le roi ?...
On disait qu'il était à Londres, à moins qu'il
ne fût à Portsmouth... En tout cas, à Portsmouth, une grande flotte devait être rassemblée,
puisqu'un ordre du mois dernier avait com
mandé à tous les bateaux de s'y diriger pour
prévenir une invasion française ; cela expli-

quait qu'il y eût si peu de navires dans le port.

Lord Mortimer ne négligea pas de montrer à ce moment quelque fierté et particulièrement devant messire de Hainaut. Car il avait fait habilement répandre, par des émissaires, son intention de débarquer sur la côte sud; la ruse avait pleinement réussi. Mais Jean de Hainaut pouvait être orgueilleux, pour sa part, de ses mariniers hollandais qui avaient tenu leur cap en dépit de la tempête.

La région n'était point gardée ; le Lord-maire n'avait pas connaissance de mouvements de troupes dans les parages, ni reçu autre consigne que celles de surveillance habituelle. Un lieu où se retrancher ? Le Lord-maire suggérait l'abbaye de Walton, à trois lieues au sud en contournant les eaux. Il était fort désireux, au fond de soi, de se débarrasser sur les moines du soin d'abriter cette compagnie.

Il fallait constituer une escorte de protection pour la reine.

« Je la commanderai ! s'écria Jean de Hainaut.

— Et le débarquement de vos Hennuyers, messire, dit Mortimer, qui va y veiller ? Et combien de temps cela va-t-il prendre ?

— Trois grosses journées, pour qu'ils soient constitués en ordre de marche. Je laisserai à y pourvoir Philippe de Chasteaux, mon maître écuyer. »

Le plus grand souci de Mortimer concernait les messagers secrets qu'il avait envoyés de Hollande vers l'évêque Orleton et le comte de Lancastre. Ces derniers avaient-ils été joints, prévenus en temps voulu ? Et où étaient-ils présentement ? Par les moines, on pourrait sans doute le savoir et dépêcher des chevaucheurs qui, de monastère en monastère, parviendraient jusqu'aux deux chefs de la résistance intérieure.

Autoritaire, calme en apparence, Mortimer arpentait la grand-rue de Harwich, bordée de maisons basses ; il se retournait, impatient de voir se former l'escorte, redescendait au port pour presser le débarquement des chevaux, revenait à l'auberge des Trois-Coupes où la reine et le prince Edouard attendaient leurs montures. En cette même rue qu'il foulait, passerait et repasserait, pendant plusieurs siècles, l'histoire de l'Angleterre [36].

Enfin l'escorte fut prête ; les chevaliers arrivaient, se rangeant par quatre de front et occupant ainsi toute la largeur de High Street. Les goujats couraient à côté des chevaux pour fixer une dernière boucle au caparaçon ; les lances oscillaient devant les étroites fenêtres ; les épées tintaient contre les genouillères.

On aida la reine à monter sur son palefroi, et puis la chevauchée commença à travers la campagne vallonnée, aux arbres clairsemés, aux landes envahies par la marée et aux rares maisons coiffées de toits de chaume. Derrière des haies basses, des moutons à laine épaisse broutaient l'herbe autour des flaques d'eau saumâtre. Un pays assez triste, en somme, enveloppé dans la brume de l'estuaire. Mais Kent, Cromwell, Alspaye, la poignée d'Anglais, et Maltravers lui-même, tout malade qu'il fût encore, regardaient ce paysage, se regardaient, et les larmes leur brillaient aux yeux. Cette terre-là, c'était celle de l'Angleterre !

Et soudain, à cause d'un cheval de ferme qui

avançait la tête par-dessus la demi-porte d'une écurie et qui se mit à hennir au passage de la cavalcade, Roger Mortimer sentit fondre sur lui l'émotion du pays retrouvé. Cette joie si longtemps attendue, et qu'il n'avait pas encore ressentie, tant il avait de graves pensées en tête et de décisions à prendre, il venait de la rencontrer, au milieu de la campagne, parce qu'un cheval anglais hennissait vers les chevaux de Flandre.

Trois ans d'éloignement, trois ans d'exil, d'attente et d'espérance ! Mortimer se revit tel qu'il était la nuit de son évasion de la Tour, tout trempé, glissant dans une barque au milieu de la Tamise, pour atteindre un cheval, sur l'autre rive. Et voici qu'il revenait, ses armoiries brodées sur la poitrine, et mille lances avec lui pour soutenir son combat. Il revenait, amant de cette reine à laquelle il avait si fort rêvé en prison. La vie survient parfois semblable au songe qu'on en a fait, et c'est seulement alors qu'on peut se dire heureux.

Il tourna les yeux, dans un mouvement de gratitude et de partage, vers la reine Isabelle, vers ce beau profil, serti dans le tissu d'acier, et où l'œil brillait comme un saphir. Mais Mortimer vit que messire Jean de Hainaut, qui marchait de l'autre côté de la reine, la regardait aussi, et sa grande joie tomba d'un coup. Il eut l'impression d'avoir déjà connu cet instant-là, de le revivre, et il en fut troublé, car peu de sentiments en vérité sont aussi inquiétants que celui, qui parfois nous assaille, de reconnaître un chemin où l'on n'est jamais passé. Et puis il se souvint de la route de Paris, le jour où il était allé accueil-

lir Isabelle à son arrivée, et se rappela Robert
d'Artois cheminant auprès de la reine, comme
Jean de Hainaut à présent.

Et il entendit la reine prononcer :

« Messire Jean, je vous dois tout, et d'abord
d'être ici. »

Mortimer se renfrogna, se montra sombre,
brusque, distant, pendant tout le reste du par-
cours, et encore lorsqu'on fut parvenu chez les
moines de Walton et que chacun s'installa, qui
dans le logis abbatial, qui dans l'hôtellerie, et la
plupart des hommes d'armes dans les granges.
A ce point que la reine Isabelle, lorsqu'elle se
retira au soir avec son amant, lui demanda :

« Mais qu'avez-vous eu toute cette fin de journée, gentil Mortimer ?

— J'ai Madame, que je croyais avoir bien servi
ma reine et mon amie.

— Et qui vous a dit, beau sire, que vous ne
l'avez point fait ?

— Je pensais, Madame, que c'était à moi que
vous deviez votre retour en ce royaume.

— Mais qui a prétendu que je ne vous le devais
point ?

— Vous-même, Madame, vous-même, qui
l'avez déclaré devant moi à messire de Hainaut,
en lui rendant grâces de tout.

— Oh ! Mortimer, mon doux ami, s'écria la
reine, comme vous prenez ombrage de toute
parole ! Quel mal y a-t-il vraiment à remercier
qui vous oblige ?

— Je prends ombrage de ce qui est, répliqua
Mortimer. Je prends ombrage des paroles comme
je prends ombrage aussi de certains regards dont
j'espérais, loyalement, que vous ne les deviez adres-

ser qu'à moi. Vous êtes fleureteuse, Madame, ce que je n'attendais point. Vous fleuretez ! »

La reine était lasse. Les trois jours de mauvaise mer, l'inquiétude d'un débarquement fort aventureux et, pour finir, cette course de quatre lieues, l'avaient mise à suffisante épreuve. Connaissait-on beaucoup de femmes qui en eussent supporté autant, sans jamais se plaindre ni causer de souci à personne ? Elle attendait plutôt un compliment pour sa vaillance que des remontrances de jalousie.

« Quel fleuretage, ami, je vous le demande ! dit-elle avec impatience. L'amitié chaste que messire de Hainaut m'a vouée peut porter à rire, mais elle vient d'un bon cœur ; et n'oubliez pas en outre qu'elle nous vaut les troupes que nous avons ici. Souffrez donc que sans l'encourager j'y réponde un peu, car comptez donc nos Anglais, et comptez ses Hennuyers. C'est pour vous aussi que je souris à cet homme qui vous irrite tant !

— A mal agir, on découvre toujours quelque bonne raison. Messire de Hainaut vous sert par grand amour, je le veux bien, mais non jusqu'à refuser l'or dont on le paie pour cela. Il ne vous est donc point besoin de lui offrir si tendres sourires. Je suis humilié pour vous de vous voir déchoir de cette hauteur de pureté où je vous plaçais.

— Cette hauteur de pureté, ami Mortimer, vous n'avez pas paru blessé que j'en déchusse, le jour où ce fut dans vos bras. »

C'était leur première brouille. Fallait-il qu'elle éclatât justement ce jour-là qu'ils avaient tant espéré, et pour lequel pendant tant de mois ils avaient uni leurs efforts ?

« Ami, ajouta plus doucement la reine, cette grande ire qui vous prend ne viendrait-elle pas de ce que je vais à présent être à moins de distance de mon époux, et que l'amour nous sera moins facile ? »

Mortimer baissa le front que barraient ses rudes sourcils.

« Je crois en effet, Madame, que maintenant que vous voici sur le sol de votre royaume, il nous faut faire couche séparée.

— C'est tout juste ce dont j'allais vous prier, doux ami », répondit Isabelle.

Il passa la porte de la chambre. Il ne verrait pas sa maîtresse pleurer. Où étaient-elles, les heureuses nuits de France ?

Dans le couloir du logis abbatial, Mortimer rencontra le jeune prince Edouard, portant un cierge qui éclairait son mince et blanc visage. Etait-il là pour épier ?

« Vous ne dormez donc point, my Lord ? lui demanda Mortimer.

— Non, je vous cherchais, my Lord, pour vous prier de me dépêcher votre secrétaire... Je voudrais, ce soir de mon retour au royaume, envoyer une lettre à Madame Philippa... »

II

L'HEURE DE LUMIÈRE

« A TRÈS bon et puissant seigneur Guillaume, comte de Hainaut, Hollande et Zélande.

« Mon très cher et très aimé frère, en la garde de Dieu, salut.

« Or, nous étions encore à mettre sur pied nos bannières autour du port marin de Harwich, et la reine à camper en l'abbaye de Walton, quand la bonne nouvelle nous est parvenue que Mgr Henry de Lancastre, qui est cousin au roi Edouard et qu'on appelle communément ici le Lord au Tors-Col à cause qu'il a la tête plantée de travers, était en marche pour nous rencontrer, avec une armée de barons et chevaliers et autres hommes levés sur leurs terres, et aussi les Lords évêques de Hereford, Norwich et Lincoln, pour se mettre tous au service de la reine, ma Dame Isabelle. Et Mgr de Norfolk, maréchal d'Angleterre,

s'annonçait pour sa part, et dans les mêmes intentions, avec ses troupes vaillantes.

« Nos bannières et celles des Lords de Lancastre et de Norfolk se sont rejointes en une
place nommée Bury-Saint-Edmonds où il y avait
marché justement ce jour-là qui se tenait à même
les rues.

« La rencontre se fit dans une liesse que je
ne puis vous peindre. Les chevaliers sautant à
bas de leurs destriers, se reconnaissant, s'embrassant à l'accolade ; Mgr de Kent et Mgr de Norfolk
poitrine sur poitrine, et tout en larmes comme
de vrais frères longtemps séparés, et messire de
Mortimer en faisant autant avec le seigneur
évêque de Hereford, et Mgr au Tors-Col baisant
aux joues le prince Edouard, et tous courant au
cheval de la reine pour fêter celle-ci et poser
les lèvres à la frange de sa robe. Ne serais-je
venu au royaume d'Angleterre que pour voir cela,
tant d'amour et de joie se pressant autour de
ma Dame Isabelle, je me sentirais assez payé
de mes peines. D'autant que le peuple de
Saint-Edmonds, abandonnant ses volailles et légu-
mes étalés à l'éventaire, s'était joint à l'allégresse
et qu'il parvenait sans cesse du monde de la
campagne alentour.

« La reine m'a présenté, avec force compliments
et gentillesse, à tous les seigneurs anglais ; et
puis j'avais, pour me désigner, nos mille lances
de Hollande derrière moi, et j'ai fierté, mon très
aimé frère, de la noble figure que nos chevaliers
ont montrée devant ces seigneurs d'outre-mer.

« La reine n'a pas manqué non plus de déclarer
à tous ceux de sa parenté et de son parti que
c'était grâce au Lord Mortimer qu'elle était ainsi

de retour et si fortement appuyée ; elle a hautement loué les services de Mgr de Mortimer, et
ordonné qu'on se conformât en tout à son conseil.
D'ailleurs ma Dame Isabelle elle-même ne prend
aucun décret sans s'être auparavant consultée à
lui. Elle l'aime et en fait devanture ; mais ce
ne peut être que de chaste amour, quoi qu'en
prétendent les langues toujours prêtes à médire,
car elle mettrait plus de soin à dissimuler s'il
en était autrement ; et je sais bien aussi, aux
yeux qu'elle a pour moi, qu'elle ne pourrait me
regarder de telle sorte si sa foi n'était libre. J'avais
craint un peu à Walton que leur amitié, pour
un motif que je ne sais, se fût refroidie un petit ;
mais tout prouve qu'il n'en est rien et qu'ils
restent bien unis, de laquelle chose je me réjouis,
car il est naturel qu'on aime ma Dame Isabelle
pour toutes les belles et bonnes qualités qu'elle
a ; et je voudrais que chacun lui montrât même
amour que celui que je lui dévoue.

« Les seigneur évêques ont apporté des fonds
avec eux, à suffisance, et promis qu'ils en rece-
vraient d'autres collectés dans leurs diocèses, et
ceci m'a bien rassuré quant à la solde de nos
Hennuyers pour lesquels je craignais que les aides
lombardes de messire de Mortimer ne fussent
trop vite épuisées. Ce que je vous conte s'est
passé le vingt-huitième jour de septembre.

« A partir de là, où nous nous remîmes en marche, ce fut une avance en grand triomphe à
travers la ville de Neuf-Market, nombreusement
fournie d'auberges et allogements, et la noble
cité de Cambridge où tout le monde parle latin
que c'est merveille et où l'on compte plus de
clercs, en un seul collège, que vous n'en pourriez

assembler en tout votre Hainaut. Partout l'accueil du peuple comme celui des seigneurs nous a prouvé assez que le roi n'était pas aimé, que ses mauvais conseillers l'on fait haïr et mépriser ; aussi nos bannières sont saluées au cri de « délivrance » !

« Nos Hennuyers ne s'ennuient pas, selon ce qu'a dit messire Henry au Tors-Col qui use, ainsi que vous voyez, de la langue française avec gentillesse, et dont cette parole, lorsqu'elle m'est revenue aux oreilles, m'a fait rire de joie tout un grand quart d'heure, et que j'en ris encore à chaque fois que d'y repenser ! Les filles d'Angleterre sont accueillantes à nos chevaliers, ce qui est bonne chose pour les maintenir en humeur de guerre. Pour moi, si je folâtrais, je donnerais mauvais exemple et perdrais de ce pouvoir qu'il faut au chef pour rappeler, quand de besoin, ses troupes à l'ordre. Et puis, le vœu que j'ai fait à ma Dame Isabelle me l'interdit et, si je venais à y manquer, la fortune de notre expédition pourrait se mettre à la traverse. Si tant est que les nuits me rongent un peu ; mais comme les chevauchées sont longues, le sommeil ne me fuit pas. Je pense qu'au retour de cette aventure, je me marierai.

« Sur le propos de mariage je vous dois informer, mon cher frère, ainsi que ma chère sœur la comtesse votre épouse, que Mgr le jeune prince Edouard est toujours dans la même humeur touchant votre fille Philippa, et qu'il ne se passe point de journées sans qu'il ne m'en demande nouvelles, et que toutes ses pensées de cœur semblent bien demeurer tournées vers elle, et que ce sont bonnes et profitables accordailles qui ont

été conclues là dont votre fille sera, j'en suis
sûr, toujours bien heureuse. Je me suis attaché
d'amitié au jeune prince Edouard qui paraît
m'admirer fort, bien qu'il parle peu ; il se tient
souvent silencieux comme vous m'avez décrit le
puissant roi Philippe le Bel, son grand-père. Il
se peut bien qu'il devienne un jour aussi grand
souverain que le roi le Bel le fut, et peut-être
même avant le temps qu'il aurait dû attendre de
Dieu sa couronne, si j'en crois ce qui se dit au
Conseil des barons anglais.

« Car le roi Edouard a fait piètre figure à tout
ce qui survint. Il était à Westmoustiers lorsque
nous sommes débarqués, et s'est aussitôt réfugié
en sa tour de Londres pour se mettre le corps
à l'abri ; et il a fait clamer par tous les shérifs,
qui sont gouverneurs des comtés de son royaume,
et en tous lieux publics, places, foires et marchés,
l'ordonnance dont voici la transcription :

« *Vu que Roger de Mortimer et autres traîtres
et ennemis du roi et de son royaume ont débarqué
par la violence, et à la tête de troupes étrangères
qui veulent renverser le pouvoir royal, le roi
ordonne à tous ses sujets de s'y opposer par
tous les moyens et de les détruire. Seuls doivent être épargnés la reine, son fils et le comte de
Kent. Tous ceux qui prendront les armes contre
l'envahisseur recevront grosse solde et à quiconque apportera au roi le cadavre de Mortimer,
ou seulement sa tête, il est promis récompense
de mille livres esterlines.* »

« Les ordres du roi Edouard n'ont été obéis
de personne ; mais ils ont fort servi l'autorité

de Mgr de Mortimer en montrant le prix qu'on estimait sa vie, et en le désignant comme notre chef plus encore qu'il ne l'était. La reine a riposté en promettant deux mille livres esterlines à qui lui porterait la tête de Hugh Le Despensier le Jeune, estimant à ce taux les torts que ce seigneur lui avait faits dans l'amour de son époux.

« Les Londoniens sont restés indifférents à la sauvegarde de leur roi, lequel s'est entêté jusqu'au bout dans ses erreurs. La sagesse eût été de chasser son Despensier qui mérite si bien le nom qu'il a ; mais le roi Edouard s'est obstiné à le garder, disant qu'il était instruit assez par l'expérience passée, que pareilles choses étaient survenues autrefois au sujet du chevalier de Gaveston qu'il avait consenti à éloigner de lui, sans que cela eût empêché qu'on tuât par la suite ce chevalier et qu'on lui imposât, à lui, le roi, une charte et un conseil d'ordonnateurs dont il n'avait eu que trop de peine à se débarrasser. Le Despensier l'encourageait dans cette opinion, et ils ont, à ce qu'on dit, versé force larmes sur le sein l'un de l'autre ; et même le Despensier aurait crié qu'il préférait mourir sur la poitrine de son roi que de vivre sauf à l'écart de lui. Et bien sûr il a fort avantage à dire cela, car cette poitrine est son seul rempart.

« Si bien qu'ils sont restés, chacun les abandonnant à leurs vilaines amours, entourés seulement du Despensier le Vieux, du comte d'Arundel qui est parent au Despensier, du comte de Warenne qui est beau-frère d'Arundel, et enfin du chancelier Baldock qui ne peut que demeurer fidèle au roi, vu qu'il est si unanimement haï que partout où il irait il serait mis en pièces.

« Le roi a cessé bientôt de goûter la sécurité de la Tour, et il s'est enfui avec ce petit nombre pour aller lever une armée en Galles, non sans avoir fait publier auparavant, le trentième jour de septembre, les bulles d'excommunication que notre saint-père le pape lui avait délivrées contre ses ennemis. Ne prenez nulle inquiétude de cette publication, très aimé frère, si la nouvelle vous en parvient ; car les bulles ne nous concernent point ; elles avaient été demandées par le roi Edouard contre les Escots, et nul n'a été dupe du faux usage qu'il en a fait ; aussi nous donne-t-on communion comme avant, et les évêques tout les premiers.

« En fuyant Londres si piteusement, le roi a laissé le gouvernement à l'archevêque Reynolds, à l'évêque John de Stratford et à l'évêque Stapledon, diocésain d'Exeter et trésorier de la couronne. Mais devant la hâte de notre avance, l'évêque de Stratford est venu présenter sa soumission à la reine Isabelle, tandis que l'archevêque Reynolds, depuis le Kent où il s'était réfugié, envoyait demander pardon. Seul donc l'évêque Stapledon est demeuré à Londres, croyant s'y être acquis par ses vols des défenseurs à suffisance. Mais la colère de la ville a grondé contre lui et, quand il s'est décidé à fuir, la foule jetée à sa poursuite l'a rejoint et l'a massacré dans le faubourg de Cheapside, où son corps fut piétiné jusqu'à n'être plus reconnaissable.

« Ceci est advenu le quinzième jour d'octobre, alors que la reine était à Wallingford, une cité entourée de remparts de terre où nous avons délivré messire Thomas de Berkeley qui est gendre à Mgr de Mortimer. Quand la reine a eu nou-

velle de la fin de Stapledon, elle a dit qu'il ne
convenait point de pleurer le trépas d'un si mauvais homme, et qu'elle en avait plutôt joie, car
il lui avait nui moultement. Et Mgr de Mortimer a bien déclaré qu'il en irait ainsi de tous
ceux qui avaient voulu leur perte.

« L'avant-veille, en la ville d'Oxford, qui est
encore plus fournie de clercs que la ville de Cambridge, messire Orleton, évêque de Hereford, était
monté en chaire devant ma Dame Isabelle, le
duc d'Aquitaine, le comte de Kent et tous les
seigneurs, pour prononcer un grand sermon sur
le sujet « *Caput meum doleo* », qui est parole
tirée des Ecritures dans le saint livre des Rois,
à dessein de signifier que la maladie dont souffrait
le corps d'Angleterre logeait dans la tête dudit
royaume, et que c'était là qu'il convenait d'appli-
quer le remède.

« Ce sermon fit profonde impression sur toute
l'assemblée qui entendit dépeindre et dénombrer
les plaies et douleurs du royaume. Et encore que
pas une fois, en une heure de parole, messire Orleton n'eût prononcé le nom du roi, chacun
l'avait en pensée pour cause de tous ces maux ;
et l'évêque s'est écrié enfin que la foudre des
Cieux comme le glaive des hommes devaient
s'abattre sur les orgueilleux perturbateurs de la
paix et les corrupteurs des rois. C'est un homme
de grand spirituel que ledit Mgr de Hereford, et je
m'honore de lui parler souvent, bien qu'il ait l'air
pressé lorsqu'il est à converser avec moi ; mais
je recueille toujours quelque bonne sentence de
ses lèvres. Ainsi m'a-t-il dit l'autre jour : « Cha-
« cun de nous a son heure de lumière dans les
« événements de son siècle. Une fois c'est Mgr de

« Kent, une fois c'est Mgr de Lancastre, et tel
« autre auparavant et tel autre ensuite, que l'évé-
« nement illumine pour la décisive part qu'il y
« prend. Ainsi se fait l'histoire du monde. Ce
« moment où nous sommes, messire de Hainaut,
« peut être bien votre heure de lumière. »

« Le lendemain du prêche, et dans la suite de
la commotion qu'il avait donnée à tous, la reine
a lancé de Wallingford une proclamation contre
les Despensier, les accusant d'avoir dépouillé
l'Eglise et la couronne, mis à mort injustement
nombre de loyaux sujets, déshérité, emprisonné
et banni des seigneurs parmi les plus grands,
opprimé les veuves et les orphelins, accablé le
peuple de tailles et d'exactions.

« On apprit dans le même temps que le roi, qui
avait d'abord couru se réfugier en la ville de
Gloucester laquelle appartient au Despensier le
Jeune, était passé à Westbury, et que là son
escorte s'était séparée. Le Despensier le Vieux
s'est retranché dans sa ville et son château de
Bristol pour y faire échec à notre avance, tandis
que les comtes d'Arundel et Warenne ont gagné
leurs domaines du Shropshire ; c'est manière ainsi
de tenir les Marches de Galles au nord et au sud,
tandis que le roi, avec le Despensier le Jeune et
son chancelier Baldock, est parti lever une armée en Galles. A vrai dire, on ne sait point présentement ce qui est advenu de lui. D'aucuns
bruits circulent qu'il se serait embarqué pour
l'Irlande.

« Tandis que plusieurs bannières anglaises sous
le commandement du comte de Charlton se sont
mises en course vers le Shropshire afin d'y défier
le comte d'Arundel, hier, vingt-quatrième jour

d'octobre, un mois tout juste écoulé depuis que nous avons quitté Dordrecht, nous sommes entrés aisément, et grandement acclamés, dans la ville de Gloucester. Ce jour nous allons avancer sur Bristol, où le Despensier le Vieux s'est enfermé. J'ai pris charge de donner l'assaut à cette forteresse et vais avoir enfin l'occasion, qui ne m'a point encore été donnée tant nous trouvons peu d'ennemis sur notre approche, de livrer combat pour ma Dame Isabelle et montrer à ses yeux ma vaillance. Je baiserai la flamme de Hainaut qui flotte à ma lance avant de me ruer.

« J'ai confié à vous, mon très cher et très aimé frère, avant que de m'empartir, mes volontés de testament, et ne vois rien que j'y veuille reprendre ou ajouter. S'il me faut souffrir la mort, vous saurez que je l'ai soufferte sans déplaisir ni regret, comme le doit un chevalier à la noble défense des dames et des malheureux opprimés, et pour l'honneur de vous, de ma chère sœur votre épouse, et de mes nièces, vos aimées filles, que tous Dieu garde.

« Donné à Gloucester le vingt-cinquième jour d'octobre mil trois cent et vingt-cinq. »

JEAN.

Messire Jean de Hainaut n'eut pas, le lendemain, à faire montre de sa vaillance, et sa belle préparation d'âme resta vaine.

Quand il se présenta au matin, toutes bannières flottantes et heaumes lacés, devant Bristol, la ville était déjà décidée à se rendre et on aurait pu la prendre avec un bâton. Les notables s'empressèrent d'envoyer des parlementaires qui ne s'inquiétèrent que de savoir où les chevaliers voulaient loger, protestant de leur attachement à la reine et s'offrant à livrer sur-le-champ leur seigneur, Hugh Le Despenser le Vieux, seul coupable de leur empêchement à témoigner plus tôt de leurs bonnes intentions.

Les portes de la ville aussitôt ouvertes, les chevaliers prirent quartier dans les beaux hôtels de Bristol. Despenser le Vieux fut appréhendé dans son château, et gardé par quatre chevaliers, tandis que la reine, le prince héritier et les principaux barons s'installaient dans les appartements. La reine retrouva là ses trois autres enfants qu'Edouard II, en fuyant, avait laissés à la garde du Despenser. Isabelle s'émerveillait qu'ils eussent en vingt mois si fort grandi, et ne se lassait pas de les contempler et de les embrasser. Soudain elle regarda Mortimer, comme si cet excès de joie la mettait en faute envers lui, et murmura :

« Je voudrais, ami, que Dieu m'eût fait la grâce qu'ils fussent nés de vous. »

A l'instigation du comte de Lancastre, un conseil fut immédiatement réuni autour de la reine, et qui groupait les évêques de Hereford, Norwich, Lincoln, Ely et Winchester, l'archevêque de Dublin, les comtes de Norfolk et de Kent, le baron Roger Mortimer de Wigmore, Sir Thomas Wake, Sir William La Zouche d'Ashley, Robert de Montalt, Robert de Merle, Robert de Watteville et le sire Henry de Beaumont [37].

Ce conseil, tirant argument juridique de ce que le roi Edouard se trouvait hors des frontières — qu'il fût en Galles ou en Irlande ne faisait pas de différence — décida de proclamer le jeune prince Edouard gardien et mainteneur du royaume en l'absence du souverain. Les principales fonctions

administratives furent aussitôt redistribuées et
Adam Orleton, qui était la tête pensante de la
révolte, reçut la charge de Lord trésorier.

Il était grand temps, en vérité, de pourvoir à la
réorganisation de l'autorité centrale. C'était merveille même que, pendant tout un mois, le roi en
fuite, ses ministres dispersés, et l'Angleterre livrée
à la chevauchée de la reine et des Hennuyers, les
douanes eussent continué de fonctionner normalement, les receveurs de percevoir les taxes vaille
que vaille, le guet de faire surveillance dans les
villes, et que, somme toute, la vie publique eût
suivi son cours normal par une sorte d'habitude
du corps social.

Donc, le gardien du royaume, le dépositaire provisoire de la souveraineté, avait quinze ans moins
un mois. Les ordonnances qu'il allait promulguer
seraient scellées de son sceau privé, puisque les
sceaux de l'Etat avaient été emportés par le roi
et le chancelier Baldock. Le premier acte de gouvernement du jeune prince fut de présider, le
jour même, au procès de Hugh Le Despenser le
Vieux.

L'accusation fut soutenue par Sir Thomas Wake, rude chevalier et déjà âgé, qui était maréchal
de l'ost [38], et qui présenta le Despenser, comte
de Winchester, comme responsable de l'exécution
de Thomas de Lancastre, responsable du décès à
la tour de Londres de Roger Mortimer l'aîné (car
le vieux Lord de Chirk n'avait pu voir le retour
triomphal de son neveu et s'était éteint dans son
cachot quelques semaines plus tôt), responsable
aussi de l'emprisonnement, du bannissement ou
de la mort de nombreux autres seigneurs, de la
spoliation des biens de la reine et du comte de

Kent, de la mauvaise gestion des affaires du royaume, des défaites d'Ecosse et d'Aquitaine, toutes choses survenues par ses exhortations et funestes conseils. Les mêmes griefs seraient repris désormais contre tous les conseillers du roi Edouard.

Ridé, voûté, la voix faible, Hugh le Vieux, qui avait feint tant d'années un tremblant effacement devant les désirs du roi, montra l'énergie dont il était capable. Il n'avait plus rien à perdre, il se défendit pied à pied.

Les guerres perdues ? Elles l'avaient été par la lâcheté des barons. Les exécutions capitales, les emprisonnements ? Ils avaient été décrétés contre des traîtres et des rebelles à la loyale autorité, sans le respect de laquelle les royaumes s'effondrent. Les séquestres de fiefs et de revenus n'avaient été décidés que pour empêcher les ennemis de la couronne de se fournir en hommes et en fonds. Et si l'on venait à lui reprocher quelques pillages et spoliations, comptait-on pour rien les vingt-trois manoirs qui étaient ses propriétés ou celles de son fils et que Mortimer, Lancastre, Maltravers, Berkeley, tous présents ici, avaient fait piller et brûler l'an 1321, avant d'être défaits, les uns à Shrewsbury, les autres à Bouroughbridge ? Il ne s'était que remboursé des dommages par lui subis et qu'il évaluait à quarante mille livres, sans pouvoir estimer les violences et sévices de tous ordres, commis sur ses gens.

Il termina par ces mots adressés à la reine :

« Ah ! Madame ! Dieu nous doit bon jugement, et si nous ne pouvons l'avoir en ce siècle, il nous le doit dans l'autre monde ! »

Le jeune prince Edouard avait relevé ses longs

cils et écoutait avec attention. Hugh Le Despenser le Vieux fut condamné à être traîné, décapité et pendu, ce qui lui fit dire avec quelque mépris :

« Je vois bien, mes Lords, que décapiter et pendre sont pour vous deux choses diverses, mais pour moi cela ne fait qu'une seule mort ! »

Son attitude, bien surprenante pour tous ceux qui l'avaient connu en d'autres circonstances, expliquait soudain la grande influence qu'il avait exercée. Cet obséquieux courtisan n'était pas un lâche, ce détestable ministre n'était pas un sot.

Le prince Edouard donna son approbation à la sentence ; mais il réfléchissait et commençait à se former silencieusement une opinion sur le comportement des hommes promus aux hautes charges. Ecouter avant de parler, s'informer avant de juger, comprendre avant de décider, et garder toujours présent à l'esprit que dans chaque homme se trouvent ensemble les ressources des meilleures actions et des pires. Ce sont là, pour un souverain, les dispositions fondamentales de la sagesse.

Il est rare qu'on ait, avant d'avoir quinze ans, à condamner à mort un de ses semblables. Edouard d'Aquitaine, pour son premier jour de pouvoir, recevait un bon entraînement.

Le vieux Despenser fut lié par les pieds au harnais d'un cheval, et traîné à travers les rues de Bristol. Puis, les tendons déchirés, les os fêlés, il fut amené sur la place du château et installé à genoux devant le billot. On lui rabattit ses cheveux blancs pour dégager la nuque. Un bourreau en cagoule rouge, d'une large épée, lui trancha la tête. Son corps, tout ruisselant du sang échappé

aux grosses artères, fut accroché par les aissel-
les à un gibet. La tête ridée, maculée, fut plantée à côté, sur une pique.

Et tous ces chevaliers qui avaient juré par
Mgr saint Georges de défendre dames, pucelles,
opprimés et orphelins, se réjouirent, avec force
rires et joyeuses remarques, du spectacle que
leur offrait ce cadavre de vieillard en deux partagé.

III

HEREFORD

La nouvelle cour, pour la Toussaint, s'installa à Hereford.

Si, comme disait Adam Orleton, évêque de cette ville, chacun dans l'Histoire connaît son heure de lumière, cette heure, pour lui-même, était arrivée. Au bout de surprenantes vicissitudes, après avoir fait évader l'un des premiers seigneurs du royaume, été traduit en jugement devant le Parlement et sauvé par la coalition de ses pairs, après avoir prêché et animé la rébellion, il revenait triomphant dans cet évêché auquel il avait été nommé en 1317, contre la volonté du roi Edouard, et où il s'était comporté en grand prélat.

Avec quelle joie cet homme petit, sans grâce physique, mais courageux de corps et d'âme,

ne parcourait-il pas, revêtu de ses insignes sacerdotaux, mitre en tête, crosse en main, les
rues de sa cité retrouvée.

Aussitôt que l'escorte royale eut pris possession du château situé au centre de la ville, dans
une boucle de la rivière Wye, Orleton n'eut de
cesse de montrer à la souveraine les œuvres
de son entreprise, et d'abord la haute tour carrée, à deux étages ajourés d'immenses ogives,
chaque angle terminé par trois clochetons, deux
petits en arêtes et un grand les dominant, douze
flèches en tout montant vers le ciel, et qu'il
avait fait élever pour embellir et magnifier la
cathédrale. La lumière de novembre jouait sur
les briques roses dont l'humidité gardait fraîche la couleur ; autour du monument s'étendait
une vaste pelouse sombre et bien tondue.

« N'est-ce pas, Madame, la plus belle tour de
votre royaume ? » disait Adam Orleton avec l'orgueil naïf du bâtisseur, devant cette construction
ciselée, point trop chargée, pure de lignes, et
dont il ne cessait de s'émerveiller. « Ne serait-ce
que pour avoir édifié ceci, je serais content
d'avoir vécu. »

Orleton tenait sa noblesse d'Oxford, comme
on disait, et non du blason. Il en était conscient,
et avait voulu justifier les hautes situations auxquelles l'ambition autant que l'intelligence, et
le savoir plus encore que l'intrigue, l'avaient conduit. Il se savait supérieur à tous les hommes
qui l'entouraient.

Il avait réorganisé la bibliothèque de la cathédrale, une librairie où les gros volumes, rangés
la tranche en avant, étaient tenus aux planches
par des chaînes à longs maillons forgés, afin

qu'on ne pût les dérober ; près de mille manuscrits enluminés, décorés, merveilleux, rassem-
blant cinq siècles de pensée, de foi et d'invention,
depuis la première traduction des Evangiles en
saxon, avec certaines pages encore décorées de
caractères runiques, jusqu'aux dictionnaires la-
tins les plus récents, en passant par la *Hiérarchie
céleste*, les œuvres de saint Jérôme, de saint Jean
Chrysostome, les douze prophètes mineurs...

La reine eut encore à admirer les travaux entrepris pour la salle du chapitre, ainsi que la
fameuse carte du monde peinte par Richard de
Bello, et qui ne pouvait être que d'inspiration
divine, car elle commençait à faire des miracles [39].

Hereford fut ainsi, près d'un mois, la capitale
improvisée de l'Angleterre. Mortimer n'y était
pas moins heureux qu'Orleton, puisqu'il venait
de reprendre possession de son château de Wigmore, distant de quelques milles.

On continuait, pendant ce temps, de rechercher
le roi.

Un certain Rhys ap Owell, chevalier du Pays
de Galles, vint un jour annoncer qu'Edouard II
était caché dans une abbaye, sur les côtes du
comté de Glamorgan où le bateau avec lequel il
espérait gagner l'Irlande avait été jeté par les
vents contraires.

Aussitôt Jean de Hainaut, genou en terre, s'offrit à aller forcer dans son repaire de Galles le
déloyal époux de Madame Isabelle. On eut quelque peine à lui faire entendre qu'il serait peu
convenable de confier la capture du roi à un
étranger, et qu'un membre de la famille royale
se trouvait mieux désigné pour accomplir cette
pénible besogne. Ce fut Henry Tors-Col qui, sans

joie excessive, eut à se mettre en selle pour aller, accompagné du comte de La Zouche et de Rhys ap Owell, battre la côte de l'ouest.

A peu près dans le même temps, le comte de Charlton arriva du Shropshire ramenant le comte d'Arundel enchaîné. Pour le Lord de Wigmore ce fut là une éclatante revanche, car Edmond Fitzalan, comte d'Arundel, avait reçu du roi une importante partie des biens saisis à la famille Mortimer, et s'était fait conférer le titre de Grand Juge de Galles qui avait appartenu au vieux Mortimer de Chirk.

Roger se contenta de laisser Arundel debout devant lui tout un quart d'heure, sans lui adresser la parole, le regardant seulement des pieds à la tête, et s'offrant la satisfaisante contemplation d'un ennemi vivant qui bientôt serait un ennemi mort.

Le jugement d'Arundel, et sous les mêmes chefs d'accusation que ceux retenus contre le Despenser le Vieux, fut rapidement expédié, et la décapitation du comte donnée en réjouissance à la ville de Hereford et aux troupes qui y stationnaient.

On remarqua que, pendant le supplice, la reine et Roger Mortimer se tenaient par la main.

Le jeune prince Edouard avait eu ses quinze ans trois jours plus tôt.

Enfin le 20 novembre une insigne nouvelle arriva. Le roi Edouard avait été pris par le comte de Lancastre, en l'abbaye cistercienne de Neath, dans la basse vallée de la Towe.

Le roi, son favori, son chancelier, y vivaient cachés depuis plusieurs semaines sous des habits de moines ; Edouard occupait son attente d'un sort meilleur en travaillant à la forge de l'abbaye, passe-temps qui lui distrayait l'esprit de trop penser.

Il était là, torse nu, le froc descendu sur les reins, la poitrine et la barbe éclairées par le feu de la forge, les mains environnées d'étincelles, tandis que le chancelier tirait le soufflet et que Hugh le Jeune, d'un air lamentable, lui passait les outils, quand Henry Tors-Col s'encadra dans la porte, le heaume incliné vers l'épaule, et dit :

« Sire mon cousin, voici le temps venu de payer pour vos fautes. »

Le roi laissa échapper le marteau qu'il tenait ; la pièce de métal qu'il forgeait resta à rougeoyer sur l'enclume. Et le souverain d'Angleterre, son large torse pâle tout tremblant, demanda :

« Cousin, cousin, que va-t-il advenir de moi ?

— Ce que les barons et hauts hommes du royaume en décideront », répondit Tors-Col.

A présent Edouard attendait, toujours avec son favori, toujours avec son chancelier, dans le petit manoir fortifié de Monmouth, à quelques lieues de Hereford, où Lancastre l'avait conduit et enfermé.

Adam Orleton, accompagné de son archidiacre Thomas Chandos, et du grand chambellan William Blount, s'en fut aussitôt à Monmouth pour réclamer les sceaux royaux que Baldock continuait de transporter.

Edouard, quand Orleton eut exprimé sa requête, arracha de la ceinture de Baldock le sac de cuir qui contenait les sceaux, s'entoura le poignet des lacets du sac comme s'il voulait s'en faire une arme, et s'écria :

« Messire traître, mauvais évêque, si vous voulez mon sceau, vous viendrez me le prendre par force et montrerez qu'un homme d'Eglise a contraint son roi ! »

Le destin avait décidément désigné Mgr Adam Orleton pour d'exceptionnelles tâches. Il n'est pas courant d'ôter à un roi les attributs de son pouvoir. Devant cet athlète furieux, Orleton, les épaules tombantes, les mains faibles, et n'ayant d'autre arme que sa canne à fragile crosse d'ivoire, répondit :

« La remise se doit accomplir de par votre vouloir, et que les témoins en constatent. Sire Edouard, allez-vous obliger votre fils, qui est à présent mainteneur du royaume, à se commander son propre sceau de roi plus tôt qu'il n'y comptait ? Par contrainte, toutefois, je puis faire saisir le Lord chancelier et le Lord Despenser que j'ai ordre de conduire à la reine. »

A ces mots, Edouard cessa de s'inquiéter du sceau pour ne plus penser qu'à son favori bien-aimé. Il détacha de son poignet le sac de cuir, le jeta au chambellan William Blount comme si ce fût devenu soudain un objet négligeable et, ouvrant les bras à Hugh, s'écria :

« Ah non ! vous ne me l'arracherez point ! »

Hugh le Jeune, amaigri, frissonnant, s'était jeté contre la poitrine du roi. Il claquait des dents, paraissait prêt à défaillir et gémissait :

« C'est ton épouse, tu vois, qui veut cela ! C'est elle, c'est cette louve française, qui est cause de tout ! Ah ! Edouard, Edouard, pourquoi l'as-tu épousée ? »

Henry Tors-Col, Orleton, l'archidiacre, Chandos et William Blount regardaient ces deux hommes embrassés et, si incompréhensible que leur fût le spectacle de cette passion, ils ne pouvaient s'empêcher d'y reconnaître quelque affreuse grandeur.

A la fin, ce fut Tors-Col qui s'approcha, prit le Despenser par le bras, en disant :

« Allons, il faut vous séparer. »

Et il l'entraîna.

« Adieu, Hugh, adieu, criait Edouard. Je ne te verrai. plus, ma chère vie, ma belle âme ! On m'aura donc tout pris ! »

Les larmes roulaient dans sa barbe blonde.

Hugh Le Despenser fut confié aux chevaliers d'escorte qui commencèrent par le revêtir d'un capuchon de paysan, en grosse bure, sur lequel ils peignirent, par dérision, les armoiries et emblèmes des comtés que lui avait donnés le roi. Puis ils le hissèrent, les mains liées dans le dos, sur le plus petit et chétif cheval qu'ils trouvèrent, un bidet nain, maigre et bourru comme il en existe en campagne. Hugh avait des jambes très longues ; il était forcé de les replier ou bien de laisser traîner les pieds dans la boue. On le conduisit ainsi de ville en bourg, à travers tout le Monmouthshire et le Herefordshire, l'exposant sur les places pour que le peuple s'en divertît tout son soûl. Les trompettes sonnaient devant le prisonnier, et un héraut criait :

« Voyez, bonnes gens, voyez le comte de Gloucester, le Lord chambellan, voyez le mauvais homme qui a si fort nui au royaume ! »

Le chancelier Robert de Baldock fut convoyé plus discrètement, vers l'évêché de Londres, pour y être emprisonné, sa qualité d'archidiacre empêchant de requérir contre lui la peine de mort.

Toute la haine se concentra donc sur Hugh Le

Despenser, le Jeune. Son jugement fut rapidement instruit, à `Hereford ; sa condamnation
n'était mise en discussion ni en doute par personne. Mais parce qu'on le tenait pour le premier
fauteur de toutes les erreurs et de tous les malheurs dont avait souffert l'Angleterre, son supplice fut l'objet de raffinements particuliers.

Le vingt-quatrième jour de novembre, des tribunes furent dressées sur l'esplanade devant le
château, et une plate-forme d'échafaud montée
assez haut pour qu'un peuple nombreux pût
assister, sans en perdre aucun détail, à l'exécution. La reine Isabelle prit place au premier rang
de la plus grande tribune, entre Roger Mortimer
et le prince Edouard. Il bruinait.

Les trompes et les busines sonnèrent. Les aides bourreaux amenèrent Hugh le Jeune, le dé-
pouillèrent de ses vêtements. Quand son long
corps aux hanches saillantes, au torse un peu
creux, apparut, blanc et totalement nu, entre les
bourreaux rouges et au-dessus des piques des
archers qui entouraient l'échafaud, un immense
rire gras s'éleva de la foule.

La reine Isabelle se pencha vers Mortimer et
lui murmura :

« Je déplore qu'Edouard ne soit point présent
à regarder. »

Les yeux brillants, ses petites dents carnassières entrouvertes, et les ongles plantés dans la
paume de son amant, elle était bien attentive
à ne rien perdre de sa vengeance.

Le prince Edouard pensait : « Est-ce donc là
celui qui a tant plu à mon père ? » Il avait déjà
assisté à deux supplices et savait qu'il tiendrait
jusqu'au bout, sans vomir.

Les busines sonnèrent à nouveau. Hugh fut
étendu et lié par les membres sur une croix de
Saint-André horizontale.

Le bourreau affila lentement, sur une pierre
d'affûtage, une lame aiguë, pareille à un couteau
de boucher, et en éprouva le tranchant sous le
pouce. La foule retenait son souffle. Puis un aide
s'approcha, muni d'une tenaille dont il saisit le
sexe du condamné. Une vague d'hystérie souleva
l'assistance : les pieds battants faisaient trembler
les tribunes. Et malgré ce vacarme, on perçut le
hurlement poussé par Hugh, un seul cri déchirant et arrêté net, tandis qu'un flot de sang jail-
lissait devant lui. La même opération fut répétée
pour les génitoires, mais sur un corps déjà in-
conscient, et les tristes déchets jetés dans un
fourneau plein de braises ardentes qu'un aide
éventait. Il s'échappa une affreuse odeur de chair
brûlée. Un héraut, placé devant les sonneurs de
busines, annonça qu'il en était procédé de la
sorte « *parce que le Despenser avait été sodomite,
et qu'il avait favorisé le roi en sodomie, et pour
ce déchassé la reine de sa couche* ».

Puis le bourreau, choisissant une lame plus
épaisse et plus large, fendit la poitrine par le
travers, et le ventre dans la longueur, comme on
aurait ouvert un porc ; les tenailles allèrent chercher le cœur presque encore battant et l'arra-
chèrent de sa cage pour le jeter également
au brasier. Les busines retentirent pour donner la parole au héraut, lequel déclara que
« *le Despenser avait été faux de cœur et traître, et par ses traîtres conseils avait honni le
royaume* ».

Les entrailles furent ensuite sorties du ventre,

déroulées et secouées, toutes miroitantes, nacrées, et présentées au public, parce que « *le Despenser s'était nourri du bien des grands comme du bien du pauvre peuple* ». Et les entrailles à leur tour se transformèrent en cette âcre fumée épaisse qui se mêlait à la bruine de novembre.

Après quoi la tête fut tranchée, non pas d'un coup d'épée, puisqu'elle pendait à la renverse entre les branches de la croix, mais détachée au couteau, parce que « *le Despenser avait fait décoller les plus grands barons d'Angleterre et que de son chef étaient sortis tous les mauvais conseils* ». La tête de Hugh Le Despenser ne fut pas brûlée : les bourreaux la rangèrent à part pour l'envoyer à Londres, où elle serait plantée à l'entrée du pont.

Enfin ce qui restait du corps fut débité en quatre morceaux, un bras avec l'épaule, l'autre bras avec son épaule et le cou, les deux jambes avec chacune la moitié du ventre, pour qu'ils soient expédiés aux quatre meilleures cités du royaume, après Londres.

La foule descendit des tribunes, lasse, épuisée, libérée. On pensait avoir atteint les sommets de la cruauté.

Après chaque exécution sur cette route sanglante, Mortimer avait trouvé la reine Isabelle plus ardente au plaisir. Mais cette nuit qui suivit la mort de Hugh le Jeune, les exigences qu'elle eut, la gratitude affolée qu'elle exprima, ne laissèrent pas d'inquiéter son amant. Pour avoir haï si fort l'homme qui lui avait pris Edouard, il fallait qu'elle eût jadis aimé celui-ci. Et dans l'âme ombrageuse de Mortimer se forma un pro-

jet qu'il mènerait à son terme, quelque temps
que cela prît.

Le lendemain, Henry Tors-Col, désigné comme
gardien du roi, fut chargé de conduire celui-ci au
château de Kenilworth et de l'y tenir enfermé,
sans que la reine l'eût revu.

IV

« VOX POPULI »

« Qui voulez-vous pour roi ? »

Cette terrible apostrophe, dont va dépendre l'avenir d'une nation, Mgr Adam Orleton la lance, le 12 janvier 1327, à travers le grand hall de Westminster, et les mots s'en répercutent là-haut, contre les nervures des voûtes.

« Qui voulez-vous pour roi ? »

Le Parlement d'Angleterre, depuis six jours, siège, s'ajourne, siège à nouveau, et Adam Orleton, faisant office de chancelier, dirige les débats.

Dans sa première séance, l'autre semaine, le Parlement a assigné le roi à comparaître devant lui. Adam Orleton et John de Stratford, évêque de Winchester, sont allés à Kenilworth présenter à Edouard II cette assignation. Et le roi Edouard a refusé.

Il a refusé de venir rendre compte de ses actes

aux Lords, aux évêques, aux députés des villes
et des comtés. Orleton a fait connaître à l'assemblée cette réponse inspirée, on ne sait, par la
peur ou bien le mépris. Mais Orleton a la conviction profonde, et qu'il vient d'exprimer au Parlement, que si l'on obligeait la reine à se réconcilier
avec son époux, on la vouerait à une mort certaine.

A présent donc, la grande question est posée ;
Mgr Orleton conclut son discours en conseillant
au Parlement de se séparer jusqu'au lendemain
afin que chacun pèse son choix en conscience et
dans le silence de la nuit. Demain l'assemblée
dira si elle souhaite qu'Edouard II Plantagenet
conserve la couronne, ou bien que celle-ci soit
remise à l'héritier, Edouard, duc d'Aquitaine.

Beau silence pour les consciences que le vacarme qui se fait dans Londres cette nuit-là ! Les
hôtels des seigneurs, les abbayes, les demeures
des grands marchands, les auberges vont reten-
tir jusqu'au petit jour du bruit de discussions
passionnées. Tous ces barons, évêques, chevaliers,
squires et représentants des bourgs choisis par
les shérifs ne sont, en droit, membres du Parlement que sur la désignation du roi, et leur rôle,
en principe, devrait n'être que consultatif. Mais
voici que le souverain est défaillant, incapable ;
il est un fugitif rattrapé hors de son royaume ;
et ce n'est pas le roi qui a convoqué le Parlement, mais le Parlement qui a voulu convoquer
son roi, sans que ce dernier ait daigné s'exécuter.
Le suprême pouvoir se trouve donc réparti pour
un moment, pour une nuit, entre tous ces hommes de régions diverses, d'origines disparates, de
fortunes inégales.

« Qui voulez-vous pour roi ? »

Tous réellement se posent la question, et même ceux qui ont souhaité le plus haut la prompte fin d'Edouard II, qui ont crié, à chaque scandale, à chaque impôt nouveau ou chaque guerre perdue : « Qu'il crève, et que Dieu nous en délivre ! »

Car Dieu n'a plus à intervenir ; tout repose sur eux-mêmes, et ils prennent soudain conscience de l'importance de leur volonté. Leurs souhaits et leurs malédictions se sont accomplis, rien qu'en s'additionnant. La reine, même soutenue par ses Hennuyers, aurait-elle pu se saisir de tout le royaume, comme elle l'a fait, si les barons et le peuple avaient répondu à la levée ordonnée par Edouard ?

Mais l'acte est gros qui consiste à déposer un roi et à le dépouiller à jamais de son autorité nominale. Beaucoup de membres du Parlement se sont effrayés, à cause du caractère divin qui s'attache au sacre et à la majesté royale. Et puis le jeune prince qu'on propose à leurs vœux est bien jeune ! Que sait-on de lui, sinon qu'il est tout entier dans les mains de sa mère, laquelle est tout entière dans les mains de Lord Mortimer ? Or, si l'on respecte, si l'on admire le baron de Wigmore, l'ancien Grand Juge d'Irlande, si son évasion, son exil, son retour, ses amours même, en ont fait un héros, s'il est pour beaucoup le libérateur, on craint son caractère, sa dureté, son inclémence ; déjà on lui reprocherait sa rigueur punitive, alors qu'en vérité toutes les exécutions de ces dernières semaines étaient réclamées par les vœux populaires. Ceux qui le connaissent bien redoutent surtout son ambition. Ne désire-t-il pas secrètement devenir roi lui-même ? Amant de la reine, il est bien près du trône. On hésite à lui remettre le grand pouvoir qu'il va détenir si Edouard II est déposé ; et l'on en débat autour des lampes à huile et des chandelles, parmi les pots d'étain qu'on emplit de bière ; et l'on ne va se coucher qu'écrasé de fatigue, sans avoir rien résolu.

Le peuple anglais, cette nuit-là, est souverain mais, un peu embarrassé de l'être, ne sait à qui remettre l'exercice de cette souveraineté.

L'histoire a fait un pas soudain. On dispute de questions dont la discussion même signifie que de nouveaux principes sont admis. Un peuple n'oublie pas un tel précédent, ni une assemblée un tel pouvoir qui lui est échu ; une nation n'oublie pas d'avoir été, en son Parlement, maîtresse un jour de sa destinée.

Aussi le lendemain, quand Mgr Orleton, prenant le jeune prince Edouard par la main, le présente aux députés à nouveau assemblés dans Westminster, une immense ovation s'élève et roule entre les murs, par-dessus les têtes :

« Nous le voulons, nous le voulons ! »

Quatre évêques, dont ceux de Londres et d'York, protestent et argumentent sur le caractère irrévocable du sacre et des serments d'hommage. Mais l'archevêque de Canterbury, Reynolds, auquel Edouard II avant de fuir avait confié le gouvernement, et qui veut prouver la sincérité de son tardif ralliement à l'insurrection, s'écrie :

« *Vox populi, vox Dei !* »

Il prêche sur ce thème comme s'il était en chaire, pendant un grand quart d'heure.

John de Stratford, évêque de Winchester, ré-

dige alors et lit devant l'assemblée les six articles qui consacrent la déchéance d'Edouard II
Plantagenet.

Primo, le roi est incapable de gouverner ; pendant tout son règne il a été mené par de détestables conseillers.

Secundo, il a consacré son temps à des occupations indignes de lui, et négligé les affaires
du royaume.

Tertio, il a perdu l'Ecosse, l'Irlande et la moitié de la Guyenne.

Quarto, il a fait tort à l'Eglise dont il a emprisonné les ministres.

Quinto, il a emprisonné, exilé, déshérité, condamné à une mort honteuse beaucoup de ses
grands vassaux.

Sexto, il a ruiné le royaume ; il est incorri-
gible et incapable de s'amender.

Pendant ce temps, les bourgeois de Londres,
inquiets et partagés — leur évêque ne s'est-il pas
déclaré contre la déposition ? — se sont réunis
au Guild Hall. Ils sont moins aisés à manœuvrer
que les représentants des comtés. Vont-ils faire
échec au Parlement ? Roger Mortimer, qui n'est
rien en titre et tout en fait, court au Guild Hall,
remercie les Londoniens de leur loyale attitude
et leur garantit le maintien des libertés coutu-
mières de la cité. Au nom de qui, au nom de
quoi donne-t-il cette garantie ? Au nom d'un
adolescent qui n'est même pas roi encore, qui
vient à peine d'être désigné par acclamation. Le
prestige de Mortimer, l'autorité de sa personne,
opèrent sur les bourgeois londoniens. On l'appelle
déjà le Lord protecteur. De qui est-il protecteur ?
Du prince, de la reine, du royaume ? Il est le

Lord protecteur, voilà tout, l'homme promu par l'Histoire et entre les mains duquel chacun se démet de sa part de pouvoir et de jugement.

Et soudain l'inattendu survient. Le jeune prince, qu'on croyait déjà roi, le pâle jeune homme aux longs cils qui a suivi en silence tous ces événements et ne semblait songer qu'aux yeux bleus de Madame Philippa de Hainaut, Edouard d'Aquitaine déclare à sa mère, au Lord protecteur, à Mgr Orleton, aux Lords évêques, à tous ceux qui l'entourent, qu'il ne ceindra pas la couronne sans le consentement de son père et sans que celui-ci ait officiellement proclamé qu'il s'en défaisait.

La stupeur gèle les visages, les mains tombent au bout des bras. Quoi ? tant d'efforts remis en cause ? Quelques soupçons se tournent vers la reine. Ne serait-ce pas elle qui aurait agi secrètement sur son fils, par un de ces imprévisibles retours d'affection comme il en vient aux femmes ? Y a-t-il eu brouille entre elle et le Lord protecteur, cette nuit où chacun devait prendre le conseil de sa conscience ?

Mais non ; c'est ce garçon de quinze ans tout seul, qui a réfléchi sur l'importance de la légitimité du pouvoir. Il ne veut pas faire figure d'usurpateur, ni détenir son sceptre de la volonté d'une assemblée qui pourrait le lui retirer aussi bien qu'elle le lui a donné. Il exige le consentement de son prédécesseur. Non point qu'il nourrisse des sentiments fort tendres envers son père ; il le juge. Mais il juge chacun.

Depuis des années, trop de choses mauvaises se sont passées devant lui et l'ont forcé à juger. Il sait que le crime n'est pas entièrement d'un côté, et l'innocence de l'autre. Certes, son père a fait souffrir sa mère, l'a déshonorée, dépouillée ; mais cette mère, avec Lord Mortimer, quel exemple donne-t-elle à présent ? Si un jour, pour quelque faute qu'il lui arriverait de commettre, Madame Philippa se mettait à agir de même ? Et ces barons, ces évêques, tous si acharnés aujourd'hui contre le roi Edouard, n'ont-ils pas exercé le gouvernement avec lui ? Norfolk, Kent, les jeunes oncles, ont reçu, accepté des charges ; les évêques de Winchester et de Lincoln sont allés négocier au nom du roi Edouard. Les Despenser n'étaient pas en tous lieux et, même s'ils commandaient, ils n'ont pas exécuté eux-mêmes leurs propres ordres. Qui s'est risqué à refuser d'obéir ? Le cousin au Tors-Col, oui, celui-là a eu ce courage ; et Lord Mortimer aussi qui a payé sa rébellion d'une longue prison. Mais pour deux que voilà, combien d'obséquieux courtisans maintenant pleins d'ardeur à se décharger sur leur maître des conséquences de leur servilité ?

Tout autre prince de cet âge serait aisément grisé de recevoir une couronne tendue par tant de mains. Lui relève ses longs cils, regarde fixement, rougit un peu de son audace, et s'obstine dans sa décision. Alors Mgr Orleton appelle à lui les évêques de Winchester et de Lincoln, ainsi que le grand chambellan William Blount, ordonne de sortir du Trésor de la Tour la couronne et le sceptre, les fait mettre dans un coffre sur le bât d'une mule, et lui-même, emportant ses vêtements de cérémonie, reprend le chemin de Kenilworth afin d'obtenir l'abdication du roi.

V

KENILWORTH

LES remparts extérieurs, contournant une large colline, enfermaient des jardins clos, des prés, des écuries et des étables, une forge, des granges et les fournils, le moulin, les citernes, les habitations des serviteurs, les casernes des soldats, tout un village presque plus grand que celui d'alentour, dont on voyait se presser les toits moussus. Et il ne semblait pas possible que ce fût la même race d'hommes qui habitât en deçà des murs, dans ces masures, et à l'intérieur de la formidable forteresse qui dressait ses rouges enceintes contre le ciel d'hiver.

Car Kenilworth était bâti dans une pierre couleur de sang séché. C'était l'un de ces fabuleux châteaux du siècle qui suivit la Conquête et pendant lequel une poignée de Normands, les compagnons de Guillaume, ou leurs descendants im-

médiats, surent tenir tout un peuple en respect
grâce à ces immenses châteaux forts plantés sur
les collines.

Le *keep* de Kenilworth — le donjon comme disaient les Français, faute d'un meilleur mot, car
cette sorte de construction n'existait pas en
France, ou n'existait plus — le *keep* était de
forme carrée et d'une hauteur vertigineuse qui
rappelait aux voyageurs d'Orient les pylônes des
temples d'Egypte.

Les proportions de cet ouvrage titanesque
étaient telles que de très vastes pièces étaient
contenues, réservées, dans l'épaisseur même des
murs. Mais on ne pouvait entrer dans cette tour
que par un escalier étroit où deux personnes
avaient peine à avancer de front et dont les marches rouges conduisaient à une porte protégée,
hersée, au premier étage. A l'intérieur du *keep*
se trouvait un jardin, une cour herbue plutôt,
de soixante pieds de côté, à ciel ouvert, et complètement enfermée [40].

Il n'était pas d'édifice militaire mieux conçu
pour soutenir un siège. L'envahisseur parvenait-il
à franchir la première enceinte, on se réfugiait
dans le château lui-même, à l'abri du fossé ; et
si la seconde enceinte était percée, alors, abandonnant à l'ennemi les appartements habituels
de séjour, le grand hall, les cuisines, les chambres seigneuriales, la chapelle, on se retranchait
dans le *keep*, autour du puits de sa cour verte, et
dans les flancs de ses murs profonds.

Le roi vivait là, prisonnier. Il connaissait bien
Kenilworth, qui avait appartenu à Thomas de
Lancastre et servi naguère de centre de rallie-
ment à la rébellion des barons. Thomas décapité,

Edouard avait séquestré le château et l'avait habité lui-même durant l'hiver de 1323, avant de le remettre l'année suivante à Henry Tors-Col en même temps qu'il lui rendait tous les biens et titres des Lancastre.

Henri III, le grand-père d'Edouard, avait dû jadis assiéger Kenilworth six mois durant pour le reprendre au fils de son beau-frère, Simon de Montfort ; et ce n'étaient pas les armées qui en avaient eu raison, mais la famine, la peste et l'excommunication.

Au début du règne d'Edouard Ier, Roger Mortimer de Chirk, celui qui venait de mourir en geôle, en avait été le gardien, au nom du premier comte de Lancastre, et y avait donné ses fameux tournois. L'une des tours du mur extérieur, pour l'exaspération d'Edouard, portait le nom de tour de Mortimer ! Elle était là, plantée devant son horizon quotidien, comme une dérision et un défi.

La région donnait au roi Edouard II d'autres nourritures à ses souvenirs. Du haut du *keep* rouge de Kenilworth, il pouvait apercevoir, à quatre milles vers le sud, le *keep* blanc du château de Warwick où. Gaveston, son premier amant, avait été mis à mort par les barons, déjà ! Cette proximité avait-elle changé le cours des pensées du roi ? Edouard semblait avoir oublié complètement Hugh Le Despenser ; mais il était obsédé, en revanche, par la mémoire de Pierre de Gaveston, et en parlait sans cesse à Henry de Lancastre, son gardien.

Jamais Edouard et son cousin Tors-Col n'avaient vécu si longtemps l'un auprès de l'autre, et dans une telle solitude. Jamais Edouard ne s'était confié autant à l'aîné de sa famille. Il avait des moments de grande lucidité, et des jugements sans complaisance, portés sur lui-même, qui soudain confondaient Lancastre et l'émouvaient assez. Lancastre commençait à comprendre des choses qui, à tout le peuple anglais, paraissaient incompréhensibles.

C'était Gaveston, reconnaissait Edouard, qui avait été le responsable, ou tout au moins l'origine, de ses premières erreurs, du mauvais chemin pris par sa vie.

« Il m'aimait si bien, disait le roi prisonnier ; et puis dans ce jeune âge que j'avais, j'étais prêt à croire toutes les paroles et à me confier entièrement à si bel amour. »

A présent encore, il ne pouvait s'empêcher d'être attendri lorsqu'il se rappelait le charme de ce petit chevalier gascon sorti de rien, « un champignon né dans une nuit » comme disaient les barons, et qu'il avait fait comte de Cornouailles au mépris de tous les grands seigneurs du royaume.

« Il en avait si forte envie ! » disait Edouard.

Et quelle merveilleuse insolence que celle de Pierre, une insolence qui ravissait Edouard ! Un roi ne pouvait se permettre de traiter ses barons comme son favori le faisait.

« Te rappelles-tu, Tors-Col, comme il appelait le comte de Gloucester un bâtard ? Et comme il criait au comte de Warwick : « Va te coucher, chien noir ! »

— Et comme il insultait aussi mon frère en le nommant cornard, ce que Thomas ne lui pardonna jamais, parce que c'était vrai ! »

Peur de rien, ce Pierrot, pillant les bijoux de la reine et jetant l'offense autour de lui comme d'autres distribuent l'aumône, parce qu'il était sûr de l'amour de son roi ! Vraiment un effronté comme on n'en vit jamais. En plus, il avait de l'invention dans le divertissement, faisait mettre ses pages nus, les bras chargés de perles, la bouche fardée, une branche feuillue tenue sur le ventre, et organisait ainsi de galantes chasses dans les bois. Et les escapades dans les mauvais lieux du port de Londres, où il se colletait avec les portefaix, car il était fort en plus, le gaillard ! Ah ! quelles belles années de jeunesse Edouard lui devait !

« J'avais cru tout cela retrouver en Hugh, mais l'imagination y pourvoyait plus que la vérité. Vois-tu, Tors-Col, ce qui rendait Hugh différent de Pierrot c'est qu'il était d'une vraie famille de grands barons et ne pouvait l'oublier... Mais si je n'avais pas connu Pierrot, je suis bien sûr que j'aurais été un autre roi. »

Au cours des interminables soirées d'hiver, entre deux parties d'échecs, Henry Tors-Col, les cheveux couvrant son épaule droite, écoutait donc les aveux de ce roi, que les revers, l'écroulement de sa puissance et la captivité venaient de brusquement vieillir, dont le corps d'athlète semblait s'amollir, dont le visage bouffissait, surtout aux paupières. Et pourtant tel qu'il était, Edouard gardait encore une certaine séduction. Quel dommage qu'il ait eu de si mauvaises amours et cherché sa confiance en de si mauvais cœurs !

Tors-Col avait conseillé à Edouard d'aller se présenter devant son Parlement, mais en vain. Ce roi faible ne montrait de force que dans le refus.

« Je sais bien que j'ai perdu mon trône, Henry, répondait-il, mais je n'abdiquerai pas. »

Portés sur un coussin, la couronne et le sceptre d'Angleterre s'élevaient lentement, marche par marche, dans l'étroit escalier du *keep* de Kenilworth. Derrière, les mitres oscillaient et les pierreries des crosses scintillaient dans la pénombre. Les évêques, retroussant sur leurs chevilles leurs trois robes brodées, se hissaient dans la tour.

Le roi, sur un siège qui, d'être unique, faisait figure de trône, attendait, au fond du gigantesque hall, le front dans la main, le corps affaissé, entre les piliers qui soutenaient des arcs ogives pareils à ceux des cathédrales. Tout, ici, avait des proportions inhumaines. Le jour pâle de janvier qui tombait par les hautes et très étroites fenêtres ressemblait à un crépuscule.

Le comte de Lancastre, la tête penchée, se tenait debout à côté de son cousin, en compagnie de trois serviteurs qui n'étaient même pas ceux du souverain. Les murs rouges, les piliers rouges, les arcs rouges composaient autour de ce groupe un tragique décor pour la fin d'une puissance.

Lorsqu'il vit apparaître, par la porte à deux battants ouverte, puis avancer vers lui cette couronne et ce sceptre qui lui avaient été amenés pareillement, vingt ans plus tôt, sous les voûtes de Westminster, Edouard se redressa sur son siège, et son menton se mit à trembler un peu. Il leva les yeux vers son cousin de Lancastre, comme pour chercher appui, et Tors-Col détourna le regard tant cette supplication muette était insupportable.

Puis Orleton fut devant le souverain, Orleton dont chaque apparition, depuis quelques semaines, avait signifié à Edouard la confiscation d'une partie de son pouvoir. Le roi regarda les autres évêques et le grand chambellan ; il fit un effort de dignité pour demander :

« Qu'avez-vous à me dire, mes Lords ? »

Mais la voix se formait mal sur ses lèvres pâlies, parmi la barbe blonde.

L'évêque de Winchester lut le message par lequel le Parlement sommait le souverain de déclarer sa renonciation au trône ainsi qu'à l'hommage de ses vassaux, de donner agrément à la désignation de son fils, et de remettre aux envoyés les insignes rituels de la royauté.

Quand l'évêque de Winchester se fut tu, Edouard resta silencieux un long moment. Toute son attention semblait fixée sur la couronne. Il souffrait, et sa douleur était si visiblement physique, si profondément marquée sur ses traits, que l'on pouvait douter qu'il fût en train de penser. Pourtant il dit :

« Vous avez la couronne en vos mains, mes Lords, et me tenez à votre merci. Faites donc ce qu'il vous plaira, mais de par mon consentement point. »

Alors Adam Orleton avança d'un pas et déclara :

« Sire Edouard, le peuple d'Angleterre ne vous veut plus pour roi, et son Parlement nous envoie vous le déclarer. Mais le Parlement accepte pour roi votre fils aîné, le duc d'Aquitaine, que je lui ai présenté ; et votre fils ne veut accepter sa couronne que de votre gré. Si donc vous vous obstinez au refus, le peuple sera libre de son choix et pourra bien élire pour souverain prince, celui, parmi les grands du royaume, qui le contentera le plus, et ce roi pourra n'être point de votre lignage. Vous avez trop mis à trouble vos Etats ; après tant d'actes qui leur ont nui, c'est le seul à présent que vous puissiez accomplir pour leur rendre la paix. »

De nouveau le regard d'Edouard s'éleva vers Lancastre. Malgré le malaise qui l'envahissait, le roi avait bien compris l'avertissement contenu dans les paroles de l'évêque. Si l'abdication n'était pas consentie, le Parlement, dans son besoin de se trouver un roi, ne manquerait pas de choisir le chef de la rébellion, Roger Mortimer, qui possédait déjà le cœur de la reine. Le visage du roi avait pris une teinte cireuse, inquiétante ; le menton continuait de trembler ; les narines se pinçaient.

« Mgr Orleton a justement parlé, dit Tors-Col, et vous devez renoncer, mon cousin, pour rendre la paix à l'Angleterre, et pour que les Plantagenets continuent d'y régner. »

Edouard, alors, incapable apparemment d'articuler une parole, fit signe d'approcher la couronne et inclina la tête comme s'il voulait qu'on le ceignît une dernière fois.

Les évêques se consultaient du regard, ne sachant comment agir, ni quel geste accomplir, en cette cérémonie imprévue qui n'avait point de précédent dans la liturgie royale. Mais la tête du roi continuait de s'abaisser, graduellement, vers les genoux.

« Il passe ! » s'écria soudain l'archidiacre Chandos qui portait le coussin aux emblèmes.

Tors-Col et Orleton se précipitèrent pour retenir Edouard évanoui au moment où son front allait cogner sur les dalles.

On le remit dans son siège, on lui frappa les joues, on courut chercher du vinaigre. Enfin, il respira longuement, rouvrit les yeux, regarda autour de lui ; puis, d'un coup, il se mit à sangloter. La mystérieuse force que l'onction et les magies du sacre infusent aux rois, et pour ne servir parfois que des dispositions funestes, venait de se retirer de lui. Il était comme exorcisé de la royauté.

A travers ses pleurs, on l'entendit parler :

« Je sais, mes Lords, je sais que c'est par ma propre faute que je suis tombé à si grande misère, et que je me dois résigner à la souffrir. Mais je ne puis m'empêcher de ressentir lourd chagrin de toute cette haine de mon peuple, que je ne haïssais point. Je vous ai offensés, je n'ai point agi pour le bien. Vous êtes bons, mes Lords, très bons de garder dévouement à mon aîné fils, de n'avoir point cessé de l'aimer et de le désirer pour roi. Donc, je vous veux satisfaire. Je renonce devant vous à tous mes droits sur le royaume ; je délie tous mes vassaux de l'hommage qu'ils m'ont fait et leur demande le pardon. Approchez... »

Et de nouveau il fit le geste d'appeler les emblèmes. Il saisit le sceptre, et son bras fléchit comme s'il en avait oublié le poids ; il le remit à l'évêque de Winchester en disant :

« Pardonnez, my Lord, pardonnez les offenses que je vous ai faites. »

Il avança ses longues mains blanches vers le coussin, souleva la couronne, y appuya ses lèvres comme on baise la patène ; puis, la tendant à Adam Orleton :

« Prenez-la, my Lord, pour en ceindre mon fils. Et accordez-moi pardon des maux et injustices que je vous ai causés. Dans la misère où je suis, que mon peuple me pardonne. Priez pour moi, mes Lords, qui ne suis plus rien. »

Tout le monde était frappé de la noblesse des paroles. Edouard ne se révélait roi qu'à l'instant où il cessait de l'être.

Alors, Sir William Blount, le grand chambellan, sortit de l'ombre des piliers, s'avança entre Edouard II et les évêques, et brisa sur son genou son bâton sculpté, comme il l'eût fait, pour marquer que le règne était terminé, devant le cadavre d'un roi descendu au tombeau.

VI

LA GUERRE DES MARMITES

« Vu que Sire Edouard, autrefois roi d'Angleterre, a de sa propre volonté, et par le conseil commun et l'assentiment des prélats, comtes, barons et autres nobles, et de toute la communauté du royaume, résigné le gouvernement du royaume, et consenti et voulu que le gouvernement dudit royaume passât à Sire Edouard, son fils et héritier, et que celui-ci gouverne et soit couronné roi, pour laquelle raison tous les grands ont prêté hommage, nous proclamons et publions la paix de notre dit seigneur Sire Edouard le fils et ordonnons de sa part à tous que nul ne doit enfreindre la paix de notre dit seigneur le roi, car il est et sera prêt à faire droit à tous ceux dudit royaume, envers et contre tous, tant aux hommes de peu qu'aux grands. Et si qui que ce soit réclame quoi que ce soit d'un autre, qu'il le fasse *dans la légalité, sans user de la force ou autres violences.* »

Cette proclamation fut lue le 24 janvier 1327 devant le Parlement d'Angleterre, et un conseil de régence aussitôt institué ; la reine présidait ce conseil de douze membres parmi lesquels les comtes de Kent, Norfolk et Lancastre, le maréchal Sir Thomas Wake et, le plus important de tous, Roger Mortimer, baron de Wigmore.

Le dimanche 1er février le couronnement d'Edouard III eut lieu à Westminster. La veille, Henry Tors-Col avait armé chevalier le jeune roi en même temps que les trois fils aînés de Roger Mortimer.

Lady Jeanne Mortimer, qui avait recouvré sa liberté et ses biens, mais perdu l'amour de son époux, était présente. Elle n'osait regarder la reine, et la reine n'osait la regarder. Lady Jeanne souffrait sans répit de cette trahison des deux êtres au monde qu'elle avait le plus aimés et le mieux servis. Quinze ans de présence auprès de la reine Isabelle, de dévouement, d'intimité, de risques partagés, devaient-ils recevoir pareil paiement ? Vingt-trois ans d'union avec Mortimer, auquel elle avait donné onze enfants, devaient-ils s'achever de la sorte ? En ce grand bouleversement qui renversait les destins du royaume et amenait son époux au faîte de la puissance, Lady Jeanne, si loyale toujours, se retrouvait parmi les vaincus. Et pourtant elle pardonnait, elle s'effaçait avec dignité, parce qu'il s'agissait justement des deux êtres qu'elle avait le plus admirés, et qu'elle comprenait que ces deux êtres se fussent aimés d'un inévitable amour dès l'instant que le sort les avait rapprochés.

A l'issue du sacre, la foule fut autorisée à pénétrer dans l'évêché de Londres pour y assommer l'ancien chancelier Robert de Baldock. Messire Jean de Hainaut reçut dans la semaine une rente de mille marks esterlins à prendre sur le produit de l'impôt des laines et cuirs dans le port de Londres.

Messire Jean de Hainaut serait volontiers resté plus longtemps à la cour d'Angleterre. Mais il avait promis de se rendre à un grand tournoi, à Condé-sur-l'Escaut, où s'étaient promis rencontre toute une foule de princes, dont le roi de Bohême. On allait jouter, parader, rencontrer belles dames qui avaient traversé l'Europe pour voir s'affronter les plus beaux chevaliers ; on allait séduire, danser, se divertir de fêtes et de scènes jouées. Messire Jean de Hainaut ne pouvait manquer cela, ni de briller, plumes sur le heaume, au milieu des lices sablées. Il accepta d'emmener une quinzaine de chevaliers anglais qui voulaient participer au tournoi.

En mars fut enfin signé avec la France le traité qui réglait la question d'Aquitaine, au plus grand détriment de l'Angleterre. Il était impossible à Mortimer de refuser au nom d'Edouard III les clauses qu'il avait naguère lui-même négociées pour qu'elles fussent imposées à Edouard II. On soldait ainsi l'héritage du mauvais règne. De plus Mortimer s'intéressait peu à la Guyenne où il n'avait pas de possessions, et toute son attention à présent se reportait, comme avant son emprisonnement, vers le Pays de Galles et les Marches galloises.

Les envoyés qui vinrent à Paris ratifier le traité virent le roi Charles IV fort triste et défait, parce que l'enfant qui était né à Jeanne d'Evreux au mois de novembre précédent, une fille alors qu'on espérait si fort un garçon, n'avait pas vécu plus de deux mois.

L'Angleterre, vaille que vaille, se remettait en ordre quand le vieux roi d'Ecosse, Robert Bruce, bien que déjà fort avancé en âge et de surcroît atteint de la lèpre, envoya vers le 1er avril, douze jours avant Pâques, défier le jeune Edouard III et l'avertir qu'il allait envahir son pays.

La première réaction de Roger Mortimer fut de faire changer l'ex-roi Edouard II de résidence. C'était prudence. En effet, on avait besoin d'Henry de Lancastre à l'armée, avec ses bannières ; et puis Lancastre, d'après les rapports qui venaient de Kenilworth, semblait traiter avec trop de douceur son prisonnier, relâchant la surveillance et laissant à l'ancien roi quelques intelligences avec l'extérieur. Or, les partisans des Despenser n'avaient pas tous été exécutés, tant s'en fallait. Le comte de Warenne, plus heureux que son beau-frère le comte d'Arundel, avait pu s'échapper. Certains se terraient dans leurs manoirs ou bien dans des demeures amies, attendant que l'orage fût passé ; d'autres avaient fui le royaume. On pouvait se demander même si le défi lancé par le vieux roi d'Ecosse n'était pas de leur inspiration.

D'autre part, le grand enthousiasme populaire qui avait accompagné la libération commençait à décroître. De gouverner depuis six mois, Roger Mortimer était déjà moins aimé, moins adulé ; car il y avait toujours des impôts, et des gens qu'on emprisonnait parce qu'ils ne les payaient pas. Dans les cercles du pouvoir, on

reprochait à Mortimer une autorité tranchante
qui s'accentuait de jour en jour, et les grandes
ambitions qu'il démasquait. A ses propres biens
repris sur le comte d'Arundel, il avait ajouté le
comté de Glamorgan ainsi que la plupart des
possessions de Hugh le Jeune. Ses trois gendres
— car Mortimer avait déjà trois filles mariées —
le Lord de Berkeley, le comte de Charlton, le
comte de Warwick, étendaient sa puissance ter-
ritoriale. Reprenant la charge de Grand Juge de
Galles, autrefois détenue par son oncle de Chirk,
ainsi que les terres de celui-ci, il songeait à se
faire créer comte des Marches, ce qui lui eût
constitué, à l'ouest du royaume, une fabuleuse
principauté quasi indépendante.

Il avait en outre réussi à se brouiller, déjà,
avec Adam Orleton. Ce dernier, dépêché en Avignon pour hâter les dispenses nécessaires au
mariage du jeune roi, avait sollicité du pape l'important évêché de Worcester, vacant en ce moment-là. Mortimer s'était offensé de ce qu'Orleton ne lui eût pas demandé un agrément préa-
lable, et avait fait opposition. Edouard II ne
s'était pas comporté autrement envers le même
Orleton, pour le siège de Hereford !

La reine subissait forcément le même recul
de popularité.

Et voilà que la guerre se rallumait, la guerre
d'Ecosse, une fois de plus. Rien donc n'était
changé. On avait trop espéré pour n'être pas
déçu. Il suffisait d'un revers des armées, d'un
complot qui fît évader Edouard II, et les Ecossais, alliés pour la circonstance à l'ancien parti
Despenser, trouveraient là un roi tout prêt à remettre sur son trône et qui leur abandonnerait

volontiers les provinces du nord en échange de sa liberté et de sa restauration [41].

Dans la nuit du 3 au 4 avril, l'ancien roi fut tiré de son sommeil et prié de s'habiller en hâte. Il vit entrer un grand cavalier dégingandé, osseux, aux longues dents jaunes, aux cheveux sombres et raides tombant sur les oreilles.

« Où me conduis-tu, Maltravers ? dit Edouard avec épouvante en reconnaissant ce baron qu'il avait autrefois spolié et banni, et dont la tête fleurait l'assassinat.

— Je te conduis, Plantagenet, en un lieu où tu seras plus en sûreté ; et pour que cette sûreté soit complète, tu ne dois pas savoir où tu vas afin que ta tête ne risque pas le confier à ta bouche. »

Maltravers avait pour instructions de contourner les villes et de ne pas traîner en chemin. Le 5 avril, après une route faite tout entière au grand trot ou au galop, et seulement coupée d'un arrêt dans une abbaye proche de Gloucester, l'ancien roi entra au château de Berkeley pour y être remis à la garde d'un des gendres de Mortimer.

L'ost anglais, d'abord convoqué à Newcastle et pour l'Ascension, se réunit à la Pentecôte et dans la ville d'York. Le gouvernement du royaume avait été transporté là, et le Parlement y tint une session, tout comme au temps du roi déchu, quand l'Ecosse attaquait.

Bientôt arrivèrent messire Jean de Hainaut et ses Hennuyers, qu'on n'avait pas manqué d'appeler à la rescousse. On revit donc, montés sur leurs gros chevaux roux et tout fiévreux encore des grands tournois de Condé-sur-l'Escaut, les sires de Ligne, d'Enghien, de Mons et de Sarre, et Guillaume de Bailleul, Perceval de Sémeries et Sance de Boussoy, et Oulfard de Ghistelles qui avaient fait triompher dans les joutes les couleurs de Hainaut, et messires Thierry de Wallecourt, Rasses de Grez, Jean Pilastre et les trois frères de Harlebeke sous les bannières du Brabant ; et encore des seigneurs de Flandre, du Cambrésis, de l'Artois, et avec eux le fils du marquis de Juliers.

Jean de Hainaut n'avait eu qu'à les rassembler à Condé. On passait de la guerre au tournoi et du tournoi à la guerre. Ah ! Que de plaisirs et de nobles aventures !

Des réjouissances furent données à York en l'honneur du retour des Hennuyers. Les meilleurs logements leur furent affectés ; on leur offrit fêtes et festins, avec abondance de viandes et de poulailles. Les vins de Gascogne et du Rhin coulaient à barils percés.

Ce traitement fait aux étrangers irrita les archers anglais, qui étaient six bons milliers parmi lesquels nombre d'anciens soldats du feu comte d'Arundel, le décapité.

Un soir, une rixe, comme il en survient banalement parmi des troupes stationnées, éclata pour une partie de dés, entre quelques archers anglais et les valets d'armes d'un chevalier de Brabant. Les Anglais, qui n'attendaient que l'occasion, appellent leurs camarades à l'aide ; tous les archers se soulèvent pour mettre à mal les goujats du Continent ; les Hennuyers courent à leurs can-

tonnements, s'y retranchent. Leurs chefs de bannières, qui étaient à festoyer, sortent dans les
rues, attirés par le bruit, et sont aussitôt as-
saillis par les archers d'Angleterre. Ils veulent
chercher refuge dans leurs logis, mais n'y peuvent pénétrer, car leurs propres hommes s'y sont
barricadés. La voici sans armes ni défense, cette
fleur de la noblesse de Flandre ! Mais elle est
composée de solides gaillards. Messires Perceval de Séméries, Fastres de Rues et Sance de
Boussoy, s'étant saisis de lourds leviers de chêne
trouvés chez un charron, s'adossent à un mur et
assomment, à eux trois, une bonne soixantaine
d'archers qui appartenaient à l'évêque de Lincoln !

Cette petite querelle entre alliés fit un peu plus
de trois cents morts.

Les six mille archers, oubliant tout à fait la
guerre d'Ecosse, ne songeaient qu'à exterminer
les Hennuyers. Messire Jean de Hainaut, outragé,
furieux, voulait rentrer chez lui, à condition
encore qu'on levât le siège autour de ses canton-
nements ! Enfin, après quelques pendaisons, les
choses s'apaisèrent. Les dames d'Angleterre, qui
avaient accompagné leurs maris à l'ost, firent
mille sourires aux chevaliers de Hainaut, mille
prières pour qu'ils restassent, et leurs yeux se
mouillèrent. On cantonna les Hennuyers à une
demi-lieue du reste de l'armée, et un mois passa
de la sorte, à se regarder comme chiens et chats.

Enfin on décida de se mettre en campagne.
Le jeune roi Edouard III, pour sa première
guerre, s'avançait à la tête de huit mille armures
de fer et de trente mille hommes de pied.

Malheureusement, les Ecossais ne se montraient pas. Ces rudes hommes faisaient la guerre sans fourgons ni convoi. Leurs troupes légères n'emportaient pour bagage qu'une pierre plate accrochée à la selle, et un petit sac de farine ; ils savaient vivre de cela pendant plusieurs jours, mouillant la farine à l'eau des ruisseaux et la faisant cuire en galettes sur la pierre chauffée au feu. Les Ecossais s'amusaient de l'énorme armée anglaise, prenaient le contact, escarmouchaient, se repliaient aussitôt, franchissaient et repassaient les rivières, attiraient l'adversaire dans les marais, les forêts épaisses, les défilés escarpés. On errait à l'aventure entre la Tyne et les monts Cheviot.

Un jour les Anglais entendent une grande rumeur dans un bois où ils progressaient. L'alarme est donnée. Chacun s'élance, la visière baissée, l'écu au col, la lance au poing, sans attendre père, frère ni compagnon, et ceci pour rencontrer, tout penaudement, une harde de cerfs qui fuyait affolée devant les bruits d'armures.

Le ravitaillement devenait malaisé ; le pays ne produisait rien ; des marchands acheminaient péniblement quelques denrées qu'ils vendaient dix fois leur valeur. Les montures manquaient d'avoine et de fourrage. Là-dessus, la pluie se mit à tomber, sans désemparer, pendant une grande semaine ; les panneaux de selles pourrissaient sous les cuisses, les chevaux laissaient leur ferrure dans la boue ; toute l'armée rouillait. Le soir, les chevaliers usaient le tranchant de leur épée à tailler des branchages pour se construire des huttes. Et toujours les Ecossais restaient insaisissables !

Le maréchal de l'ost, Sir Thomas Wake, était

désespéré. Le comte de Kent regrettait presque
La Réole ; au moins, là-bas, le temps était beau.
Henry Tors-Col avait des rhumatismes dans la
nuque. Mortimer s'irritait et se lassait de courir
sans cesse de l'armée au Yorkshire, où se trouvaient la reine et les services du gouvernement.
Le désespoir qui engendre les querelles commençait à s'installer dans les troupes ; on parlait de
trahison.

Un jour, tandis que les chefs de bannières dis-
cutaient très haut de ce que l'on n'avait pas fait,
de ce que l'on aurait dû faire, le jeune roi
Edouard III réunit quelques écuyers d'environ
son âge, et promit la chevalerie ainsi qu'une
terre d'un revenu de cent livres à qui découvri-
rait l'armée d'Ecosse. Une vingtaine de garçons,
entre quatorze et dix-huit ans, se mirent à battre
la campagne. Le premier qui revint se nommait
Thomas de Rokesby ; tout haletant et épuisé, il
s'écria :

« Sire Edouard, les Escots sont à quatre lieues
de nous dans une montagne où ils se tiennent
depuis une semaine, sans plus savoir où vous
êtes que vous ne savez où ils sont ! »

Aussitôt, le jeune Edouard fit sonner les trompes, rassembler l'armée dans une terre qu'on appelait « la lande blanche », et commanda de courir aux Ecossais. Les grands tournoyeurs en
étaient tout éberlués. Mais le bruit que faisait
cette énorme ferraille avançant par les montagnes
parvint de loin aux hommes de Robert Bruce.
Les chevaliers d'Angleterre et de Hainaut, arrivant sur une crête, s'apprêtaient à dévaler l'autre versant, lorsqu'ils aperçurent soudain toute
l'armée écossaise, à pied et rangée en bataille,

les flèches déjà encochées dans la corde des arcs.
On se regarda de loin sans oser s'affronter, car
le lieu était mal choisi pour lancer les chevaux ;
on se regarda pendant vingt-deux jours !

Comme les Ecossais ne semblaient pas vouloir
bouger d'une position qui leur était si favorable,
comme·les chevaliers ne voulaient pas livrer combat dans un terrain où ils ne pouvaient pas se
déployer, on demeura donc de part et d'autre de
la crête, chaque adversaire attendant que l'autre
voulût se déplacer. On se contentait d'escarmou-
cher, la nuit généralement, en laissant ces petites
rencontres à la piétaille.

Le plus haut fait de cette étrange guerre, que
se livraient un octogénaire lépreux et un roi de
quinze ans, fut accompli par l'Ecossais Jacques
de Douglas qui, avec deux cents cavaliers de son
clan, fondit par une nuit de lune sur le camp anglais, renversa ce qui lui barrait passage en criant
« Douglas, Douglas ! », s'en vint couper trois cordes à la tente du roi, et tourna bride. De cette
nuit-là, les chevaliers anglais dormirent dans
leurs armures.

Et puis un matin, avant l'aurore, on captura
deux « trompeurs » de l'armée d'Ecosse, deux
guetteurs qui vraiment semblaient vouloir qu'on
les prît et qui, amenés devant le roi d'Angleterre,
lui dirent :

« Sire que cherchez-vous ici ? Nos Escots sont
retournés dans les montagnes, et Sire Robert,
notre roi, nous a dit de vous en avertir, et aussi
qu'il ne vous combattrait plus pour cette année,
à moins que vous ne le veniez poursuivre. »

Les Anglais s'avancèrent, prudents, craignant
un piège, et soudain furent devant quatre cents

marmites et chaudrons de campement, pendus en ligne, et que les Ecossais avaient laissés pour ne point s'alourdir ni produire de bruit dans leur retraite. Egalement on découvrit, formant un énorme tas, cinq mille vieux souliers de cuir avec le poil dessus ; les Ecossais avaient changé de chaussures avant de partir. Il ne restait comme créatures vivantes dans ce camp que cinq prisonniers anglais, tout nus, liés à des pieux, et dont les jambes avaient été brisées à coups de bâtons.

Poursuivre les Ecossais dans leurs montagnes, à travers ce pays difficile, hostile, où l'armée, fort fatiguée déjà, aurait à mener une guerre d'embuscade pour laquelle elle n'était pas entraînée, apparaissait comme une pure folie. La campagne fut déclarée terminée ; on revint à York et l'ost fut dissous.

Messire Jean de Hainaut fit le compte de ses chevaux morts ou hors d'usage, et présenta un mémoire de quatorze mille livres. Le jeune roi Edouard n'avait pas autant d'argent disponible dans son Trésor, et devait aussi payer les soldes de ses propres troupes. Alors messire Jean de Hainaut, ayant grand geste comme de coutume, se porta garant auprès de ses chevaliers de toutes les sommes qui leur étaient dues par son futur neveu.

Au cours de l'été, Roger Mortimer, qui n'avait aucun intérêt dans le nord du royaume, bâcla un traité de paix. Edouard III renonçait à toute suzeraineté sur l'Ecosse et reconnaissait Robert Bruce comme roi de ce pays, ce qu'Edouard II tout le long de son règne n'avait jamais accepté ; en outre, David Bruce, fils de Robert, épousait

Jeanne d'Angleterre, seconde fille de la reine Isabelle.

Etait-ce bien la peine, pour un tel résultat, d'avoir déchu de ses pouvoirs l'ancien roi qui vivait reclus à Berkeley ?

VII

LA COURONNE DE FOIN

UNE aurore presque rouge incendiait l'horizon derrière les collines du Costwold.

« Le soleil va bientôt poindre, Sir John, dit Thomas Gournay, l'un des deux cavaliers qui marchaient en tête de l'escorte.

— Oui, le soleil va poindre, Sir Thomas, et nous ne sommes point encore arrivés à notre étape, répondit John Maltravers qui cheminait à côté de lui, au botte à botte.

— Quand le jour sera venu, les gens pourraient bien reconnaître qui nous conduisons, reprit le premier.

— Cela se pourrait, en effet, mon compagnon, et c'est tout juste ce qu'il nous faut éviter. »

Ces paroles étaient échangées d'une voix haute, forcée, afin que le prisonnier qui suivait les entendît bien.

La veille, Sir Thomas Gournay était arrivé à Berkeley, ayant traversé la moitié de l'Angleterre pour porter depuis York, à John Maltravers, les nouveaux ordres de Roger Mortimer concernant la garde du roi déchu.

Gournay était un homme de physique peu avenant ; il avait le nez court et camard, les crocs inférieurs plus longs que les autres dents, la peau rose, tachetée, piquetée de poils roux comme le cuir d'une truie ; ses cheveux trop abondants se tordaient, pareils à des copeaux de cuivre, sous le bord de son chapeau de fer.

Pour seconder Thomas Gournay, et aussi pour le surveiller un peu, Mortimer lui avait adjoint Ogle, l'ancien barbier de la tour de Londres.

Au soir tombant, à l'heure où les paysans avaient déjà avalé leur soupe, la petite troupe quittant Berkeley s'était dirigée vers le sud à travers une campagne silencieuse et des villages endormis. Maltravers et Gournay chevauchaient en tête. Le roi allait encadré par une dizaine de soldats que commandait un officier subalterne du nom de Towurlee. Colosse à petit front et d'une intelligence parcimonieusement mesurée, Towurlee était un homme obéissant, bien utile pour les tâches qui réclamaient à la fois de la force et qu'on les exécutât en se posant un minimum de questions. Ogle fermait la marche, en compagnie du moine Guillaume, lequel n'avait pas été choisi parmi les meilleurs de son couvent. Mais on pouvait avoir besoin de lui pour une extrême-onction.

Toute la nuit, l'ancien roi avait cherché vainement à deviner où on le conduisait. A présent, le jour paraissait.

« Que faire, Sir Thomas, pour qu'on ne puisse point reconnaître un homme ? reprit sentencieusement Maltravers.

— Lui changer le visage, Sir John, je ne vois que cela, répondit Gournay.

— Il faudrait le barbouiller de goudron, ou bien de suie.

— Ainsi les paysans croiraient que c'est un Maure que nous accompagnons.

— Par malchance, nous n'avons pas de goudron.

— Alors, on pourrait le raser, dit Thomas Gournay en appuyant sa proposition d'un lourd clin d'œil.

— Ah ! voici la bonne idée, mon compagnon ! D'autant que nous avons un barbier dans notre suite. Le Ciel nous vient en aide. Ogle, Ogle, approche donc !... As-tu ton bassin, tes rasoirs ?

— Je les ai, Sir John, pour vous servir, répondit Ogle en rejoignant les deux chevaliers.

— Alors arrêtons-nous ici. Je vois un peu d'eau qui court dans ce ruisseau. »

Tout cela était, depuis la veille, concerté. La petite colonne fit halte. Gournay et Ogle mirent pied à terre. Gournay avait les épaules larges, les jambes très courtes et arquées. Ogle étendit une toile sur l'herbe du talus, y disposa ses ustensiles et se mit à aiguiser un rasoir, lentement, en regardant l'ancien roi.

« Que voulez-vous de moi ? Qu'allez-vous me faire ? demanda Edouard II d'une voix angoissée.

— Nous voulons que tu descendes de ton destrier, noble Sire, afin que nous te fassions un autre visage. Voilà justement un bon trône pour

toi, dit Thomas Gournay en désignant une tau-
pinière qu'il écrasa du talon de sa botte. Allons !
Assieds-toi. »

Edouard obéit. Comme il hésitait un peu,
Gournay le poussa à la renverse, et les soldats
d'escorte éclatèrent de rire.

« En rond, vous autres », leur dit Gournay.

Ils se disposèrent en cercle, et le colosse
Towurlee se plaça derrière le roi afin de lui
peser sur les épaules, s'il en était besoin.

L'eau du ruisseau était glacée qu'alla puiser
Ogle.

« Mouille-lui la face », dit Gournay.

Le barbier lança tout le contenu du bassin
d'un coup, à la face du roi. Puis il commença de
passer le rasoir sur les joues, sans précaution.
Les touffes blondes tombaient dans l'herbe.

Maltravers était resté à cheval. Les mains
appuyées au pommeau, les cheveux lui pendant
sur les oreilles, il suivait l'opération en y prenant
un évident plaisir.

Entre deux coups de rasoir, Edouard s'écria :

« Vous me faites trop souffrir ! Ne pourriez-
vous au moins me mouiller d'eau chaude ?

— De l'eau chaude ? s'écria Gournay. Voyez
donc le délicat. »

Et Ogle rapprochant sa face ronde et blan-
châtre du visage du roi lui souffla de tout près :

« Et my Lord Mortimer, quand il était à la tour
de Londres, faisait-on chauffer l'eau de son
bassin ? »

Puis il reprit sa tâche, à grands coups de lame.
Le sang perlait sur la peau. De douleur, Edouard
se mit à pleurer.

« Ah ! voyez l'habile homme, s'écria Maltravers ;

il a trouvé le moyen d'avoir quand même de l'eau chaude sur les joues.

— Je rase également les cheveux, Sir Thomas ? demanda Ogle.

— Certes, certes, les cheveux aussi », répondit Gournay.

Le rasoir fit tomber les mèches depuis le front jusqu'à la nuque.

Au bout d'une dizaine de minutes. Ogle tendit à son patient un miroir d'étain, et l'ancien souverain d'Angleterre y découvrit avec stupéfaction sa face véritable, enfantine et vieillote à la fois, sous le crâne nu, étroit et allongé. Le long menton ne cachait plus sa faiblesse. Edouard se sentait dépouillé, ridicule, comme un chien tondu.

« Je ne me reconnais pas », dit-il.

Les hommes qui l'entouraient se remirent à rire.

« Ah ! voilà qui est bien ! dit Maltravers du haut de son cheval. Si toi-même tu ne te reconnais pas, ceux qui pourraient te rechercher te reconnaîtront encore moins. Voilà ce qu'on gagne à vouloir s'évader. »

Car telle était la raison de ce déplacement. Quelques seigneurs gallois, sous la conduite d'un des leurs, Rhys ap Gruffyd, avaient organisé, pour délivrer le roi déchu, une conspiration dont Mortimer avait été prévenu. Dans le même temps, Edouard, profitant d'une négligence de Thomas de Berkeley, s'était enfui un matin de sa prison. Maltravers, aussitôt parti en chasse, l'avait rattrapé au milieu de la forêt courant vers l'eau comme un cerf forcé. L'ancien roi cherchait à gagner l'embouchure de la Severn dans l'espoir d'y trouver une embarcation. A présent, Maltravers se vengeait ; mais dans l'instant, il avait eu chaud.

« Debout, Sire roi ; il est temps de te remettre en selle, dit-il.

— Où nous arrêterons-nous ? demanda Edouard.

— Là où nous serons sûrs que tu ne pourras point rencontrer d'amis. Et ton sommeil ne sera point troublé. Fais-nous confiance pour veiller sur toi. »

› Le voyage dura ainsi presque une semaine. On cheminait de nuit, on se reposait le jour, soit dans un manoir dont on était sûr, soit même dans quelque abri des champs, quelque grange écartée. A la cinquième aurore, Edouard vit se profiler une immense forteresse grise, dressée sur une colline. L'air de la mer, plus frais, plus humide, un peu salé, arrivait par bouffées.

« Mais c'est Corfe ! dit Edouard. Est-ce là que vous me conduisez ?

— Certes, c'est Corfe, dit Thomas de Gournay. Tu connais bien les châteaux de ton royaume, à ce qu'il semble. »

Un grand cri d'effroi s'échappa des lèvres d'Edouard. Son astrologue, jadis, lui avait conseillé de ne jamais s'arrêter à Corfe, parce qu'un séjour dans ce lieu lui serait fatal. Aussi, dans ses déplacements dans le Dorset et le Devonshire, Edouard II s'était approché de Corfe à plusieurs reprises, mais en refusant obstinément d'y pénétrer.

Le château de Corfe était plus ancien, plus grand, plus sinistre que Kenilworth. Son donjon géant dominait tout le pays d'alentour, toute la

péninsule de Purbeck. Certaines de ses fortifications dataient d'avant la Conquête normande. Il
avait été souvent utilisé comme prison, par
Jean sans Terre notamment qui, cent vingt ans
plus tôt, avait ordonné d'y laisser mourir de faim
vingt-deux chevaliers français. Corfe semblait une
construction vouée au crime. La superstition tragique qui l'entourait remontait au meurtre d'un
garçon de quinze ans, le roi Edouard surnommé
le Martyr, l'autre Edouard II, celui de la dynastie
saxonne, avant l'an mille.

La légende de cet assassinat demeurait vivace
dans le pays. Edouard le Saxon, fils du roi Edgar
auquel il avait succédé, était haï de sa belle-mère,
la reine Elfrida, seconde épouse de son père. Un
jour qu'il rentrait à cheval de la chasse et tandis
que, fort échauffé, il portait à ses lèvres une corne
de vin, la reine Elfrida lui enfonça un poignard
dans le dos. Affolé de douleur, il éperonna son
cheval qui partit droit vers la forêt. Le jeune roi,
perdant son sang, chut bientôt de sa selle ; mais
son pied s'étant coincé dans l'étrier, la monture
le traîna encore sur une grande distance, lui fra-
cassant la tête contre les arbres. Des paysans,
en suivant les traces de sang laissées dans la
forêt, retrouvèrent son corps et l'inhumèrent en
cachette.

La tombe s'étant mise à produire des miracles,
Edouard avait été plus tard canonisé.

Même nom, même chiffre dans l'autre dynastie ;
ce rapprochement, rendu plus inquiétant encore
par la prédiction de l'astrologue, pouvait bien
faire trembler le roi prisonnier. Corfe allait-il voir
la mort du second Edouard II ?

« Pour ton entrée dans cette belle citadelle, il te

faut coiffer d'une couronne, mon noble Sire, dit Maltravers. Towurlee, va donc ramasser un peu de foin dans ce champ ! »

De la brassée d'herbe sèche que rapporta le colosse, Maltravers confectionna une couronne et la planta sur le crâne rasé du roi. Les barbes du foin s'enfoncèrent dans la peau.

« Avance, à présent, et pardonne-nous de n'avoir point de trompettes ! »

Un profond fossé, une enceinte, un pont-levis entre deux grosses tours rondes, une colline verte à escalader, un autre fossé, une autre porte, une autre herse, et au-delà encore des pentes herbues : en se retournant on pouvait voir les petites maisons du village, aux toits faits de pierres plates et grises posées comme des tuiles.

« Avance donc ! » cria Maltravers en donnant à Edouard un coup de poing dans les reins.

La couronne de foin vacilla. Les chevaux progressaient à présent dans des couloirs étroits, tortueux, pavés de galets ronds, entre d'énormes, d'hallucinantes murailles au sommet desquelles les corbeaux, perchés côte à côte, frise noire bordant la pierre grise, regardaient, à cinquante pieds sous eux, passer la colonne.

Le roi Edouard II était certain qu'on allait le tuer. Mais il existe bien des manières de faire mourir un homme.

Thomas Gournay et John Maltravers n'avaient pas ordre exprès de l'assassiner, mais plutôt de l'anéantir. Ils choisirent donc la manière lente. Deux fois le jour, d'affreuses bouillies de seigle étaient servies à l'ancien souverain, tandis que ses gardiens s'empiffraient devant lui de toutes sortes de victuailles. Et pourtant, à cette infecte

nourriture comme aux moqueries et aux coups
dont on le gratifiait, le prisonnier résistait. Il
était singulièrement robuste de corps et même
d'esprit. D'autres à sa place eussent facilement
perdu la raison : lui se contentait de gémir.
Mais ses gémissements mêmes témoignaient de
son bon sens.

« Mes péchés sont-ils si lourds qu'ils ne méri-
tent ni pitié ni assistance ? Avez-vous perdu toute
charité chrétienne, toute bonté ? disait-il à ses
geôliers. Si je ne suis plus un souverain, je
demeure pourtant père et époux ; comment puis-
je faire encore peur à ma femme et à mes enfants ?
Ne sont-ils pas suffisamment satisfaits d'avoir
pris tout ce qui m'appartenait ?

— Et que te plains-tu, Sire roi, de ton épouse ?
Madame la reine ne t'a-t-elle pas envoyé de beaux
vêtements, et de douces lettres que nous t'avons
lues ?

— Fourbes, fourbes, répondait Edouard, vous
m'avez montré les vêtements mais vous ne me
les avez point donnés, et vous me laissez pourrir
dans cette mauvaise robe. Et les lettres, pourquoi
cette méchante femme me les a-t-elle envoyées,
sinon pour pouvoir feindre qu'elle m'a témoigné
de la compassion. C'est elle, c'est elle avec le
méchant Mortimer qui vous donne les ordres de
me tourmenter ! Sans elle et sans ce traître,
mes enfants, j'en suis sûr, accourraient m'embrasser !

— La reine ton épouse et tes enfants, répondait
Maltravers, ont trop peur de ta cruelle nature.
Ils ont trop subi tes méfaits et ta fureur pour
désirer t'approcher.

— Parlez, mauvais, parlez, disait le roi. Un

temps viendra où les tourments qui me sont infligés seront vengés. »

Et il se mettait à pleurer, son menton nu enfoui
dans ses bras. Il pleurait, mais il ne mourait
point.

Gournay et Maltravers s'ennuyaient à Corfe,
car tous les plaisirs s'épuisent, même ceux qu'on
prend à torturer un roi. Et puis Maltravers avait
laissé sa femme Eva à Berkeley, auprès de son
beau-frère ; et puis dans la région de Corfe, on
commençait à savoir que le roi détrôné était détenu là. Alors, après échange de messages avec
Mortimer, on décida de ramener Edouard à Berkeley.

Lorsque, encadré de la même escorte, il repassa,
un peu plus maigre seulement et un peu plus
voûté, les grosses herses, les ponts-levis, les deux
enceintes, le roi Edouard II, si malheureux qu'il
fût, éprouva un immense soulagement et comme
le sentiment de la délivrance. Son astrologue avait
menti.

VIII

« BONUM EST »

La reine Isabelle était déjà au lit, ses deux nattes d'or tombant sur sa poitrine. Roger Mortimer entra, sans se faire annoncer, ainsi qu'il en avait le privilège. A l'expression de son visage, la reine sut de quel sujet il allait lui parler, lui reparler plutôt.

« J'ai reçu·nouvelles de Berkeley », dit-il d'un ton qui se voulait calme et détaché.

Isabelle ne répondit pas.

La fenêtre était entrouverte sur la nuit de septembre. Mortimer alla l'ouvrir tout à fait et resta un moment à contempler la ville de Lincoln, vaste et tassée, encore piquetée de quelques lumières, et qui s'étendait au-dessous du château. Lincoln était en importance la quatrième ville du royaume après Londres, Winchester et York. L'un des morceaux de Hugh Le Despenser le Jeune y avait été expédié dix mois auparavant. La cour, arrivant du Yorkshire, venait de s'y installer depuis une semaine.

Isabelle regardait les hautes épaules de Mortimer et sa nuque couverte de cheveux en rouleaux se découper, ombre sur le ciel nocturne, dans l'encadrement de la fenêtre. Dans ce moment précis, elle ne l'aimait pas.

«Votre époux paraît s'obstiner à vivre, reprit Mortimer en se retournant, et cette vie met en péril la paix du royaume. On continue de conspirer pour sa délivrance dans les manoirs de Galles. Les dominicains ont le front de prêcher en sa faveur jusques à Londres même, où les troubles qui nous ont inquiétés en juillet pourraient bien se renouveler. Edouard n'est guère dangereux par lui-même, je vous l'accorde, mais il est prétexte à l'agitation de nos ennemis. Veuillez enfin, je vous prie, émettre cet ordre que je vous conseille et sans lequel il n'y aura point de sécurité ni pour vous ni pour votre fils.»

Isabelle eut un soupir de lassitude excédée. Que ne donnait-il lui-même cet ordre ? Que ne prenait-il la décision à son compte, lui qui faisait la pluie et le soleil dans le royaume ?

« Gentil Mortimer, dit-elle calmement, je vous ai déjà répondu qu'on n'obtiendrait point cet ordre de moi. »

Roger Mortimer ferma la fenêtre ; il craignait de s'emporter.

« Mais pourquoi, à la parfin, dit-il, avoir subi tant d'épreuves et couru si grands risques pour devenir à présent l'ennemie de votre propre sûreté ? »

Elle secoua la tête et répondit :

« Je ne puis. J'aime mieux courir tous les hasards que d'en venir à cette issue. Je t'en prie, Roger, ne souillons pas nos mains de ce sang-là. »

Mortimer eut un ricanement bref.

« D'où te vient, répliqua-t-il, ce soudain respect du sang de tes ennemis ? Le sang du comte d'Arundel, le sang des Despenser, le sang de Baldock, tout ce sang-là qui coulait sur les places des villes, tu n'en as pas détourné les yeux. J'avais même cru, certaines nuits, que le sang te plaisait assez. Et lui, le cher Sire, n'a-t-il pas les mains plus rouges que les nôtres pourront jamais l'être ? N'aurait-il pas volontiers versé mon sang et le tien, si nous lui en avions laissé le loisir ? Il ne faut pas être roi, Isabelle, si l'on a peur du sang, il ne faut pas être reine ; il faut se retirer dans quelque couvent, sous un voile de nonne, et n'avoir ni amour ni pouvoir ! »

Ils s'affrontèrent un moment du regard. Les prunelles couleur de silex brillaient trop fort sous les sourcils épais, à la lueur des chandelles ; la cicatrice blanche ourlait une lèvre au dessin trop cruel. Isabelle fut la première à baisser les yeux.

« Rappelle-toi, Mortimer, qu'il t'a fait grâce autrefois, dit-elle. Il doit penser à présent que s'il n'avait pas cédé aux prières des barons, des évêques, à mes propres prières, et t'avait fait décapiter comme il en a ordonné de Thomas de Lancastre...

— Non point, non point, je m'en souviens, et justement je ne voudrais pas avoir à connaître un jour des regrets semblables aux siens. Je trouve cette compassion que tu lui portes bien étrange et bien obstinée. »

Il prit un temps.

« L'aimes-tu donc encore ? ajouta-t-il. Je ne vois point d'autre raison. »

Elle haussa les épaules.

« C'est donc pour cela, dit-elle, pour que je te fournisse une preuve de plus ! Cette fureur de jaloux ne s'éteindra donc jamais en toi ? Ne t'ai-je pas assez montré, devant tout le royaume de France, et tout celui d'Angleterre, et devant mon fils même, que je n'avais au cœur d'autre amour que le tien ? Mais que me faut-il faire ?

— Ce que je te demande, et rien d'autre. Mais je vois que tu ne veux pas t'y résoudre. Je vois que la croix que tu te fis au cœur, devant moi, et qui devait nous allier en tout, et ne nous donner qu'une volonté, n'était pour toi que simulacre. Je vois bien que le destin m'a fait engager ma foi à une créature faible ! »

Oui, un jaloux, voilà ce qu'il était ! Régent tout-puissant, nommant aux emplois, gouvernant le jeune roi, vivant conjugalement avec la reine, et ceci aux yeux de tous les barons, Mortimer demeurait un jaloux !... « Mais a-t-il complète-ment tort de l'être ? » pensa soudain Isabelle. Le danger de toute jalousie est de forcer celui qui en est l'objet à rechercher en lui-même s'il n'y a pas motif aux reproches qu'on lui adresse. Ainsi s'éclairent certains sentiments auxquels on n'avait pas pris garde... Comme c'était étrange ! Isabelle était sûre de haïr Edouard autant que femme pouvait ; elle ne songeait à lui qu'avec mépris, dégoût et rancune à la fois. Et pourtant... Et pourtant le souvenir des anneaux échangés,

du couronnement, des maternités, les souvenirs
qu'elle gardait non pas de lui, mais d'elle-même,
le souvenir simplement d'avoir cru qu'elle l'aimait, c'était tout cela qui la retenait à présent.
Il lui semblait impossible d'ordonner la mort du
père des enfants qu'elle avait mis au monde...
« Et ils m'appellent la Louve de France ! » Le
saint n'est jamais aussi saint, ni le cruel jamais
aussi complètement cruel que les autres le
croient.

Et puis Edouard, même déchu, était un roi.
Qu'on l'eût dépossédé, dépouillé, emprisonné,
n'empêchait pas qu'il fût personne royale. Et
Isabelle était reine elle-même, et formée à l'être.
Toute son enfance, elle avait eu l'exemple de la
vraie majesté royale, incarnée dans un homme
qui, par le sang et le sacre, se savait au-dessus
de tous les autres hommes, et se faisait connaître pour tel. Attenter à la vie d'un sujet, fût-il
le plus grand seigneur du royaume, n'était jamais
qu'un crime. Mais l'acte de supprimer une vie
royale comportait un sacrilège et la négation du
caractère sacerdotal, divin, dont les souverains
étaient investis.

« Et cela, Mortimer, tu ne peux le comprendre, car tu n'es pas roi, et tu n'es pas né d'un
roi. »

Elle s'aperçut, trop tard, qu'elle venait de
penser tout haut.

Le baron des Marches, le descendant du com-
pagnon de Guillaume le Conquérant, le Grand
Juge du Pays de Galles, prit rudement le coup.
Il recula de deux pas, s'inclina.

« Je ne pense pas que ce soit un roi, Madame,
qui vous ait rendu votre trône ; mais il paraît

LES ROIS MAUDITS

que c'est perdre son temps que d'attendre que vous en conveniez. Comme de vous rappeler que je descends des rois de Danemark qui n'ont pas dédaigné de donner l'une de leurs filles à mon aïeul le premier Roger Mortimer. Mes efforts pour vous m'ont acquis peu de mérite. Laissez donc vos ennemis délivrer votre royal époux, ou bien, même, allez lui rendre la liberté de vos propres mains. Votre puissant frère de France ne manquera pas alors de vous protéger, comme il le fit si bien quand vous eûtes à fuir, soutenue par moi en votre selle, vers le Hainaut. Mortimer, lui, n'étant point roi, et sa vie de la sorte n'étant pas protégée contre une mésaventure de la fortune, s'en va, Madame, chercher refuge ailleurs avant qu'il soit trop tard, hors d'un royaume dont la reine l'aime si peu qu'il ne se sent plus rien à y faire. »

Sur quoi il gagna la porte. Il était contrôlé dans sa colère ; il ne fit point battre le vantail de chêne mais le repoussa lentement, et ses pas décrurent.

Isabelle connaissait assez l'orgueilleux Mortimer pour savoir qu'il ne reviendrait pas. Elle bondit hors du lit, courut en chemise à travers les couloirs du château, rattrapa Mortimer, le saisit par ses vêtements, se pendit à ses bras.

« Demeure, demeure, gentil Mortimer, je t'en supplie ! s'écria-t-elle sans se soucier qu'on l'entendît. Je ne suis qu'une femme, j'ai besoin de ton conseil et de ton appui ! Demeure ! demeure, de grâce, et agis ainsi que tu crois. »

Elle était en larmes et s'appuyait, se blottissait contre ce torse, ce cœur sans lesquels elle ne pouvait vivre.

« Je veux ce que tu veux ! » dit-elle encore.

Les serviteurs, attirés par le bruit, étaient apparus et tout aussitôt se dissimulaient, gênés d'être témoins de cette querelle d'amants.

« Tu veux vraiment ce que je veux ?... demanda-t-il en prenant le visage de la reine entre ses mains. Alors ! Gardes ! cria-t-il. Qu'on aille me querir aussitôt Mgr Orleton. »

Depuis quelques mois Mortimer et Adam Orleton se battaient froid. Leur brouille stupide avait pour cause cet évêché de Worcester attribué à Orleton par le pape, tandis que Mortimer le promettait à un autre candidat. Que Mortimer n'avait-il su que son ami souhaitait cet évêché ! Mais à présent, sa parole engagée, il ne voulait plus se dédire. Le Parlement, saisi de la question, à York, avait décrété la confiscation des revenus du diocèse de Worcester... Orleton, qui donc n'était plus évêque de Hereford et ne l'était pas non plus de Worcester, jugeait bien ingrat l'homme qu'il avait fait évader de la Tour. L'affaire demeurait en débat, et Orleton continuait de suivre la cour dans ses déplacements.

« Mortimer, quelque jour, aura de nouveau besoin de moi, se disait-il, et alors il cédera. »

Ce jour, ou plutôt cette nuit, était arrivé. Orleton le comprit aussitôt qu'il eut pénétré dans la chambre de la reine. Isabelle, recouchée, gardait les traces de larmes sur le visage. Mortimer marchait à grands pas autour du lit. Pour qu'on se gênât si peu devant le prélat, il fallait que l'affaire fût grave !

« Madame la reine, déclara Mortimer, considère avec raison, à cause des menées que vous savez, que la vie de son époux met en péril la paix du royaume, et elle s'inquiète que Dieu tarde tant à le rappeler à lui. »

Adam Orleton regarda Isabelle, Isabelle regarda Mortimer, puis ramena les yeux vers l'évêque et fit un signe d'assentiment. Orleton eut un bref sourire, non de cruauté, ni même vraiment d'ironie, plutôt une expression de pudique tristesse.

« Madame la reine se voit placée dans le grand problème qui se pose toujours à ceux qui ont la charge des Etats, répondit-il. Faut-il, pour ne point détruire une seule vie, risquer d'en faire périr beaucoup d'autres ? »

Mortimer se tourna vers Isabelle, et dit :

« Vous entendez ! »

Il était fort satisfait de l'appui que lui portait l'évêque et regrettait simplement de ne pas avoir trouvé lui-même cet argument.

« C'est de la sauvegarde des peuples qu'il s'agit là, reprit Orleton, et c'est à nous, évêques, qu'on s'adresse pour éclairer les volontés divines. Certes, les saints commandements nous interdisent de hâter toute fin. Mais les rois ne sont pas hommes ordinaires, et ils s'exceptent eux-mêmes des Commandements lorsqu'ils condamnent à mort leurs sujets... Je croyais toutefois, my Lord, que les gardiens que vous avez nommés autour du roi déchu allaient vous épargner de vous poser ces questions.

— Les gardiens paraissent avoir épuisé leurs ressources, répondit Mortimer. Et ils n'agiront pas plus avant sans avoir reçu des instructions écrites. »

Orleton hocha la tête, mais ne répondit point.

« Or un ordre écrit, poursuivit Mortimer, peut tomber en d'autres mains que celles auxquelles

il est destiné ; il peut également fournir une
arme à ceux qui ont à l'exécuter contre ceux qui
le donnent. Me comprenez-vous ? »

Orleton sourit à nouveau. Le prenait-on pour
un niais ?

« En d'autres mots, my Lord, dit-il, vous vou-
driez envoyer l'ordre et ne pas l'envoyer.

— Je voudrais plutôt envoyer un ordre qui soit
clair pour ceux qui doivent l'entendre, et qui
demeure obscur à ceux qui le doivent ignorer.
C'est là-dessus que je veux me consulter avec
vous qui êtes homme de ressource, si vous
consentez à m'apporter votre concours.

— Et vous demandez cela, my Lord, à un
pauvre évêque qui n'a même pas de siège, ni de
diocèse où planter sa crosse ? »

Ce fut au tour de Mortimer de sourire :

« Allons, allons, my Lord Orleton, ne parlons
plus de ces choses. Vous m'avez beaucoup fâché,
vous le savez. Si vous m'aviez seulement averti
de vos souhaits ! Mais puisque vous y tenez
tant, je ne m'opposerai plus. Vous aurez Worc-
cester, c'est parole dite... J'en ferai mon affaire
avec le Parlement... Et vous êtes toujours mon
ami, vous le savez bien aussi. »

L'évêque hocha le front. Oui, il le savait ; et
lui-même gardait toujours autant d'amitié à Mortimer, et leur brouille récente n'avait rien changé ;
il suffisait qu'ils fussent face à face pour en prendre conscience. Trop de souvenirs les liaient, trop
de complicités et une réciproque admiration. Ce
soir même, dans la difficulté où Mortimer se
trouvait après avoir enfin arraché à la reine un
consentement si longtemps attendu, qui donc
appelait-il ? L'évêque aux épaules tombantes, à

la démarche de canard, à la vue fatiguée par
l'étude. Ils étaient même si fort amis qu'ils en
avaient oublié la reine qui les observait, de ses
larges yeux bleus, et se sentait mal.

« C'est votre beau sermon *Doleo caput meum*
nul ne l'a oublié, qui a permis de déchoir le
mauvais roi, dit Mortimer. Et c'est vous encore
qui avez obtenu l'abdication. »

Voilà que la gratitude revenait ! Orleton s'inclina sous les compliments.

« Vous voulez donc que j'aille jusqu'au bout
de la tâche », dit-il.

Il y avait dans la chambre une table à écrire,
des plumes et du papier. Orleton réclama un
couteau parce qu'il ne pouvait écrire qu'avec
une plume taillée par lui-même. Cela l'aidait à
réfléchir. Mortimer respectait sa méditation.

« L'ordre n'a pas besoin d'être long », dit Orleton au bout d'un moment.

Il regardait en l'air, d'un air amusé. Il avait
visiblement oublié qu'il s'agissait de la mort
d'un homme ; il éprouvait un sentiment d'orgueil, une satisfaction de lettré qui vient de
résoudre un difficile problème de rédaction. Les
yeux près de la table, il ne traça qu'une seule
phrase d'une écriture bien formée, répandit dessus de la poudre à sécher, et tendit la feuille à
Mortimer en disant :

« J'accepte même de sceller cette lettre de
mon propre sceau, si vous-même ou Madame la
reine considérez ne point devoir y apposer les
vôtres. »

Vraiment, il paraissait content de lui.

Mortimer s'approcha d'une chandelle. La lettre
était en latin. Il lut assez lentement :

« *Eduardum occidere nolite timere bonum est.* »

Il réfléchit un moment, puis, revenant à l'évêque :

« *Eduardum occidere,* cela je comprends bien ; *nolite :* ne faites pas... *timere :* craindre... *bonum est :* il est bon... »

Orleton souriait.

« Faut-il entendre : « Ne tuez pas Edouard, il est bon de craindre... de faire cette chose », poursuivit Mortimer, ou bien « Ne craignez pas de tuer Edouard, c'est chose bonne » ? Où est la virgule ?

— Elle n'est pas, répondit Orleton. La volonté de Dieu se manifestera par la compréhension de celui qui recevra la lettre. Mais la lettre elle-même, à qui peut-on en faire reproche ? »

Mortimer restait perplexe.

« C'est que j'ignore, dit-il, si Maltravers et Gournay entendent bien le latin.

— Le frère Guillaume, que vous avez placé auprès d'eux, l'entend assez bien. Et puis le messager pourra transmettre de bouche, mais de bouche seulement, que toute action découlant de cet ordre devra demeurer sans traces.

— Et vraiment, demanda Mortimer, vous êtes prêt à y apposer votre propre sceau ?

— Je le ferai », dit Orleton.

C'était vraiment un bon compagnon. Mortimer le raccompagna jusqu'au bas de l'escalier, puis remonta à la chambre de la reine.

« Gentil Mortimer, lui dit Isabelle, ne me laissez point dormir seule cette nuit. »

La nuit de septembre n'était pas si froide qu'elle dût grelotter autant.

IX

LE FER ROUGE

Comparé aux forteresses démesurées de Kenilworth ou de Corfe, Berkeley peut être regardé
comme un petit château. Ses pierres de teinte
rose, ses dimensions humaines, ne le rendent
en rien effrayant... Il communique directement
avec le cimetière qui entoure l'église et où les
dalles, en quelques années, se couvrent d'une
petite mousse verte, fine comme un tissu de
soie [42].

Thomas de Berkeley, assez brave jeune homme que n'animait aucune férocité à l'égard de
son semblable, ne possédait pas de raisons toutefois de se montrer bienveillant à l'excès envers l'ancien roi Edouard II qui l'avait tenu
quatre ans en prison à Wallingford, en compagnie de son père Maurice, mort pendant cette
détention. En revanche, tout l'incitait au dévoue-

ment envers son puissant beau-père, Roger Mortimer, dont il avait épousé la fille aînée en 1320, qu'il avait suivi dans la révolte de 1322, et auquel il devait sa délivrance, l'année précédente. Thomas recevait la considérable somme de cent shillings par jour pour la garde et l'hébergement du roi déchu. Ni sa femme Marguerite Mortimer, ni sa sœur Eva, l'épouse de John Maltravers, n'étaient non plus de mauvaises personnes.

N'aurait-il eu affaire qu'à la famille Berkeley, Edouard II eût trouvé le séjour acceptable. Par malheur, il lui fallait subir les trois tourmenteurs, le Maltravers, le Gournay et leur barbier Ogle. Ceux-ci ne laissaient pas de répit à l'ancien roi ; ils avaient l'esprit fécond en cruauté, et ils se livraient à une sorte de compétition, rivalisant d'invention et de raffinement dans le supplice.

Maltravers avait imaginé d'installer Edouard, à l'intérieur du *keep*, dans un réduit circulaire de quelques pieds de diamètre au centre duquel s'ouvrait un ancien puits maintenant asséché. Aucune margelle n'entourait le puits. Il eût suffi d'un faux mouvement pour que le prisonnier tombât dans cette oubliette. Aussi Edouard devait-il rester constamment attentif ; cet homme de quarante-quatre ans, mais qui maintenant en paraissait plus de soixante, demeurait là, gisant sur une brassée de paille, le corps collé contre la muraille ou ne se déplaçant qu'en rampant, et, lorsqu'il s'assoupissait, il se réveillait aussitôt, tout en sueur, craignant de s'être rapproché du vide.

A ce supplice de la peur, Gournay en ajouta un autre, celui de l'odeur. Il faisait ramasser dans la campagne des charognes de bêtes puantes,

blaireaux pris au terrier, renards, putois, et aussi
les oiseaux morts, bien pourris, que l'on jetait
dans le puits afin que la pestilence qu'ils déga-
geaient infestât le peu d'air dont disposait le
prisonnier.

« Voilà de la bonne venaison pour le crétin ! »
disaient les trois tortionnaires, chaque matin,
quand ils voyaient arriver la cargaison de bêtes
mortes.

Eux-mêmes n'avaient pas le nez très fin, car
ils se tenaient ensemble, ou à tour de rôle, dans
une petite pièce en haut de l'escalier du *keep*
et qui commandait le réduit où s'anémiait le roi.
D'écœurantes bouffées venaient parfois jusqu'à
eux ; mais c'était alors l'occasion de grosses
plaisanteries :

« Ce qu'il peut puer, le gâteux ! » s'écriaient-
ils en abattant leurs cornets à dés et en lampant
leurs pots de bière.

Le jour où leur parvint la lettre d'Adam Orleton, ils se concertèrent longuement. Le frère Guillaume leur avait traduit la missive, sans hésiter
le moins du monde sur son sens véritable, mais
en leur faisant apprécier l'habile ambiguïté de la
rédaction. Les trois méchants s'en étaient frappé
les cuisses pendant un quart d'heure, en répé-
tant : « *bonum est... bonum est !* » et en se tordant de rire.

Le chevaucheur un peu obtus qu'on leur avait
dépêché avait fidèlement délivré son message
oral : « Sans traces. »

C'était là-dessus précisément qu'ils se consultaient.

« Ils ont vraiment d'étranges exigences, les gens
de la cour, évêques et autres Lords ! dit Maltra-

vers. Ils vous commandent de tuer et que cela ne se voie pas. »

Comment procéder ? Le poison laissait les corps noirs ; et puis le poison, il fallait s'en fournir auprès de gens qui pouvaient parler. La strangulation ? La marque du lacet demeure autour du cou, et la face reste toute bleue.

Ce fut Ogle, l'ancien barbier de la tour de Londres, qui eut le trait de génie. Thomas Cournay apporta au plan proposé quelques perfectionnements ; et Maltravers rit bien fort, découvrant les gencives en même temps que les dents.

« Il sera puni par où il a péché ! » s'écria-t-il. L'idée lui semblait vraiment astucieuse.

« Mais il nous faudra bien être quatre, pour le moins, dit Gournay. Berkeley devra nous prêter la main.

— Ah ! tu sais comment est mon beau-frère Thomas, répondit Maltravers. Il touche ses cinq livres la journée, mais il a le cœur sensible. Il serait plus gênant qu'utile.

— Le gros Towurlee, pour la promesse de quelques shillings, nous aidera volontiers, dit Ogle. Et puis il est si bête que, même s'il parle, personne ne le croira. »

On attendit le soir. Gournay fit préparer aux cuisines un excellent repas pour le prisonnier, avec un pâté moelleux, de petits oiseaux rôtis sur broche, une queue de bœuf en sauce. Edouard n'avait pas fait pareil souper depuis les soirées de Kenilworth, chez son cousin Tors-Col. Il fut tout étonné, un peu inquiet d'abord, puis réconforté, par cette chère inhabituelle. Au lieu de lui jeter une écuelle qu'il devait loger au bord de la fosse puante, on l'avait installé dans la petite pièce attenante, sur une escabelle, ce qui lui semblait un confort miraculeux ; et il dégustait ces mets dont il avait presque oublié le goût. On ne lui ménageait pas le vin non plus, un bon vin claret que Thomas de Berkeley faisait venir d'Aquitaine. Les trois geôliers assistaient à cette ripaille en échangeant des clins d'œil.

« Il n'aura même pas le temps de le digérer », souffla Maltravers à Gournay.

Le colosse Towurlee se tenait dans la porte qu'il obstruait complètement.

« Voilà, on se sent mieux à présent, n'est-il pas vrai, my Lord, dit Gournay quand l'ancien souverain eut terminé son repas. Maintenant on va te conduire dans une bonne chambre où tu trouveras un lit de plumes. »

Le prisonnier au crâne rasé, au long menton tremblant, regarda ses gardiens avec surprise.

« Vous avez reçu de nouveaux ordres ? » demanda-t-il.

Son ton était plein d'humilité craintive.

« Ah oui ! pour sûr, on a reçu des ordres et l'on va bien te traiter, my Lord ! répondit Maltravers. On t'a même commandé du feu, là où tu vas dormir, parce que les soirées commencent à fraîchir, n'est-ce pas Gournay ? Eh ! c'est la saison qui le veut ; on est déjà fin septembre. »

On fit descendre au roi l'étroit escalier, puis traverser la cour herbue du *keep*, puis remonter de l'autre côté, dans la muraille. Ses geôliers avaient dit vrai ; ils le menaient à une chambre, pas une chambre de palais, bien sûr, mais une bonne pièce, propre et passée à la chaux, avec un lit à gros matelas de plumes, et un brasero plein de tisons ardents. Il faisait presque trop chaud.

Le vin, la chaleur... Le roi déchu sentait la tête lui tourner un peu. Suffisait-il donc d'un bon repas pour reprendre espérance ? Quels étaient les nouveaux ordres et pourquoi lui témoignait-on tant d'égards soudains ? Une révolte dans le royaume peut-être ; Mortimer tombé en disgrâce... Ou simplement le jeune roi s'était inquiété enfin du sort de son père et avait exigé qu'on le traitât de façon humaine... Mais, si même il y avait révolte, si même tout le peuple s'était soulevé en sa faveur, jamais Edouard n'accepterait de reprendre son trône, jamais, il en faisait serment à Dieu. Parce que roi de nouveau, il recommencerait à commettre des fautes ; il n'était pas fait pour régner. Un calme couvent, voilà tout ce qu'il souhaitait, et pouvoir se promener dans un beau jardin, être servi de mets à son goût... prier aussi. Et puis se laisser repousser la barbe et les cheveux, à moins qu'il ne gardât la tonsure... Quelle négligence de l'âme et quelle ingratitude que de ne pas remercier le Créateur de ces simples choses qui suffisent à rendre une vie agréable, une nourriture savoureuse, une chambre chaude... Il y avait un tisonnier dans le poêle à braise.

« Etends-toi donc, my Lord ! La couche est bonne, tu verras », dit Gournay.

Et de fait, le matelas était doux. Retrouver un vrai lit, quel bienfait ! Mais pourquoi les trois autres restaient-ils là ! Maltravers était assis sur une escabelle, les cheveux pendant sur les oreilles, les mains entre les genoux, et regardait le roi. Gournay tisonnait le feu. Le barbier Ogle tenait une corne de bœuf à la main et une petite scie.

« Dors, Sire Edouard, ne t'occupe pas de nous, nous avons à travailler, insista Gournay.

— Que fais-tu, Ogle ? demanda le roi. Tu tailles une corne pour boire ?

— Non, my Lord, pas pour boire. Je taille une corne, voilà tout. »

Puis, se tournant vers Gournay et marquant une place sur la corne, avec l'ongle du pouce, le barbier dit :

« Je crois que c'est la bonne longueur, ne pensez-vous pas ? »

Le rouquin au visage de truie regarda pardessus son épaule et répondit :

« Oui, cela doit convenir. *Bonum est.* »

Puis il se remit à éventer le feu.

La scie criait sur la corne de bœuf. Quand celle-ci fut partagée, le barbier en tendit la partie effilée à Gournay, qui la prit, l'examina, y enfonça le tisonnier rouge. Une âcre odeur s'échappa qui d'un coup empesta la pièce. Le tisonnier ressortit par la pointe brûlée de la corne. Gournay le remit au feu. Comment voulait-on que le roi dormît avec tout ce travail autour de lui ? Ne l'avait-on éloigné de l'oubliette aux charognes que pour l'enfumer à présent avec de la corne brûlée ? Soudain Maltravers, toujours assis et toujours regardant Edouard, lui demanda :

« Ton Despenser que tu aimais tant, avait-il la parure solide ? »

Les deux autres s'esclaffèrent. A cause de ce nom prononcé, Edouard sentit comme un déchirement dans son esprit et comprit que ces gens

allaient l'exécuter sur l'heure. Se préparaient-
ils à lui infliger le même et atroce traitement
qu'à Hugh le Jeune ?

« Vous n'allez pas faire cela ? Vous n'allez pas
me tuer ? s'écria-t-il, s'étant brusquement redres-
sé sur son lit.

— Nous, te tuer, Sire Edouard ? dit Gournay
sans même se retourner. Qui pourrait te faire
croire cela ?... Nous avons des ordres. *Bonum est,
bonum est...*

— Allons, recouche-toi », dit Maltravers.

Mais Edouard ne se recouchait pas. Son regard,
dans sa tête toute chauve et amaigrie, allait,
comme celui d'une bête piégée, de la nuque
rousse de Thomas Gournay au long visage jaune
de Maltravers et aux joues poupines du barbier.
Gournay avait ressorti le tisonnier du feu et en
examinait l'extrémité incandescente.

« Towurlee ! appela-t-il. La table ! »

Le colosse, qui attendait dans la pièce voisine,
entra soulevant une lourde table. Maltravers alla
refermer la porte et y donna un tour de clef.
Pourquoi cette table, cette épaisse planche de
chêne, qu'on posait ordinairement sur des tréteaux ? Il n'y avait pas de tréteaux dans la pièce.
Et parmi tant de choses étranges qui se passaient autour du roi, cette table tenue à bout de
bras par un géant devenait l'objet le plus insolite, le plus effrayant. Comment pouvait-on tuer
avec une table ? Ce fut la dernière pensée claire
qu'eut le roi.

« Allons ! » dit Gournay faisant signe à Ogle.

Ils s'approchèrent, chacun d'un côté du lit, se
jetant sur Edouard, le tournèrent pour le mettre
à plat ventre.

« Ah ! les gueux, les gueux ! cria-t-il. Non, vous n'allez pas me tuer. »

Il s'agitait, se débattait, et Maltravers était venu leur prêter la main, et ils n'étaient pas trop de trois ; et le géant Towurlee ne bougeait pas.

« Towurlee, la table ! » cria Gournay.

Towurlee se rappela ce qu'on lui avait commandé. Il avança et laissa tomber l'énorme planche en travers des épaules du roi. Gournay releva la robe du prisonnier, abaissa les braies dont l'étoffe usée se déchira. C'était grotesque, misérable, un fondement ainsi exposé ; mais maintenant les assassins n'avaient plus le cœur à rire.

Le roi, à demi assommé par le coup et suffoquant sous la table qui l'enfonçait dans le matelas, se débattait, ruait. Que d'énergie il lui restait !

« Towurlee, tiens-lui les chevilles ! Mais non, pas ainsi, tiens-les écartées ! » ordonna Gournay.

Le roi était parvenu à sortir sa nuque dénudée de dessous la planche, et tournait le visage de côté, pour prendre un peu d'air. Maltravers lui pesa des deux mains sur la tête. Gournay se saisit du tisonnier et dit :

« Ogle ! Enfonce la corne, à présent. »

Le roi Edouard eut un sursaut d'une force désespérée quand le fer rouge lui pénétra dans les entrailles ; le hurlement qu'il poussa, traversant les murs, traversant le *keep*, passant par-dessus les dalles du cimetière, alla réveiller les gens jusque dans les maisons du bourg. Et ceux qui entendirent ce long, ce lugubre, cet effroyable cri, eurent dans l'instant même la certitude qu'on venait d'assassiner le roi.

Le lendemain matin les habitants de Berkeley montèrent au château, pour s'informer. On leur répondit qu'en effet l'ancien roi était trépassé dans la nuit, soudainement, en jetant un grand cri.

« Venez donc le voir, mais oui, approchez, disaient Maltravers et Gournay aux notables et au clergé. On fait présentement sa toilette mortuaire. Qu'on entre ; tout le monde peut entrer. »

Et les gens du bourg constatèrent qu'il n'y avait aucune marque de coup, aucune plaie, aucune blessure sur ce corps qu'on était en train de laver, et qu'on ne cherchait nullement à leur dissimuler.

Thomas Gournay et John Maltravers se regardaient ; ç'avait été une brillante idée que cette corne de bœuf pour enfoncer le tisonnier à travers. Vraiment, une mort sans traces ; dans ce temps si inventif en matière d'assassinat, ils pouvaient s'enorgueillir d'avoir découvert là une parfaite méthode.

Ils étaient inquiets seulement du départ inopiné de Thomas de Berkeley, avant l'aube, sous le prétexte, avait-il fait dire par sa femme, d'une affaire qui l'appelait dans un château voisin. Et puis Towurlee, le colosse au petit crâne, réfugié aux écuries, depuis plusieurs heures pleurait, assis par terre.

Gournay dans la journée partit à cheval pour Nottingham où se trouvait la reine, afin d'annoncer à celle-ci le trépas de son époux.

Thomas de Berkeley resta éloigné une bonne semaine et se montra en divers lieux d'alentour, essayant d'accréditer qu'il n'avait pas été dans son château au moment de la mort. Il eut, à son

retour, la mauvaise surprise d'apprendre que le
cadavre était toujours chez lui. Aucun des monastères voisins ne s'en voulait charger. Berkeley dut garder son prisonnier en bière, pendant
tout un mois, durant lequel il continua de percevoir ses cent shillings quotidiens.

Tout le royaume, maintenant, connaissait la
mort de l'ancien souverain ; d'étranges récits,
mais qui n'étaient guère éloignés de la vérité,
circulaient, et l'on chuchotait que cet assassinat
ne porterait bonheur ni à ceux qui l'avaient
accompli, ni à ceux, si haut qu'ils fussent, qui
l'avaient ordonné.

Enfin, un abbé vint prendre livraison du corps,
au nom de l'évêque de Gloucester qui acceptait
de le recevoir dans sa cathédrale. La dépouille
du roi Edouard II fut mise sur un chariot recou-
vert d'une toile noire. Thomas de Berkeley et
sa famille l'accompagnèrent, et les gens des envi-
rons suivirent en cortège. A chaque halte que fit
le convoi de mille en mille, les paysans plantè-
rent un petit chêne.

Après six cents ans écoulés, certains de ces
chênes sont toujours debout et projettent des
places d'ombre noire sur la route qui va de Berkeley à Gloucester.

NOTES HISTORIQUES
ET RÉPERTOIRE
BIOGRAPHIQUE

NOTES HISTORIQUES

1. — La tour de Londres formait encore au XIVe siècle la limite orientale de la ville, et même était séparée de la Cité proprement dite par les jardins des monastères. Le Tower Bridge naturellement n'existait pas ; la Tamise n'était franchie que par le seul London Bridge, en amont de la Tour.

Si l'édifice central, la White Tower, entrepris vers 1078 sur l'ordre de Guillaume le Conquérant par son architecte le moine Gandulf, se présente à nous, au bout de neuf cents ans, sensiblement dans son apparence initiale — la restauration de Wren, malgré l'élargissement des fenêtres, l'a peu modifié — en revanche l'aspect général de l'ensemble fortifié était, à l'époque d'Edouard II, assez différent.

Les ouvrages de l'actuelle enceinte n'étaient pas encore construits, à l'exception de la St. Thomas Tower et de la Middle Tower, dues respectivement à Henri III et à Edouard Ier. Les murailles extérieures étaient celles qui forment aujourd'hui la seconde enceinte, ensemble pentagonal à douze tours bâti par Richard Cœur de Lion et constamment remanié par ses successeurs.

On peut constater l'étonnante évolution du style médiéval au cours d'un siècle en comparant la

White Tower (fin du XIe) qui, malgré l'énormité de
sa masse, garde dans sa forme et ses proportions
le souvenir des anciennes villas gallo-romaines, et
l'appareil fortifié de Richard Cœur de Lion (fin
du XIIe) dont elle est entourée ; ce second ouvrage a
déjà les caractéristiques du classique château fort,
du type de Château-Gaillard en France, édifié par le
même Richard Ier, ou, ultérieurement, des constructions angevines de Naples.

White Tower est le seul monument pratiquement
intact parce que constamment utilisé au cours des
siècles qui témoigne du style de construction de
l'an mille.

2. — Le terme de *constable*, forme contractée de
connétable, et qui désigne de nos jours un officier
de police, était le titre officiel du commandant de
la Tour. Le constable était assisté d'un lieutenant
commandant en second. Ces deux fonctions d'ailleurs existent toujours, mais elles sont devenues
purement honorifiques et sont remises à des militaires illustres en fin de carrière. Le commandant
effectif de la Tour est de nos jours exercé par le *major*
qui est lui-même un officier général. Comme on le
voit, ces dignités ont une hiérarchie inverse à celle des
grades de l'armée.

Le *major* réside à la Tour, dans le Logis du Roi
— ou de la Reine — construction de l'époque Tu-
dor, accotée à la Bell Tower ; le premier Logis du
Roi, qui datait du temps d'Henry Ier, a été démoli
sous Cromwell. Egalement à l'époque de notre récit — 1323 — la chapelle Saint-Pierre n'était constituée que par la partie romane de l'édifice actuel.

3. — En 1054, contre le roi Henri Ier de France.
Roger Ier Mortimer, petit-fils de Herfast de Danemark, était neveu de Richard Ier Sans Peur, troisième duc de Normandie, grand-père du Bâtard
Conquérant.

4. — Le *shilling* était à cette époque une unité de valeur, mais non une monnaie proprement dite. De même pour la livre ou le marc. Le *penny* était la plus haute pièce de monnaie en circulation. Il faut attendre le règne d'Edouard III pour voir apparaître des monnaies d'or, avec le *florin* et le *noble*. Le shilling d'argent ne commencera d'être frappé qu'au XVIe siècle.

5. — Très vaisemblablement dans la tour de Beauchamp — mais qui ne portait pas encore ce nom. Elle ne fut appelée ainsi qu'à partir de 1397, à cause de Thomas de Beauchamp, comte de Warwick, qui y fut incarcéré et qui était, coïncidence curieuse, petit-fils de Roger Mortimer. Ce bâtiment était une construction d'Edouard II, donc toute récente à l'époque de Mortimer.

Les lucarnes des latrines étaient souvent le point faible des édifices fortifiés. C'est par une ouverture de cette sorte que les soldats de Philippe Auguste purent, après un siège qui menaçait de demeurer vain, s'introduire une nuit dans Château-Gaillard, la grande forteresse française de Richard Cœur de Lion.

6. — Le terme de *Parlement*, qui signifie très exactement assemblée, s'est appliqué en France et en Angleterre à des institutions de commune origine, c'est-à-dire au départ une extension de la *curia regis* mais qui prirent rapidement des formes et des attributions complètement différentes.

Le Parlement français, d'abord ambulant, puis fixé à Paris avant que des parlements secondaires ne fussent par la suite institués en province, était une assemblée judiciaire exerçant le pouvoir de justice sur l'ordre et au nom du souverain. Les membres en étaient d'abord désignés par le roi et pour la durée d'une session judiciaire ; à partir de la fin du XIIIe siècle et au début du XIVe, c'est-à-dire du règne de Philippe le Bel, les maîtres du Parlement furent désignés à vie.

Le Parlement français avait à connaître des grands conflits d'intérêts privés comme des procès opposant des particuliers à la couronne, des procès criminels important à la vie de l'Etat, des contestations s'élevant à propos de l'interprétation des coutumes et de tout ce qui touchait, en somme, à la législation générale du royaume, y compris même la loi de succession au trône, comme on le vit au début du règne de Philippe V. Mais encore une fois le rôle du Parlement et ses attributions étaient uniquement judiciaires ou juridiques.

La seule puissance politique du Parlement français venait de ce qu'aucun acte royal, ordonnance, édit, grâce, etc., n'était valable sans avoir été enregistré et entériné par ledit Parlement, mais il ne commença vraiment d'user de ce pouvoir de refus que vers la fin du XIVe et le début du XVe siècle, quand la monarchie se trouva affaiblie.

Le Parlement anglais, lui, était une assemblée à la fois judiciaire, puisque les grands procès d'Etat y étaient évoqués, en même temps que déjà une assemblée politique. Nul n'y siégeait de droit ; c'était toujours une sorte de Grand Conseil élargi où le souverain appelait qui il voulait, c'est-à-dire les membres de son Conseil étroit, les grands seigneurs du royaume, tant laïcs qu'ecclésiastiques, et les représentants des comtés et des villes choisis généralement par les shérifs.

Le rôle politique du Parlement anglais devait à l'origine se borner à une double mission d'information, le roi informant les représentants de son peuple, choisis par lui, des dispositions générales qu'il entendait prendre, et les représentants informant le souverain, par voie de pétition ou d'exposé oral, des desiderata des classes ou des régions administratives auxquelles ils appartenaient.

En théorie, le roi d'Angleterre était seul maître

de son Parlement qui restait en somme comme un auditoire privilégié auquel il ne demandait rien d'autre qu'une sorte d'adhésion symbolique et passive aux actes de sa politique. Mais dès que les rois d'Angleterre se trouvèrent dans de graves difficultés, ou bien lorsqu'il leur arriva de se montrer faibles ou mauvais gouvernants, les Parlements qu'ils avaient désignés devinrent plus exigeants, adoptèrent des attitudes franchement délibératives et imposèrent leurs volontés au souverain ; du moins le souverain eut-il à compter avec les volontés exprimées.

Le précédent de la Grande Charte de 1215, imposée à Jean Sans Terre par ses barons, et qui portait en essence le règlement des libertés anglaises, demeura toujours présent à l'esprit des Parlements. Celui qui se tint en 1311 contraignit Edouard II à accepter une charte instituant autour du roi un conseil d'ordonnateurs composé de grands barons élus par le Parlement et qui exerçaient vraiment le pouvoir au nom du souverain.

Edouard II lutta toute sa vie contre ces dispositions, les ayant d'abord refusées puis s'y étant soumis après sa défaite de 1314 par les Ecossais. Il ne s'en délivra vraiment, et pour son malheur, qu'en 1322 lorsque, les luttes d'influence ayant divisé les ordonnateurs, il put écraser aux batailles de Shrewsbury et de Boroughbridge le parti Lancastre-Mortimer qui avait pris les armes contre lui.

Rappelons enfin que le Parlement anglais n'avait pas de siège fixe, mais qu'un Parlement pouvait être convoqué par le souverain, ou réclamer d'être convoqué, en toute ville du royaume où le roi se trouvait.

7. — En 1318, donc cinq ans plus tôt, Roger Mortimer de Wigmore, nommé Grand Juge et lieutenant du roi d'Angleterre en Irlande, avait battu, à la tête d'une armée de barons des Marches,

Edouard Bruce, roi d'Irlande et frère du roi Robert Bruce d'Ecosse. La prise et l'exécution d'Edouard Bruce marquèrent la fin du royaume irlandais. Mais l'autorité anglaise y fut encore pour longtemps tenue en échec.

8. — L'affaire du comté de Gloucester, fort sombre et embrouillée, naquit des fabuleuses prétentions émises sur ce comté par Hugh Le Despenser le Jeune, prétentions qu'il n'aurait eu aucune chance de voir triompher s'il n'avait été le favori du roi.

Hugh le Jeune, non content d'avoir reçu tout le Glamorgan en part d'héritage de sa femme, exigeait contre tous ses beaux-frères, et en particulier contre Maurice de Berkeley, l'intégralité des possessions du feu comte son beau-père. Toute la noblesse du sud et de l'ouest de l'Angleterre s'en était alarmée, et Thomas de Lancastre avait pris la tête de l'opposition avec d'autant plus d'ardeur que dans le clan adverse se trouvait son pire ennemi, le comte de Warenne, lequel lui avait enlevé sa femme, la belle Alice.

Les Despenser, un moment exilés par un arrêt du Parlement rendu sous la pression des Lancastriens en armes, avaient été vite rappelés, Edouard ne supportant de vivre ni sans son amant, ni sous la tutelle de son cousin Thomas.

Le retour des Despenser au pouvoir avait été l'occasion d'une reprise de la rébellion, mais Thomas de Lancastre, aussi infortuné au combat qu'il l'avait été en ménage, avait fort mal dirigé la coalition. Ne se portant pas à temps au secours des barons des Marches galloises, il avait laissé ceux-ci se faire battre, en janvier 1322, dans l'ouest, à Shrewsbury, où les deux Mortimer avaient été faits prisonniers, tandis que lui-même, attendant vainement dans le Yorkshire des renforts écossais, avait été défait deux mois plus tard à Boroughbridge et condamné à mort immédiatement après.

9. — La commission de l'évêque d'Exeter, d'après le *Calendar of close rolls*, est du 6 août 1323. D'autres ordres furent expédiés concernant l'affaire Mortimer, notamment le 10 août aux shérifs du comté de Kent, le 26 au comte de Kent lui-même. Il ne semble pas que le roi Edouard ait eu connaissance avant le 1er octobre de la destination du fugitif.

10. — Marie de France, la plus ancienne des poétesses françaises, vécut dans la seconde moitié du XIIe siècle à la cour d'Henry II Plantagenet, où elle avait été amenée, ou appelée, par Aliénor d'Aquitaine, princesse infidèle, au moins à son premier époux le roi de France, mais certainement exquise, et qui avait créé autour d'elle, en Angleterre, un véritable centre d'art et de poésie. Aliénor était petite-fille du duc Guillaume IX, poète lui-même.

Les œuvres de Marie de France connurent une immense faveur, non seulement du vivant de leur auteur, mais encore pendant tout le XIIIe et le début du XIVe siècle.

11. — La compagnie des Tolomei, l'une des plus importantes banques siennoises avec celle des Buonsignori, était fort puissante et célèbre depuis le début du XIIIe siècle. Elle avait la papauté comme principal client ; son fondateur, Tolomeo Tolomei, avait participé à une ambassade auprès du pape Alexandre III. Les Tolomei furent sous Alexandre IV banquiers exclusifs du Saint-Siège. Urbain IV les excepta nominalement de l'excommunication générale décrétée contre Sienne entre 1260 et 1273. Ce fut vers cette époque (fin du règne de saint Louis, début du règne de Philippe III) que les Tolomei commencèrent d'apparaître aux grandes foires de Champagne et que Spinello fonda la branche française de la compagnie. Il existe encore à Sienne une place et un palais Tolomei.

12. — L'ordonnance de Charles IV sur l'interdiction de sortie des monnaies françaises fut certainement l'occasion d'un trafic, puisqu'une autre ordonnance, publiée quatre mois plus tard, défendit d'acheter l'or et l'argent à plus haut cours que celui des monnaies du royaume. Une année après, le droit de bourgeoisie fut retiré aux marchands italiens, ce qui ne signifie pas qu'ils eussent à quitter la France, mais simplement à racheter, une fois de plus, l'autorisation d'y tenir commerce.

13. — 19 novembre 1323. Jean de Cherchemont, seigneur de Venours en Poitou, chanoine de Notre-Dame de Paris, trésorier de la cathédrale de Laon, avait été déjà chancelier à la fin du règne de Philippe V. Charles IV, à son avènement, l'avait remplacé par Pierre Rodier. Mais Charles de Valois, dont il avait su gagner les faveurs, le réimposa dans sa charge à cette date.

14. — Le règlement proposé au pape, à la suite d'un Conseil royal tenu à Gisors en juillet 1323, prévoyait que le roi serait bénéficiaire de 300 000 livres sur les 400 000 de frais accessoires. Mais il était spécifié également — et Valois montrait là le bout de sa grande oreille — que si le roi de France, pour quelque raison que ce fût, ne prenait pas la tête de l'expédition, ce rôle reviendrait de droit à Charles de Valois qui bénéficierait alors à titre personnel des subsides fournis par le pape.

15. — On oublie généralement qu'il y eut entre la France et l'Angleterre, deux guerres de cent ans.

La première, qui va de 1152 à 1259, fut considérée comme terminée par le traité de Paris, conclu entre saint Louis et Henry III Plantagenet. En fait, entre 1259 et 1338, les deux pays entrèrent en conflit armé deux fois encore, toujours pour la question d'Aquitaine : en 1294 et, comme on le verra, en 1324. La seconde guerre de Cent Ans, qui s'ouvrit en 1328, n'aura plus véritablement pour objet le différend d'Aquitaine, mais la succession au trône de France.

16. — Ceci donne un exemple de l'état d'imbroglio extrême auquel était parvenu le système féodal, système qu'on se représente ordinairement comme fort simple, et qui l'était, effectivement, mais qui finit par s'étouffer dans les complications nées de son usage.

Il faut bien se rendre compte que la question de Saint-Sardos, ou l'affaire d'Aquitaine en général, n'étaient pas des exceptions, et qu'il en allait de même pour l'Artois, pour la Flandre, pour les Marches galloises, pour les royaumes d'Espagne, pour celui de Sicile, pour les principautés allemandes, pour la Hongrie, pour l'Europe entière.

17. — Ces chiffres ont été calculés par les historiens à partir des documents du XIVe siècle, en se basant sur le recensement du nombre des paroisses, et des feux par paroisse, à quatre habitants en moyenne par feu. Ils s'entendent pour la période environnant 1328.

Au cours de la seconde guerre de Cent Ans, les combats, les famines et les épidémies firent tomber le total de la population de plus d'un tiers ; il fallut attendre quatre siècles pour que la France retrouvât à la fois le niveau démographique et le niveau de richesse qui étaient les siens sous Philippe le Bel et ses fils. Au début du XIXe siècle encore, on pouvait considérer que dans cinq départements français, la densité moyenne de population n'avait pas réatteint ses chiffres de 1328. De nos jours même, certaines villes, prospères au Moyen Age et ruinées par la guerre de Cent Ans, demeurent au-dessous de leur situation d'alors. On peut mesurer à cela ce qu'a coûté cette guerre à la nation.

18. — Les *busines* (même origine que le *buccin* des Romains) étaient de longues trompes droites ou légèrement recourbées qui servaient à rallier les armées au combat. La trompette courte, qui commença d'être en usage au XIIIᵉ siècle, ne supplanta la busine qu'au cours du XVᵉ siècle.

19. — Jeu de dés et de jetons qui paraît avoir été l'ancêtre du trictrac et du jaquet.

20. — Nos lecteurs seront peut-être surpris par cet emploi de bouches à feu au siège de La Réole en 1324. En effet, on ne date traditionnellement l'apparition de l'artillerie à poudre que de la bataille de Crécy en 1346.
En vérité Crécy fut la première bataille où l'artillerie fut utilisée *en rase campagne* et en guerre de mouvement. Il ne s'agissait d'ailleurs que d'armes de relativement petits calibres et qui ne firent ni gros dégâts ni grosse impression. Certains historiens français en ont exagéré l'effet pour expliquer une défaite due bien plus à la fougueuse sottise du roi Philippe VI et de ses barons qu'à cet emploi par l'adversaire d'armes nouvelles.
Mais les « traits à poudre » de Crécy étaient une application de la grosse artillerie à feu employée pour les sièges depuis une vingtaine d'années déjà, concurremment à l'artillerie classique — on peut presque dire l'artillerie antique, car elle avait peu varié depuis César et même Alexandre le Grand — et qui lançait sur les villes par systèmes de leviers, de balanciers, de contrepoids ou de ressorts, des boulets de pierre ou des matières ardentes. Les premières bombardes ne lançaient rien d'autre que ces boulets de pierre semblables à ceux des balistes, mangonneaux et autres catapultes. C'était le moyen de projection qui était nouveau. Il paraît bien que ce fut en Italie que l'artillerie à poudre prit naissance, car le métal dont étaient cerclées les bom-

bardes était qualifié de « fer lombard ». Les Pisans usaient de ces engins dans les années qui nous intéressent.

Charles de Valois fut vraisemblablement le premier stratège, en France, à se servir de cette artillerie nouvelle. Il en avait passé commande dès le mois d'avril 1324 et s'était entendu avec le sénéchal de Languedoc pour qu'elle fût rassemblée à Castelsarrasin. Donc son fils Philippe VI ne dut pas être tellement surpris des petits boulets qu'on lui envoya à Crécy.

21. — Le roi de France, rappelons-le, n'était pas à cette époque suzerain d'Avignon. Philippe le Bel, en effet, avait pris soin de céder au roi de Naples ses titres de coseigneur d'Avignon afin de ne point paraître, aux yeux du monde, tenir le pape en tutelle directe. Mais par la garnison installée à Villeneuve, et par la seule situation géographique de l'établissement papal, il tenait le Saint-Siège et l'Eglise tout entière sous forte surveillance.

22. — C'est ce qui arriva effectivement sept ans plus tard, en 1330, quand les Romains élirent l'antipape Nicolas V.

23. — Le Palais des Papes, tel que nous le connaissons, est très différent du château de Jean XXII dont il ne reste que quelques éléments dans la partie qu'on nomme « le palais vieux ». L'énorme édifice qui fait la célébrité d'Avignon est surtout l'œuvre des papes Benoît XII, Clément VI, Innocent VI et Urbain V. Les constructions de Jean XXII y furent complètement remaniées et absorbées au point de disparaître à peu près dans le nouvel ensemble. Il n'en demeure pas moins que Jean XXII fut le véritable fondateur du Palais des Papes.

24. — Fils d'un boulanger de Foix en Ariège, Jac-

ques Fournier, confident du pape Jean XXII, devait devenir pape lui-même, dix ans plus tard, sous le nom de Benoît XII.

25. — Jean XXII, qui aimait les animaux exotiques, avait également dans son palais une ménagerie qui contenait un lion, deux autruches et un chameau.

26. — La question méritait en effet d'être posée, car les princes du Moyen Age avaient fréquemment six et même huit parrains et marraines. Mais n'étaient réputés comme tels, en droit canon, que ceux qui avaient réellement tenu l'enfant sur les fonts. Le procès d'annulation du mariage de Charles IV et de Blanche de Bourgogne, conservé au département des manuscrits de la Bibliothèque nationale, est l'un des documents les plus riches en renseignements sur les cérémonies religieuses dans les familles royales. L'assistance était nombreuse et très mélangée ; le menu peuple se pressait comme à un spectacle et les officiants étaient presque étouffés par la foule. L'affluence et la curiosité y étaient aussi grandes qu'aux actuels mariages des étoiles de cinéma, et le recueillement pareillement absent.

27. — Les affrèrements par échange et mélange des sangs, pratiqués depuis la plus haute antiquité et les sociétés dites primitives, étaient encore en usage à la fin du Moyen Age. Ils existaient en Islam ; ils étaient également d'usage dans la noblesse d'Aquitaine, peut-être par tradition héritée des Maures. On en retrouve les traces dans certaines dépositions au procès des Templiers. Il semble qu'ils se perpétuent, comme acte de contre-magie, chez certaines tribus de gitans. L'affrèrement pouvait sceller le pacte d'amitié, de compagnonnage, aussi bien que le pacte d'amour, spirituel ou non. Les plus célèbres affrèrements rapportés par la lit-

térature médiévale chevaleresque sont ceux contractés par Girart de Roussillon et la fille de l'empereur de Byzance (et devant leurs époux respectifs), par le chevalier Gauvain, par la comtesse de Die, par le fameux Perceval.

28. — Cette dispense lui avait été accordée par Clément V en 1313, Charles de Valois n'ayant alors que quarante-trois ans.

29. — Wautier (ou Wauter, ou Vautier, selon les rédactions différentes) pour Walter. Il s'agissait toujours du Lord Trésorier Stapledon, Walter de son prénom. L'original de cette lettre, ainsi que des suivantes, est en français.

30. — Rappelons que l'année traditionnelle commençait au 1er janvier alors que l'année administrative commençait à Pâques.

31. — Cette manière de faire voyager un enfant n'est pas anormale, encore qu'elle ne soit guère confortable. En effet, les selles de voyage, à la fin du XIIIe siècle et au début du XIVe siècle, si elles possédaient un très haut troussequin, ou bâte arrière, en forme de dossier auquel s'appuyait le cavalier, étaient sans pommeau et se présentaient fort plates sur le garrot du cheval.
C'était la selle de combat qui possédait une bâte avant très relevée, afin que le chevalier, lourdement armé et ayant à subir des chocs violents, fût comme enchâssé entre le troussequin et le pommeau.

32. — La transaction avait été faite, en août 1317, entre Philippe V et Clémence.

33. — Louis XVI devait sortir, par cette même porte, de la tour du Temple, 467 ans plus tard, et pour aller à l'échafaud. On ne peut s'empêcher

d'être frappé de cette coïncidence, et du lien fatidique entre le Temple et la dynastie capétienne.

34. — Chaâlis, en forêt d'Ermenonville, est un des tout premiers monuments gothiques de l'Ile-de-France. Sur cet ancien prieuré dépendant des moines de Vézelay, le roi Louis le Gros fonda, un an avant sa mort, en 1136, un vaste monastère dont il ne reste, depuis les démolitions de la Révolution, que quelques ruines imposantes. Saint Louis y résidait fréquemment. Charles IV y fit deux brefs séjours en mai et en juin 1322, et celui dont il s'agit ici en juin 1326. Philippe VI y demeura au début mars 1329, et plus tard Charles V. A la Renaissance, quand Hippolyte d'Este, cardinal de Ferrare, en était abbé commendataire, le Tasse y passa deux mois.

Cette fréquence des séjours royaux dans les abbayes et monastères, en France comme en Angleterre, ne doit pas être tant imputée aux pieuses dispositions des souverains qu'au fait que les moines, au Moyen Age, détenaient une sorte de monopole de l'industrie hôtelière. Il n'était pas de couvent un peu important qui n'eût son « hôtellerie », et plus confortable que la plupart des châteaux avoisinants. Les souverains en déplacement s'y installaient donc, avec leur cour ambulante, comme de nos jours ils se font réserver, pour eux et leur suite, un étage dans un palace de capitale, de ville d'eaux ou de station balnéaire.

35. — Par la lettre du 19 juin 1326 : « *Et aussi, beau fils, vous chargeons que vous ne vous mariiez nulle part tant que vous ne serez revenu à nous, ni sans notre assentiment et commandement... Et ne croyez à nul conseil contraire à la volonté de votre père, selon ce que sage roi Salomon vous apprend...* »

36. — Harwich avait reçu son statut de bourg communal par une charte accordée en 1318 par

Edouard II. Ce port devait rapidement devenir la tête du commerce avec la Hollande et le lieu des embarquements royaux pour le Continent pendant la guerre de Cent Ans. Edouard III, quatorze ans après y avoir abordé avec sa mère comme nous le racontons ici, devait en partir pour livrer la bataille de l'Ecluse, première de la longue série de défaites infligées aux flottes françaises par l'Angleterre. Au XVIe siècle Sir Francis Drake et l'explorateur Sir Martin Frobisher s'y rencontrèrent, après que le premier eut détruit l'Armada de Philippe V. Ce fut à Harwich également que s'embarquèrent pour l'Amérique les fameux passagers du *Mayflower* commandé par le capitaine Christopher Jones ; Nelson lui-même y séjourna.

37. — Jean de Hainaut, en tant qu'étranger, n'assista pas à ce Conseil ; mais il est intéressant d'y noter la présence de Henry de Beaumont, petit-fils de Jean de Brienne — roi de Jérusalem et empereur de Constantinople — qui avait été exclu par Edouard II du Parlement anglais, sous le prétexte de ses origines étrangères, et s'était, de ce fait, rallié au parti de Mortimer.

38. — Il ne faut pas confondre la fonction de maréchal d'Angleterre, qui était tenue par le comte de Norfolk, et celle de maréchal de l'ost.

Le maréchal d'Angleterre était l'équivalent du connétable en France (nous dirions aujourd'hui généralissime).

Les maréchaux de l'ost (l'armée française en comptait deux, l'Angleterre n'en avait qu'un seul) correspondaient à peu près à nos actuels chefs d'Etat-Major.

39. — La carte de Richard de Bello, conservée à la cathédrale de Hereford, est antérieure de quelques années à la nomination d'Adam Orleton à ce diocèse. Ce fut toutefois durant l'épiscopat d'Orle-

ton que la carte se révéla objet miraculeux.

C'est un des plus curieux documents existants sur la conception médiévale de l'univers et une très curieuse synthèse graphique des connaissances de ce temps. La carte se présente sur un vélin d'assez grandes dimensions ; la terre y est inscrite dans un cercle dont Jérusalem forme le centre ; l'Asie est placée en haut ; l'Afrique en bas ; la place du Paradis terrestre y est marquée ainsi que celle du fleuve Gange. L'univers semble ordonné autour du bassin méditerranéen, avec toutes sortes de dessins et mentions sur la faune, l'ethnologie et l'Histoire, selon des déductions tirées de la Bible, du naturaliste Pline, des Pères de l'Eglise, des philosophes païens, des bestiaires médiévaux et des romans de chevalerie.

La carte est entourée de cette inscription circulaire : « La terre ronde a commencé d'être mesurée par Jules César. »

La magie n'est pas absente de ce document, tout au moins d'une part de son inspiration.

La bibliothèque de la cathédrale de Hereford est la plus considérable, à notre connaissance, des librairies à chaînes encore existantes aujourd'hui puisqu'elle compte 1 140 volumes.

Il est étrange et injuste que le nom d'Adam Orleton soit si peu mentionné dans les études sur Hereford, alors que ce prélat a fait construire le monument principal de la ville, c'est-à-dire la grande et belle tour de la cathédrale qui fut élevée sous son administration.

40. — Ces châteaux normands bâtis depuis le début du XIᵉ siècle et dont le type de construction dura jusqu'au début du XVIᵉ, soit avec des *keeps* carrés dans les monuments de la première période, puis des *keeps* ronds, dits « en coquille », à partir du XIIᵉ, résistèrent en fait à tout, au temps comme aux armées. Leur reddition vint plus souvent de

circonstances politiques que de l'entreprise militaire, et ils seraient tous encore debout aujourd'hui, quasiment intacts, si Cromwell ne les avait pas, à l'exception de trois ou quatre, fait démanteler ou raser. Kenilworth se trouve à douze milles au nord de Stratford on Avon.

41. — Les chroniqueurs, et beaucoup d'historiens après eux, qui ne voient dans les déplacements infligés à Edouard II vers la fin de sa vie que l'expression d'une cruauté gratuite, semblent ne pas avoir établi le rapprochement entre ces déplacements et la guerre d'Ecosse. C'est le jour même où parvient le défi de Robert Bruce que l'ordre est donné à Edouard II de quitter Kenilworth ; c'est au moment où la guerre s'achève qu'il est à nouveau changé de résidence.

42. — Berkeley Castle, avec seulement trois autres forteresses normandes, devait être excepté du démantèlement général ordonné par Cromwell. Constamment habité, c'est sans doute aujourd'hui la plus vieille demeure d'Angleterre. Les propriétaires actuels sont toujours des Berkeley, descendants de Thomas de Berkeley et de Marguerite Mortimer.

RÉPERTOIRE BIOGRAPHIQUE

ALENÇON (Charles de Valois, comte d') (1294-1346).
Second fils de Charles de Valois et de Marguerite d'Anjou-Sicile. Tué à Crécy.

ANJOU-SICILE (Marguerite d') comtesse de Valois (vers 1270-1299).
Fille de Charles II d'Anjou, roi de Naples et de Sicile. Première épouse de Charles de Valois. Mère de Philippe VI, roi de France.

ARTOIS (Mahaut, comtesse de Bourgogne, puis d') (?-27 novembre 1329).
Fille de Robert II d'Artois. Epousa (1291) le comte palatin de Bourgogne, Othon IV (mort en 1303). Comtesse-pair d'Artois par jugement royal (1309). Mère de Jeanne de Bourgogne, épouse de Philippe de Poitiers, futur Philippe V, et de Blanche de Bourgogne, épouse de Charles de la Marche, futur Charles IV.

ARTOIS (Robert III d') (1287-1342).
Fils de Philippe d'Artois et petit-fils de Robert II d'Artois. Comte de Beaumont-le-Roger et seigneur de Conches (1309). Epousa Jeanne de Valois, fille de Charles de Valois et de Catherine de Courtenay (1318). Pair du royaume par son comté de Beaumont-le-Roger (1328). Banni du royaume (1332), se réfugia à la cour d'Edouard III d'Angleterre. Blessé mortellement à Vannes. Enterré à Saint-Paul de Londres.

ARUNDEL (Edmond Fitzalan, comte d') (1285-1326).
Fils de Richard Ier, comte d'Arundel. Epouse Alice, sœur de
John, comte de Warenne, dont il eut un fils, Richard, qui
épousa la fille de Hugh Le Despenser le Jeune. Grand Juge
du Pays de Galles (1323-1326). Décapité à Hereford.

BAGLIONI (Guccio) (vers 1295-1340).
Banquier siennois apparenté à la famille de Tolomei. Tenait
(1315) comptoir de banque à Neauphle-le-Vieux. Epousa
secrètement Marie de Cressay dont il eut un fils, Giannino
(1316), échangé au berceau avec Jean Ier le Posthume. Mort
en Campanie.

BALDOCK (Robert de) (?-1327).
Archidiacre du Middlesex (1314). Lord du sceau privé (1320).
Mort à Londres.

BERKELEY (Thomas, baron de) (1292-1361).
Chevalier (1322). Fait prisonnier à Shrewsbury et libéré en
1326. Gardien du roi Edouard II en son château de Berkeley (1327). Maréchal de l'armée en 1340, commanda les
forces anglaises à Crécy. Marié à Marguerite, fille de
Roger Mortimer.

BERTRAND (Robert de) (?-1348).
Baron de Briquebec, vicomte de Roncheville. Lieutenant du
roi en Guyenne, Saintonge, Normandie et Flandres. Maréchal
de France (1325). Il avait épousé Marie de Sully, fille
d'Henri, grand bouteiller de France.

BOCCACIO DA CHELLINO ou BOCCACE.
Banquier florentin, voyageur de la compagnie des Bardi.
Eut d'une maîtresse française un fils adultérin (1313) qui
fut l'illustre poète Boccace, auteur du *Décaméron.*

BOURBON (Louis, sire, puis premier duc de) (vers 1275-1342).
Fils aîné de Robert, comte de Clermont (1256-1318), et de
Béatrix, fille de Jean, sire de Bourbon. Petit-fils de saint
Louis. Grand chambrier de France à partir de 1312. Comte de
la Marche (1327). Duc et pair (1327).

BOURGOGNE (Blanche de) (vers 1296-1326).
Fille cadette d'Othon IV, comte palatin de Bourgogne, et
de Mahaut d'Artois. Mariée en 1307 à Charles de France,

troisième fils de Philippe le Bel. Convaincue d'adultère (1314) en même temps que Marguerite de Bourgogne, fut enfermée à Château-Gaillard, puis au château de Gournay, près de Coutances. Après l'annulation de son mariage (1322), elle prit le voile à l'abbaye de Maubuisson où elle mourut.

BOURGOGNE (Eudes IV, duc de) (vers 1294-1350).
Fils de Robert II, duc de Bourgogne, et d'Agnès de France, fille de saint Louis. Succède en mai 1315 à son frère Hugues V. Frère de Marguerite, épouse de Louis X Hutin, de Jeanne, épouse de Philippe de Valois, futur Philippe VI, de Marie, épouse du comte de Bar, et de Blanche, épouse du comte Edouard de Savoie. Marié le 18 juin 1318 à Jeanne, fille aînée de Philippe V (morte en 1347).

BOUVILLE (Hugues III, comte de) (?-1331).
Fils de Hugues II de Bouville et de Marie de Chambly. Chambellan de Philippe le Bel. Epousa (1291) Marguerite des Barres dont il eut un fils, Charles, qui fut chambellan de Charles V et gouverneur du Dauphiné.

BRETAGNE (Jean III, dit le Bon, duc de) (1286-1341).
Fils d'Arthur II, duc de Bretagne, auquel il succède en 1312. Marié trois fois, mort sans enfants.

CHARLES IV, roi de France (1294-1er février 1328).
Troisième fils de Philippe IV le Bel et de Jeanne de Champagne. Comte apanagiste de la Marche (1315). Succéda à son frère Philippe V (1322). Marié successivement à Blanche de Bourgogne (1307), Marie de Luxembourg (1322), et Jeanne d'Evreux (1325). Mourut à Vincennes, sans héritier mâle, dernier roi de la lignée des Capétiens directs.

CHATILLON (Gaucher V de), comte de Porcien (vers 1250-1329).
Connétable de Champagne (1284), puis de France après Courtrai (1302). Fils de Gaucher IV et d'Isabeau de Villehardouin, dite de Lizines. Assura la victoire de Mons-en-Pévèle. Fit couronner Louis Hutin roi de Navarre à Pampelune (1307). Successivement exécuteur testamentaire de Louis X, Philippe V et Charles IV. Participa à la bataille de Cassel (1328) et mourut l'année suivante ayant occupé la charge de connétable de France sous cinq rois. Il avait épousé Isabelle de Dreux, puis Mélisinde de Vergy, puis Isabeau de Rumigny.

CHATILLON-SAINT-POL (Mahaut de), comtesse de Valois (vers (1293-1358).
Fille de Guy de Châtillon-Saint-Pol, grand bouteiller de France. Troisième épouse de Charles de Valois (1308).

CHERCHEMONT (Jean de) (?-1328).
Seigneur de Venours en Poitou. Clerc du roi (1318). Chanoine de Notre-Dame de Paris. Chancelier de France de 1320 à la fin du règne de Philippe V ; réintégré dans ces fonctions à partir de novembre 1323.

CLÉMENCE de Hongrie, reine de France (vers 1293-12 octobre 1326).
Fille de Charles-Martel d'Anjou, roi titulaire de Hongrie, et de Clémence de Habsbourg. Nièce de Charles de Valois par sa première épouse, Marguerite d'Anjou-Sicile. Sœur de Charobert, roi de Hongrie, et de Béatrice, dauphine de Viennois. Epousa Louis X Hutin, roi de France et de Navarre, et fut couronnée avec lui à Reims (août 1315). Veuve en juin 1316, elle mit au monde en novembre 1316 un fils, Jean Ier. Mourut au Temple.

COURTENAY (Catherine de), comtesse de Valois (impératrice titulaire de Constantinople) (?-1307).
Seconde épouse de Charles de Valois. Petite-fille et héritière de Baudoin, dernier empereur latin de Constantinople (1261). A sa mort, ses droits passèrent à sa fille aînée, Catherine, épouse de Philippe d'Anjou, prince d'Achaïe et de Tarente.

CRESSAY (Jean de) et CRESSAY (Pierre de).
Fils du sire Jean de Cressay, chevalier, et de dame Eliabel. Furent tous deux armés chevaliers par Philippe VI de Valois lors de la bataille de Crécy (1346).

CRESSAY (Marie de) (vers 1298-1345).
Sœur des précédents. Secrètement mariée à Guccio Baglioni, et mère (1316) d'un enfant échangé au berceau avec Jean Ier le Posthume dont elle était la nourrice. Enterrée au couvent des Augustins près de Cressay.

DUÈZE (Gaucelin) (?-1348).
Neveu du pape Jean XXII. Créé cardinal en décembre 1316. Evêque d'Albano, puis Grand Pénitencier.

DESPENSER (Hugh LE) dit le Vieux (1262-27 octobre 1326).
Fils de Hugh Le Despenser, Grand Justicier d'Angleterre.
Baron, membre du Parlement (1295). Principal conseiller
d'Edouard II à partir de 1312. Comte de Winchester (1322).
Chassé du pouvoir par la révolte baronniale de 1326, il
mourut pendu à Bristol.

DESPENSER (Hugh LE) dit le Jeune (vers 1290-24 novembre
1326).
Fils du précédent. Chevalier (1306). Epousa Eleanor de
Clare (vers 1309). Chambellan et favori d'Edouard II à
partir de 1312, ses abus de pouvoir causèrent la révolte
baronniale de 1326. Exécuté à Hereford.

DESPENSER (Lady Eleanor LE), (?-1337).
Fille du comte de Gloucester et nièce d'Edouard II. Epousa
Hugh Le Despenser le Jeune (1309).

EDOUARD II Plantagenet, roi d'Angleterre (1284-21 septembre
1327).
Né à Carnarvon. Fils d'Edouard Ier et d'Eléonore de Castille.
Premier prince de Galles et comte de Chester (1301). Duc
d'Aquitaine et comte de Ponthieu (1303). Chevalier (1306).
Roi en 1307. Epousa (1308) Isabelle de France, fille de
Philippe le Bel. Couronné à Westminster le 25 février 1308.
Détrôné (1326) par une révolte baronniale conduite par
sa femme, fut emprisonné et mourut assassiné au château
de Berkeley.

EDOUARD de Windsor, puis EDOUARD III Plantagenet, roi
d'Angleterre (13 novembre 1312-1377).
Fils du précédent. Comte de Chester (1320). Duc d'Aquitaine
et comte de Ponthieu (1325). Proclamé roi (janvier 1327)
après la déposition de son père. Epousa (1328) Philippa,
fille de Guillaume, comte de Hainaut, de Hollande et de
Zélande, et de Jeanne de Valois. Ses prétentions au trône
de France, à la mort de Charles IV, furent cause de la
guerre de Cent Ans.

EVREUX (Philippe d').
Fils de Louis d'Evreux, demi-frère de Philippe le Bel et de
Marguerite d'Artois. Epousa (1318) Jeanne de France, fille
de Louis X Hutin et de Marguerite de Bourgogne, héritière
de la Navarre, morte en 1349. Père de Charles le Mauvais,

roi de Navarre, et de Blanche, seconde épouse de Philippe VI de Valois, roi de France.

FÉRIENNES (Isabelle de) (?-1317).
Magicienne. Témoigna contre Mahaut lors du procès intenté à cette dernière après la mort de Louis X. Fut brûlée vive ainsi que son fils après l'acquittement de Mahaut.

FIENNES (Jean, baron de Ringry, seigneur de Ruminghen, châtelain de Bourbourg, baron de).
Elu chef de la noblesse rebelle d'Artois et l'un des derniers à se soumettre (1320). Il avait épousé Isabelle, sixième fille de Guy de Dampierre, comte de Flandre dont il eut un fils, Robert, connétable de France en 1356.

FOURNIER (Jacques NOUVEL) (vers 1285-avril 1342).
Cistercien. Abbé de Fontfroide. Evêque de Pamiers (1317), puis de Mirepoix (1326). Créé cardinal en décembre 1327 par Jean XXII auquel il succéda en 1334 sous le nom de Benoît XII.

GOURNAY (Thomas de) (?-1333).
Un des gardiens d'Edouard II au château de Berkeley. Déclaré (1330) responsable de la mort du roi, il fut arrêté en Espagne, puis à Naples où il avait fui, et tué par ceux qui l'avaient arrêté.

HAINAUT (Guillaume d'Avesnes, dit le Bon, comte de Hollande, de Zélande et de) (?-1337).
Fils de Jean II d'Avesnes, comte de Hainaut, et de Philippine de Luxembourg. Succède à son père en 1304. Epouse en 1305 Jeanne de Valois, fille de Charles de Valois et de Marguerite d'Anjou-Sicile. Père de Philippa, reine d'Angleterre.

HAINAUT (Jean de) sire de Beaumont (?-1356).
Frère du précédent. Participa à plusieurs opérations en Angleterre et en Flandre.

HIRSON, ou HIREÇON (Thierry LARCHIER d') (vers 1270-17 novembre 1328).
Clerc de Robert II d'Artois, il fut utilisé par Philippe le Bel pour plusieurs missions. Chanoine d'Arras (1299). Chancelier de Mahaut d'Artois (1303). Evêque d'Arras (avril 1328).